O LUTO NO SÉCULO 21

CIP-BRASIL. CATALOGAÇÃO NA PUBLICAÇÃO
SINDICATO NACIONAL DOS EDITORES DE LIVROS, RJ

F896L

Franco, Maria Helena Pereira
  O luto no século 21 : uma compreensão abrangente do fenômeno / Maria Helena Pereira Franco. - 1. ed. - São Paulo : Summus, 2021.
  184 p.

  Inclui bibliografia
  ISBN 978-65-5549-024-4

  1. Luto - Aspectos psicológicos. 2. Perda (Psicologia). 3. Luto - Aspectos religiosos. 4. Morte - Aspectos sociais. I. Título.

21-69322
CDD: 155.937
CDU: 159.942:393.7

Camila Donis Hartmann - Bibliotecária - CRB-7/6472

www.summus.com.br

Compre em lugar de fotocopiar.
Cada real que você dá por um livro recompensa seus autores
e os convida a produzir mais sobre o tema;
incentiva seus editores a encomendar, traduzir e publicar
outras obras sobre o assunto;
e paga aos livreiros por estocar e levar até você livros
para a sua informação e o seu entretenimento.
Cada real que você dá pela fotocópia não autorizada de um livro
financia o crime
e ajuda a matar a produção intelectual de seu país.

Maria Helena Pereira Franco

O LUTO NO SÉCULO 21

UMA COMPREENSÃO ABRANGENTE DO FENÔMENO

O LUTO NO SÉCULO 21
Uma compreensão abrangente do fenômeno
Copyright © 2021 by Maria Helena Pereira Franco
Direitos desta edição reservados por Summus Editorial

Editora executiva: **Soraia Bini Cury**
Assistente editorial: **Michelle Campos**
Capa: **Studio DelRey**
Projeto gráfico e diagramação: **Crayon Editorial**

2ª reimpressão, 2022

Summus Editorial
Departamento editorial
Rua Itapicuru, 613 – 7º andar
05006-000 – São Paulo – SP
Fone: (11) 3872-3322
http://www.summus.com.br
e-mail: summus@summus.com.br

Atendimento ao consumidor
Summus Editorial
Fone: (11) 3865-9890

Vendas por atacado
Fone: (11) 3873-8638
e-mail: vendas@summus.com.br

Impresso no Brasil

SUMÁRIO

Prefácio 7

Introdução 9

1. Perspectivas históricas 27

2. Perspectivas e modelos teóricos. 45

3. Os lutos 71

4. Mediadores para a significação do luto: cultura, sociedade,
   espiritualidade e religião 99

5. Ações terapêuticas para situações de luto. 113

Epílogo. 159

Referências 163

PREFÁCIO

Sem dúvida, este livro é um trabalho de amor. A professora Maria Helena Pereira Franco é a líder de uma equipe de psicólogos que têm sido preparados por ela. Eles a respeitam e a amam, apesar – e talvez por causa – do trabalho desafiador e do suporte emocional (amor) que dão aos clientes que sofrem por luto e perdas de todos os tipos. O luto é o custo do amor, e o amor é, na minha visão, a chave para entender e ajudar pessoas enlutadas a atravessarem o vale escuro do luto.

Conheci Maria Helena em 1993 no St. Christopher's Hospice, em Londres, e desde então ela me impressiona pelo compromisso com que, ao lado de vários de seus talentosos alunos, nos traz o conhecimento obtido nas pesquisas e ações sobre luto no Brasil. A partir de 1997, Maria Helena e algumas de suas colegas passaram a fazer parte da organização para líderes no campo da morte, do morrer e do luto, o International Work Group on Death, Dying and Bereavement (IWG), que a cada 18 meses promove um encontro em um país diferente. Em 2007, o evento do IWG foi organizado pelo grupo de São Paulo, rendendo a este o carinho e o respeito (dois outros aspectos do amor) de figuras de proa de muitos países.

Neste livro, Maria Helena delineia seus longos anos de pesquisa, experiência e amplos estudos sobre luto para abordar os aspectos médicos, sociais, espirituais, sociológicos e psicológicos da perda. Ela inicia com uma visão geral sobre as teorias do luto, passando pela psicanálise, pelo pensamento sistêmico e pela teoria do apego, no contexto de questões culturais, religiosas e espirituais, com atenção especial às relações entre as culturas da religião católica lusófona e do mundo anglófono. Também são consideradas as variadas maneiras de expressão do luto nas suas formas normais e complicadas. Incluem-se aí influência da idade, perdas ambíguas, suicídio, violência, questões familiares e relacionadas aos processos migratórios. Segue-se, então, um olhar mais próximo para os novos diagnósticos de "luto complicado" no importante *Manual diagnóstico e estatístico de transtornos mentais*, 5ª edição (DSM-5), e na *Classificação estatística internacional de doenças e problemas relacionados com a saúde* (CID).

Maria Helena valida uma ampla gama de ações terapêuticas que não se limitam a psicólogos ou psiquiatras. Nelas estão incluídos terapeutas familiares, além de ações realizadas em escolas e na comunidade, cuidados aos profissionais e uso da internet.

Por fim, ela descreve sua ampla experiência, desde 1996, à frente do Laboratório de Estudos e Intervenções sobre o Luto (LELu), da Pontifícia Universidade Católica de São Paulo (PUC-SP). Este livro será fundamental para um grande número de pessoas que dominam o idioma português e merece tradução para outras línguas. Todos nós sofreremos perdas, de uma maneira ou de outra, e Maria Helena une o que tradicionalmente é entendido como cabeça e coração, embora hoje usemos os termos cognição e sentimento.

COLIN MURRAY PARKES
Janeiro de 2021

INTRODUÇÃO

Inúmeras vezes ouvi a pergunta a respeito dos meus motivos para estudar o luto. Essa pergunta geralmente vem precedida – ou seguida – de um pedido de desculpas, caso nela eu sinta uma invasão de privacidade. Nem sempre, mas na maioria das vezes, resguardava-me em um lugar seguro para não expor minha história pessoal e, então, oferecia uma resposta quase protocolar. Verdadeira, porém protegida.

Em paralelo, eu me perguntava: o fenômeno estudado precisa se relacionar com quem o estuda? Não pode haver um interesse científico desconectado da história do pesquisador? A resposta natural diz que pode, claro que pode, mas, se houver algum significado que toque o pesquisador, seu trabalho terá outro tom, com efeitos talvez mais impactantes. Os estudos de pós-graduação não são algo que se faça por obrigação ou por força da lei. Oferecem à pessoa a oportunidade valiosa de se embrenhar no que não conhece mas intui, no que a assusta mas a desafia, no que pode lhe apontar caminhos sobre sua história pessoal e contextual.

Minhas razões para estudar o luto encontram raízes ainda na graduação em Psicologia, na Faculdade de Filosofia, Ciências e Letras de São Bento, à época incorporada à Pontifícia Universidade Católica de São Paulo (PUC-SP). Aquela estudante que, por volta de 1973, foi apresentada ao trabalho de John Bowlby intuiu o caminho a seguir. A teoria do apego, que comecei a estudar naquela época pelas diligentes e desbravadoras mãos da profa. dra. Rosa Maria Stefanini de Macedo, explicava como os seres humanos se vinculam e como reagem quando tal vínculo é rompido. Essa teoria contribuiu com muitas peças para um quebra-cabeça que viria a ser montado uma década ou mais depois, algumas centenas de sessões de terapia depois. Montado, mas não estático. Dinâmico, pois os vínculos feitos, desfeitos, refeitos ofereceram sempre novas possibilidades de compreensão.

Degraus aprofundando-se para a vida pessoal

Meu interesse por estudar o luto, todavia, também tem raízes no campo pessoal, na experiência de, aos 2 anos, ter perdido minha mãe, com um câncer que a maltratou muito devido aos poucos recursos disponíveis à época no que diz respeito ao tratamento e à melhora na qualidade de vida das pessoas doentes. Mais tarde, ao estudar Bowlby (1978a, 1978b e 1989), entendi que ele traduzia para mim o que eu vivera quando relatou a experiência das crianças atingidas pela Segunda Guerra Mundial, que tiveram de ser retiradas de casa para ficar protegidas. Protegidas dos bombardeios, porém não de sua dor. Perdiam sua base segura e, no lugar, era-lhes oferecida uma nova situação que ainda precisava ser construída para ser entendida e vivenciada como capaz de fornecer segurança. Mesmo sem ter vivido a Segunda Guerra Mundial, eu sabia bem do que se tratava.

A vida me ofereceu muitas oportunidades de aprender com as perdas. Muitas. Aprendi, mas algumas vezes precisei ficar de recuperação. Ou a perda foi enorme ou a sucessão de perdas me deixou sem ferramentas e até mesmo extenuada. Dá trabalho viver um luto. Ou vários deles. Ou alguns, especialmente. Não é uma questão quantitativa – trata-se de quem você se torna quando vive um luto. Às vezes, o processo não está bem delineado, ainda não foi compreendido e nem mesmo adquiriu um significado, e vêm outro e mais outro.

Só não sou a última folha da árvore porque minha irmã teve duas filhas. Sou a sobrevivente da minha geração na família de origem. Meu irmão e minha irmã estão mortos. Meus pais também. Igualmente meus tios amados que me adotaram. Sou divorciada, não tive filhos. Meu ex-marido morreu anos depois do divórcio.

Essas circunstâncias fizeram de mim uma boa psicoterapeuta do luto? Não ouso dizer isso. Se afirmasse que sim, seria campeã em uma competição para a qual não me inscrevi voluntariamente e cujo troféu não me interessou. Sei dizer da enorme força interior que meu ofício exigiu e exige para que eu estudasse e estude sempre um tema que me foi e é pessoalmente muito familiar, não o confundindo com a experiência daquele que se senta à minha frente, conta suas dores e sonhos e espera de mim algo que torne a vida ao menos suportável depois da morte de alguém amado. O mesmo ocorre quando dou supervisão clínica e busco o melhor do meu conhecimento para aquele jovem profissional que espera a palavra precisa e certeira, o olhar infalível para guiá-lo no aprendizado de um ofício que faz diferença na vida das pessoas. Alguma sabedoria os lutos me possibilitaram.

O tão decantado autocuidado

Mas o psicoterapeuta também vive seus lutos, e vale cuidar muito bem disso, como Carter (1991) já ressaltava. Exatamente porque o psicoterapeuta – aqui focalizando especificamente aquele que trabalha com luto – vive seus lutos, um cuidado redobrado se impõe para que o seu fazer seja protegido de vieses pessoais, que o levem a ignorar seus pontos cegos – como bem recomendam Gamino e Ritter (2009) quando destacam as competências necessárias para trabalhar com a morte e o luto. Ampliando o foco, chamo para o cenário as recomendações de Cottone e Tarvydas (2016) e Mazzula e LiVecchi (2018) no que se refere a uma postura ética necessária para psicoterapeutas, sobretudo quando destacam a importância do autocuidado. O autocuidado por parte do terapeuta no seu trabalho com pessoas que vivem um luto é o imperativo ético descrito por Gamino e Ritter (2009) que não será demasiado quando incluído nas ações constantes para a formação e o desenvolvimento desse profissional.

Minha experiência profissional (e pessoal) de décadas formando psicoterapeutas para trabalhar com enlutados permitiu-me constatar quanto essas questões pessoais se apresentam como um impeditivo para o aprendizado da técnica. É possível ler os bons autores, participar de congressos para atualização, aceitar supervisão clínica com a humildade do aprendiz honesto, frequentar cursos, mas, se o autoconhecimento em relação à morte e ao luto não for desenvolvido, esse profissional poderá recorrer a uma atuação que beire o lugar-comum, apoiando-se em proposições assemelhadas à autoajuda e, em consequência, deturpando o que a psicologia oferece fundamentada na ciência. É preciso haver empatia? Sim, mas se deve somá-la a uma ação deliberadamente escolhida para aquela dada situação, com critérios claros para atender à demanda e não reduzir a ação a um ato assistencialista. A empatia integra-se à compaixão para tornar o ato de cuidar algo bem maior do que meramente executar um trabalho. Porém, isso só é possível se o profissional que vive o ofício de cuidar de pessoas em sofrimento, daquelas que vivem perdas, dispuser-se ao autoconhecimento e às reflexões impostas pela ética, sempre aliada à ciência.

Caminhos do conhecimento, desconhecimento e reconhecimento

Estudar sempre me interessou, deu suporte e encorajou. Tive a felicidade de aprender com grandes mestres, em sabedoria e em humanidade. Fiz muita terapia, além de ter amigos, professores e alunos que foram e são especiais. Talvez, mais do que encorajador, digo quanto foi necessário trilhar esse percurso, construir esses vínculos que se integraram para fazer de mim quem sou e para que eu esteja hoje escrevendo este livro.

Esta obra retrata um percurso acadêmico, científico e de vida vivida. Defendi meu doutorado na PUC-SP em 1994, com a primeira tese brasileira sobre luto (havia outras sobre morte, com outro enfoque). Para pesquisar e escrever o trabalho, recebi bolsas de estudos da Fundação de Amparo à Pesquisa do Estado de São Paulo (Fapesp), da Coordenação de Aperfeiçoamento de Pessoal de Nível Superior (Capes), do British Council e da própria PUC-SP, e usufruí da experiência maravilhosa de ser paga para estudar. Fui várias vezes a Londres; ali, bebi da fonte das produções de John Bowlby na Tavistock Clinic e no Tavistock Institute of Human Relations e conheci o St. Christopher's Hospice e aquele que considero meu mentor, dr. Colin Murray Parkes, pessoa única por sua generosidade e humanidade. Tive a honra e a felicidade de traduzir dois de seus livros (Parkes, 1998 e 2009), publicados pela Summus, o que me aproximou ainda mais dele, podendo mesmo privar da proximidade com sua esposa, Patricia, que, segundo ele, é sua principal fonte de segurança.

Nesse tempo, aprendi que o luto poderia ser descrito em duas categorias: normal ou patológico (Bowlby, 1981; Shaver e Fraley, 2008; Stroebe e Stroebe, 1987). Depois desaprendi isso, em uma nova construção do fenômeno, para estudar as diversas formas do luto complicado, não mais entendido como patológico, uma vez que pode ser vivido de maneiras mais particulares e sutis, que requerem detalhamento da experiência subjetiva e contextualizada. O luto só era estudado no hemisfério Norte, pelos pesquisadores anglófonos, até que foi necessário olhar para o resto do mundo e validar as diferentes culturas, vistas como de fato são – e não como colônias ou ex-colônias. Pesquisas recentes, como as desenvolvidas por Stroebe e Schut (2005-2006), Kristjanson *et al.* (2006), Bonanno *et al.* (2007), Boelen e Van den Bout (2008), Holland *et al.* (2009) e Boerner, Mancini e Bonanno (2013), elucidaram experiências de luto tanto após um período de doença como em situações repentinas, buscando identificar matrizes constantes dessas diferenças, que possibilitassem uma conceituação capaz de contemplá-las em vista de diversos fatores identificados como tendo uma função de risco ou de proteção. Surgem, portanto, indicadores preciosos para o diagnóstico de uma experiência de luto, que levaram à ampliação das possibilidades do pensamento clínico.

Neste livro, desenvolvo essa questão, ainda muito controversa, considerando as diferentes possibilidades de compreensão de luto complicado, luto prolongado, luto complexo persistente e luto traumático, como destacadas por Prigerson *et al.* (1995a), Lichtenthal, Cruess e Prigerson (2004), Rando *et al.* (2012) e Rando (2013). O que entendo como mais relevante sobre essa discussão reside nos estudos gerados para fundamentar as definições e na possibilidade de ampliação em um terreno até há pouco dicotomizado em luto normal e luto patológico. A complexidade na composição e a pluralidade de significados presentes no fenômeno do luto não caberiam nessa divisão.

Aprendi inicialmente que a terapia do luto, sendo de caráter breve, deveria ser feita em 12 sessões, como recomendavam Raphael *et al.* (1993). Depois desaprendi isso, ao constatar que não era assim que acontecia na vida real dos atendimentos e ao entrar em contato com olhares diversos, com fundamentos teóricos variados, para a compreensão do luto e suas consequências – como vi, por exemplo, no trabalho de Stroebe e Schut (2001b), de Shear *et al.* (2007) e de Solomon e Rando (2012). Lamentavelmente, algumas empresas seguradoras ainda acreditam que uma psicoterapia de luto deve ser realizada com sucesso em 12 sessões, independentemente da técnica ou da experiência do profissional, o que põe em risco a qualidade do serviço prestado. A questão diretamente associada diz respeito às fases do luto, como foi descrito inicialmente (Kübler-Ross e Kessler, 2005; Kübler--Ross, 2009) e mais tarde revisto (Stroebe e Schut, 1999; Stroebe, Schut e Boerner, 2017), para que se chegasse a uma conceituação do processo de luto como dinâmico, fluido e específico de cada pessoa enlutada.

Em razão disso, passei a estudar técnicas para intervenção em luto, com diferentes embasamentos, que demandassem especificidade epistemológica e alinhamento técnico, como indicam Stroebe e Schut (2001a), James e Gilliland (2001), Jordan e Neimeyer (2003), Johannesson *et al.* (2011), entre outros. Era importante considerar a resposta das pessoas a situações traumáticas e entender a especificidade do luto em questão, assim como fazia diferença compreender o processo de construção de significado como ferramenta que possibilitasse ao psicoterapeuta uma abordagem ativa da pessoa enlutada. Entendendo que a teoria do apego fornece subsídios importantes à conduta psicoterapêutica para o luto (Kosminsky e Jordan, 2016), encontrei também modos de compreender que agregam construção de significado (Gillies e Neimeyer, 2006) a partir do construcionismo social, que incluem uma visão desenvolvimental (Neimeyer e Cacciatore, 2016), que apresentam técnicas e as avaliam, como no caso de terapias em grupo (Johnsen, Dyregrov e Dyregrov, 2012), e que discutem vínculos contínuos (Klass e Walter, 2001).

Sou membro do International Work Group on Death, Dying and Bereavement (IWG) desde 1997, convidada por Colin Parkes, tendo sido a primeira brasileira a receber essa distinção e servindo a diretoria por duas gestões, inclusive como anfitriã de uma reunião em São Paulo, em 2007. As reuniões do IWG são restritas aos membros, porém oferecem uma excelente oportunidade para o país anfitrião, pois os participantes oriundos de grandes universidades e centros de pesquisa voluntariamente oferecem seu tempo para cursos, palestras, aulas magnas. Esses encontros são abertos a profissionais e pesquisadores locais, que se beneficiam do conhecimento compartilhado.

A oportunidade de estar nessas reuniões abriu perspectivas desafiadoras e privilegiadas. Além de conhecer e trabalhar com pesquisadores e clínicos que respeito muito pela sua constante contribuição, como Margaret Stroebe e Henk Schut

(Holanda), Charles Corr, Kenneth Doka, Stephen Connor, Robert Neimeyer e Nancy Hogan (Estados Unidos), Carol Wogrin (Zimbábue), Christopher Hall (Austrália), Simon Rubin e Ruth Malkinson (Israel), entre outros, tive a oportunidade de escrever um artigo (Rando *et al.*, 2012) com diversos deles, durante a reunião realizada na Austrália, abordando a questão do luto complicado e sua inserção, ou não, no *Manual diagnóstico e estatístico de transtornos mentais*, 5ª edição (DSM-5), publicado pela Associação Americana de Psiquiatria (APA, 2013).

Também pude convidar colegas brasileiras para fazer parte do IWG, como Claudia Millena Câmara (Rio Grande do Norte), Daniela Reis e Silva (Espírito Santo), Luciana Mazorra e Regina Szylit (São Paulo). Dessa maneira, não fiquei sozinha nesse lugar de conhecimento tão privilegiado e compartilhei com elas o desafio de levar às suas instituições de origem os benefícios dessa convivência.

Dito dessa maneira, talvez pareça que eu tenha mergulhado em um mar de diferentes abordagens e suas expressões técnicas, sem critérios para identificar aquelas que tinham embasamento epistemológico sólido, movida talvez por um espírito de encontrar o novo e experimentá-lo. No entanto, não foi assim que me desenvolvi, pois, como psicóloga, venho de uma formação muito exigente quanto à postura ética expressa nas ações. Conhecer essas possibilidades teve um efeito libertador, ao mesmo tempo ainda mais crítico, em relação àquilo que eu sabia e àquilo que precisava ainda estudar.

Inevitável, então, seria considerar aspectos éticos no uso de técnicas para pessoas em vulnerabilidade. Surge a questão: os enlutados estão nessa categoria? A resposta não pode ser um simples sim ou não, uma vez que a própria descrição do luto diz que se trata de uma vivência natural provocada pelo rompimento de um vínculo. Portanto, o que não é natural? O que muda o curso desse processo? Responder a isso é tarefa constante e requer posicionamento teórico e alinhamento técnico consistentes. Somem-se a essa questão os cuidados éticos para pesquisa com seres humanos. O princípio de não causar dano, de não fazer o mal, aplica-se inquestionavelmente, e surgem métodos de pesquisa que podem estar no limite entre o risco controlado e a sua justificativa, considerando-se a relevância da pesquisa e seus potenciais benefícios. Quanto a esse aspecto, há autores (Cook, 2001; Neimeyer e Hogan, 2001; Stroebe *et al.*, 2008a; Franco, Tinoco e Mazorra, 2017) que se mantêm firmes na posição ética esperada, mas não deixam de destacar a necessidade de se desenvolverem métodos de pesquisa voltados para a realidade atual, como afirmam Stroebe, Van der Houwen e Schut (2008) sobre pesquisa utilizando a internet e Gilbert e Horsley (2011) sobre uso de plataforma multimídia no cuidado ao enlutado. Apresentei a evolução desses estudos em publicações nas quais buscava conjugar as ideias iniciais que formavam seus conceitos norteadores e a forma como chegaram às suas conclusões (Bromberg, 2000; Franco, 2002 e 2010).

Sobre dar à luz e nutrir

Temos visto no Brasil, desde o final do século 20, um significativo avanço nos estudos sobre o luto, por meio de eventos científicos realizados no país, da participação de profissionais e pesquisadores brasileiros em eventos no exterior, do aumento do número de publicações científicas e da crescente presença de especialistas consultados por veículos de comunicação, a fim de levar conhecimento aos segmentos da população sem acesso à universidade ou a informações especializadas. Trata-se de um avanço ainda modesto quando comparado ao que vem se produzindo em centros de pesquisa e universidades no exterior, mas entendo que isso se deva ao fato de nosso tempo histórico para iniciar ter sido muito posterior ao deles.

A fundação do Laboratório de Estudos e Intervenções sobre o Luto (LELu), da PUC-SP, em 1996, com suporte financeiro da Fapesp, possibilitou construir um *locus* para estudos, avanços, intervenções realizadas na comunidade, formação de psicoterapeutas para luto e atendimento a pessoas enlutadas, de maneira continuada e viva até hoje e, espero, por muitos anos mais. Tê-lo fundado e estar até hoje na sua coordenação representou para mim a possibilidade de retribuir à universidade e à sociedade os privilégios que tive para chegar até o doutorado, do qual ele é fruto. Pesquisadores que se formaram no LELu continuam ativos e publicando[1]. Muitos deram continuidade aos estudos e à pratica, ampliando o âmbito de ação de interesse para o trabalho com pessoas ou comunidades enlutadas.

O Laboratório de Estudos sobre a Morte (LEM), do Instituto de Psicologia da Universidade de São Paulo (IP-USP), fundado e coordenado pela profa. dra. Maria Julia Kovács, destaca-se por uma produção científica constante e rigorosa (Kovács, 2003, 2008 e 2010; Esslinger, 2003; Alves, 2006; Fukumitsu, 2013a, 2013b; Paiva, 2011; Scavacini, 2018). O Núcleo Interdisciplinar de Pesquisa em Perdas e Luto (Nippel), da Escola de Enfermagem da Universidade de São Paulo (EE-USP), fundado pela profa. dra. Regina Szylit em 2007, com representação internacional reconhecida, tem um histórico de ações e publicações de peso (Bousso *et al.*, 2014; Bousso, 2015; Misko *et al.*, 2015; Silva *et al.*, 2015; Frizzo *et al.*, 2017; Borghi *et al.*, 2018).

Um momento importante para os estudos sobre luto no Brasil foi o I Congresso Luso-Brasileiro sobre o Luto, realizado em Lisboa, Portugal, em julho de 2017. Ele foi precedido por outros encontros científicos sobre o tema no Brasil, em

---

1. Ver Casellato (2004 e 2015), Santos (2005), Gouveia-Paulino e Franco (2008), Casellato *et al.* (2009), Braz (2013), Maso *et al.* (2013), Oliveira (2013), Franco *et al.* (2014), Silva (2015), Tinoco (2015), Marras (2016), Kreuz e Tinoco (2016), Franco, Tinoco e Mazorra (2017), Braz e Franco (2017), Pandolfi (2018).

menor escala, mas que contribuíram para a consolidação da área. O congraçamento com os colegas portugueses permitiu, além das trocas científicas naturais de um evento como esse, o estreitamento de relações de cooperação já iniciadas entre núcleos de pesquisa de ambos os países, como nos trabalhos de Delalibera *et al.* (2015a, 2015b e 2017). Na abertura desse congresso, tive a oportunidade de fazer uma palestra, na qual abordei os muitos lutos brasileiros. Além de compartilhar a emoção por estar ali, junto com os colegas portugueses, capitaneados pelo professor António Barbosa, da Universidade de Lisboa, com quem copresidi o congresso, e na presença de diversos representantes brasileiros, apresentei algumas práticas sobre o luto no Brasil. Dessas reflexões, extraí ideias que apresentarei a seguir, como uma aproximação ao que abordo neste livro. Falei sobre a ancestralidade manifestada no presente e sobre as raízes e os frutos do luto no Brasil.

Esse evento teve sequência com a realização do II Congresso Luso-Brasileiro sobre o Luto e do I Congresso Brasileiro sobre o Luto, que tive a honra de copresidir, novamente com o professor António Barbosa, e de ser a anfitriã, uma vez que foi realizado na PUC-SP, em julho de 2019. Contamos com 600 inscritos de diversas regiões do Brasil, além de uma delegação de Portugal. No encerramento do evento, deu-se a fundação da Associação Brasileira Multiprofissional sobre o Luto, para a qual fui aclamada como presidente, tendo sido sua diretoria composta por membros de vários estados brasileiros, como Rio Grande do Norte, Minas Gerais, Espírito Santo, Rio de Janeiro e São Paulo.

Destacar essas realizações no Brasil se justifica porque o tema do luto está desde muito recentemente no foco de interesse de pesquisadores e profissionais de diferentes áreas, como psicologia, medicina, direito, enfermagem e educação, cujos esforços para desenvolvê-lo constante e produtivamente merecem atenção e reconhecimento. Ciente dessa conjugação de saberes e olhares, da real pluralidade presente no fenômeno, ressalto, no entanto, que a lente que utilizo neste livro é a da psicologia. Seria incorrer no risco da superficialidade se eu me embrenhasse nos outros domínios do conhecimento sem a devida solidez.

Existe um luto brasileiro?

A ancestralidade expressa no luto significa, necessariamente, aproximar-se da diversidade e de diferentes comunidades. Nós sabemos das distintas etnias (ou origens diversas) que compõem a assim chamada identidade brasileira, como Buarque de Holanda (2015) bem elaborou. Temos o sangue daqueles que viviam no Brasil quando da chegada dos navegadores europeus, com Pedro Álvares Cabral, em 1500. A vida dos indígenas jamais foi a mesma depois disso! De donos da terra, tornaram-se escravos. Nossos vizinhos dos demais países da América do Sul não falam português e tiveram influência espanhola, com a mão pesada da Santa Inquisição.

O Marquês de Pombal proibiu a escravização de índios, por considerá-los inaptos para as atividades. De grande relevância foi, então, a presença de pessoas vindas da África, a partir de 1539, para aqui trabalharem como escravas. A fim de conseguir praticar sua fé, adotaram o sincretismo religioso, desenvolvendo crenças e práticas que perduram até hoje. Podemos imaginar a importância que a religião tinha para essas pessoas, subtraídas de suas raízes, de seu lugar, de sua identidade, para se submeterem a um senhor que nelas via muitas coisas, menos o que havia de humano. Um luto inominável! E não reconhecido.

Com a vinda de pessoas escravizadas, a configuração familiar brasileira, além de deixar clara a linha que distanciava a senzala da casa-grande, teve de suportar a existência de brasileiros clandestinos, filhos do senhor e de suas escravas, em geral frutos de estupro. Talvez "suportar" não seja a melhor palavra para descrever o lugar reservado a esses brasileiros. Podemos dizer que a discriminação e a segregação foram a solução encontrada pelos detentores do poder para lhes dar um lugar distinto daquele ocupado pelos moradores da casa-grande.

Vieram os ingleses, os franceses, os holandeses, sobretudo no Nordeste do Brasil. A primeira sinagoga das Américas está em Recife e foi fundada em 1630, durante o período da dominação holandesa. Ao panteísmo dos nossos indígenas agregaram-se o catolicismo, as religiões de raiz afro e, então, o judaísmo. Evidentemente, a maneira de cada um desses povos entender a morte e os rituais a ela associados, bem como os significados do luto, já exigia uma flexibilidade, no mínimo, sociológica, mas também teológica. Paralelamente a isso, os esforços de colonização não se faziam valer apenas pela imposição da força econômica, mas, sobretudo, pela diferença social. Essa conjugação se mostra presente ainda no Brasil do século 21.

Mais recentemente, a partir do século 19, tivemos as imigrações. Vieram italianos, alemães, espanhóis, portugueses – pessoas que buscavam uma vida em paz para criar seus filhos. No início do século 20, os japoneses e os povos de origem árabe também começaram a marcar presença, trazendo o xintoísmo e o islamismo para o cenário. Isso sem falar na rede mundial de comunicação, que, a partir das três últimas décadas do século 20, aboliu muitas fronteiras e propiciou um novo jeito de as pessoas se relacionarem e se vincularem. Mais recentemente, na primeira e, sobretudo, na segunda década do século 21, temos a vinda de haitianos e venezuelanos, por exemplo, que chegam ao Brasil buscando fugir da situação econômica e política de seu país ou das consequências de desastres naturais, como o terremoto ocorrido no Haiti em 2010. Também de países da África e do Oriente Médio recebemos pessoas e até mesmo famílias inteiras que buscam aqui recomeçar a vida após enfrentar a situação dramática de perder a segurança de viver em seu país.

Esse resumo focalizado e brevíssimo da história do Brasil serviu como moldura para colocar em questão o que se pode chamar de "o jeito brasileiro de viver um luto". Existe isso? Seria ingenuidade afirmar que sim, considerando todas essas influências e uma população de 212 milhões de pessoas, segundo a projeção do IBGE (2020), em um território de mais de 8,5 milhões de quilômetros quadrados.

Não se trata somente das tantas religiões professadas no Brasil. Existe uma questão sociológica de grande importância. Entre meados e, sobretudo, final do século 20, as famílias mudaram acentuadamente, assim como mudaram os lugares e papéis que seus membros ocupam dentro de sua estrutura e na sociedade como um todo. Preconceitos foram revistos, porém nem sempre de modo a ampliar a liberdade de escolha das pessoas. Portanto, posso dizer que nossas raízes para viver um luto vieram de diferentes lugares, cresceram em solos regados de modo ainda mais diversificado e frutificam de maneira magnífica pela diversidade que nos oferecem.

Quando atendemos em consultório uma pessoa enlutada, quando nos aproximamos de uma comunidade afetada pela dor de uma perda, pelo rompimento da segurança, se nossa abordagem não for culturalmente sensível, estará fadada ao fracasso e, ainda pior, causará danos, o que é inadmissível, eticamente falando. Para sermos culturalmente sensíveis, devemos estar cientes da construção cultural que nos trouxe até onde estamos, a fim de sermos empáticos com essa pessoa ou comunidade, sabendo que a coincidência de valores e significados é menos importante – podendo até ser um risco, às vezes – do que ter uma comunicação empática. Esta, sim, será de grande valia. Rosenblatt (1993, 2008 e 2013) defende enfaticamente a importância da consideração pelas diferenças culturais, e seu pensamento será mais detalhadamente apresentado neste livro, sobretudo pela relevância que lhe atribuo para a compreensão da multiplicidade de aspectos presentes no fenômeno do luto.

Prosseguindo nos estudos sobre luto, foi necessário rever conceitos e desenvolver práticas brasileiras por meio de nossos recursos. Até para pensar e definir o objeto e o problema de pesquisa foi preciso aprender a pensar em "brasileiro", pelo caminho da semântica, como linguagem e significado, para não importar procedimentos prontos, com vieses culturais que poderiam nos levar a equívocos graves na pesquisa e na aplicação de seus resultados. No Brasil, a rede de apoio, representada por pessoas, sistemas e contextos ao qual recorre o enlutado, ou mesmo a pessoa com uma doença grave, em busca de suporte para enfrentar as crises, se compõe de maneira diferente do que na Inglaterra, por exemplo, e sempre buscamos saber sobre a existência dessa rede e sobre a percepção que o enlutado tem dela. A

Inglaterra é citada devido à sua tradição em oferecer suporte por meio de distintas formas de redes de apoio, não diretamente relacionadas ao contexto familiar e com grande amparo dos recursos do Estado, como tive oportunidade de conhecer quando estudei naquele país. Dessa maneira, valorizo a importância de investigar a existência e a composição de uma rede de apoio e, sobretudo, como o enlutado a percebe. No Brasil, essa diferença assenta-se na nossa tradição cultural, que valoriza a família patriarcal, principal base de segurança, mas também se apoia na crença e na inserção em uma comunidade religiosa. O suporte do Estado é restrito, levando à necessidade de construção de redes informais de apoio.

Mesmo que a configuração das famílias tenha mudado muito a partir das últimas décadas do século 20, passando a incluir, por exemplo, famílias monoparentais, homoafetivas ou sem laços biológicos, o lugar daquilo que o enlutado entende por família ainda tem destaque na sua rede de apoio. É na sua definição de família que me apoio.

O luto não reconhecido no Brasil se expressa também na legislação acerca de afastamento do trabalho por morte em família, aqui entendida no sentido mais tradicional, da família monogâmica da sociedade capitalista, cabendo, porém, as atualizações de direito relativas às novas formas de casamento ou união estável. No entanto, se seu melhor amigo morrer e você faltar ao trabalho, terá um desconto no salário. O mesmo se aplica à morte de sua madrinha. Seu luto não será reconhecido. Marras (2016) estudou o assunto para destacar quanto o ambiente de trabalho pode ser o oposto do que se esperaria como suportivo. Essa é mais uma faceta que ressalta a possibilidade política dos estudos sobre luto. Podemos mudar corações e mentes e, com coragem e persistência, provocar quem tem o poder de fazer as leis, em sua insensibilidade, para que olhem para as necessidades decorrentes do luto e para suas implicações na saúde das pessoas. Colocar luz sobre condições específicas de luto não significa patologizá-las, e sim ressaltar o lugar que cabe à experiência.

As novas possibilidades de tratamento médico, a revisão na definição de vida e a definição de morte são questões ainda polêmicas e com impacto em diversos campos do conhecimento e da prática profissional. Em 9 de agosto de 2012, a Resolução n. 1995 do Conselho Federal de Medicina (CFM) permitiu que, caso a pessoa não tenha condições de se comunicar, seus desejos expressos sobre medidas de tratamento sejam respeitados. Essa resolução afirma:

Art. 1º. Definir *diretivas antecipadas de vontade* como o conjunto de desejos, prévia e expressamente manifestados pelo paciente, sobre cuidados e tratamentos que quer, ou não, receber no momento em que estiver incapacitado de expressar, livre e autonomamente, sua *vontade* [grifos meus].

Art. 2º. Nas decisões sobre cuidados e tratamentos de pacientes que se encontram incapazes de comunicar-se, ou de expressar de maneira livre e independente suas vontades, o médico levará em consideração suas diretivas antecipadas de vontade.

Destaque-se que essa é uma posição do CFM que toca questões jurídicas importantes, o que dificulta sua implementação. Esse posicionamento se formalizou, portanto, nas diretivas antecipadas de vontade, que levam a posicionamentos jurídicos em constante discussão e revisão (Dadalto, Tupinambás e Greco, 2013; Dadalto, 2015). Apesar da polêmica de serem confundidas com a eutanásia, tais diretivas ainda nos possibilitam discutir o assunto para além dos muros da academia, em entrevistas em diversos meios de comunicação, aproximando a questão das pessoas que poderão decidir e dando-lhes fundamentos para essa decisão. Têm sido discutidas, também, em sociedades científicas, como a Academia Nacional de Cuidados Paliativos e a Sociedade Brasileira de Geriatria e Gerontologia, não ficando restritas apenas ao campo jurídico.

As implicações de a pessoa poder decidir o que prefere que seja feito a respeito de seu tratamento médico quando não conseguir mais decidir com autonomia não são poucas e se refletem no luto. A pessoa enlutada que tiver tido a oportunidade de participar desse processo, de conhecer as consequências de uma decisão em sua vida, pode vivê-lo com menos terreno para arrependimentos. Embora a necessidade de o enlutado rever o cenário de suas despedidas e avaliar a efetividade de suas ações seja parte do luto, considero um fator de estresse a menos se, nessa revisão, retomar o próprio lugar de fala e o do falecido, para que as sugestões deste sejam respeitadas. É compreensível que esse não seja um lugar fácil, seja a família coesa ou disfuncional, sobretudo se levarmos em consideração o potencial gerador de crise que uma doença e a morte causam. Mesmo assim, uma vez que a questão está posta e presente em congressos e reuniões científicas no Brasil e em diversos países do mundo ocidental, entendo que seja uma oportunidade rica para aproximar a questão das pessoas, para levá-las a pensar e discutir a respeito, de modo que possam assumir seu lugar de cidadãs e protagonistas de sua vida.

Ao dar voz às pessoas e comunidades enlutadas, a internet ampliou a presença nesse debate das redes sociais e dos blogues, que, mesmo não sendo específicos para determinados tipos de morte e de luto, obtêm largo alcance na comunicação e no intercâmbio de experiências e ideias. Não causa mais surpresa que os indivíduos prestem homenagens e reúnam-se virtualmente após a morte de alguém querido, fazendo uso das redes sociais e de recursos tecnológicos que abolem as fronteiras físicas. Os velórios virtuais e a manutenção de páginas pessoais nas redes sociais após a morte de seu titular mostram que, atualmente, há muitas maneiras para as pessoas viverem e expressarem seu luto (Bousso *et al.*, 2014; Frizzo *et al.*, 2017; Borghi *et al.*, 2018).

O recurso de realizar reuniões virtuais para substituir os velórios presenciais passou a ser muito utilizado desde o início da pandemia de Covid-19, em fevereiro de 2020, dada a restrição sanitária ao número de pessoas permitido no velório e no enterro. Embora a princípio tenha causado estranheza, sobretudo por romper com uma tradição culturalmente significativa de reunir as pessoas para homenagear o morto e expressar suas condolências à família, esse recurso pode vir a ser aceito ao longo do tempo, mesmo que não seja considerado totalmente válido.

Quando escrevi sobre o que poderíamos chamar de o modo brasileiro de viver, morrer e enlutar-se (Franco, 2015a), em um capítulo de um livro que reunia pesquisadores de diversos países e regiões do mundo sobre morte, luto e família, tive de arriscar ser ousada o suficiente para buscar as semelhanças e para admitir as diferenças entre os tantos significados, usos e costumes que encontramos no Brasil, considerando alguns pontos de semelhança além das diferenças de ancestralidade. A religião católica aprendida com os portugueses, sobretudo da Companhia de Jesus, manteve-se forte em alguns estados brasileiros, talvez aqueles que, por razões geográficas, não têm acesso direto aos portos marítimos e não tenham recebido outras influências. Nesse capítulo, ciente do risco de tal análise, abordei a mercantilização da morte no Brasil, iniciada no final do século 20. Juntamente com a venda de serviços e produtos para os rituais fúnebres, viu-se o surgimento da oferta de apoio psicossocial como parte do pacote oferecido pelas empresas funerárias. Isso em si não é problema. O enlutado, perdido na sua experiência indesejada, vê-se diante de novas demandas e decisões a tomar e, então, oferecem-lhe algo (um serviço) que está incluído no seguro-funeral. Isso, porém, é feito de maneira indistinta, sem levar em conta o imperativo de uma cuidadosa avaliação de necessidades. O aspecto positivo está em supor (ou esperar?) que o profissional responsável por esse atendimento tenha formação técnica adequada ou suficiente e se adaptará às exigências do empregador, para não incorrer em riscos também à sua saúde psíquica diante das exigências técnicas e pessoais que sofrerá com o enlutado e que podem levar o profissional ao sofrimento moral (Cottone e Tarvydas, 2016; Mazzula e LiVecchi, 2018). Esse aspecto mercadológico em relação à morte não é exclusivo dos brasileiros, porém.

Portanto, nossa ancestralidade, venha de qual raiz vier, quaisquer que tenham sido seus enxertos e mesclas, expressa-se nos sentidos que damos às nossas relações e na maneira de viver nossos lutos, ressoando os valores e vínculos do povo brasileiro com e nos três tempos da existência: passado, presente e futuro.

Sobre este livro

Pelo percurso histórico dos meus estudos e experiências sobre o luto, compartilho com os leitores, neste livro, minha visão crítica e meu posicionamento atual. No Capítulo 1, percorro o minucioso histórico apresentado por Parkes (1998, 2001, 2011a e 2011b), que põe luz sobre a importância de uma conexão com a cultura onde o fenômeno ocorre, como também defende Rosenblatt (1993, 2008 e 2010), que ainda ressalta a importância de se fazer a ponte entre o luto vivido no âmbito privado e sua expressão pública. Fiz questão de abordar o posicionamento de Rosenblatt porque entendo que a visão multicultural é indissociável da compreensão do luto, ainda mais no século 21, quando temos todo um movimento de mescla de culturas e de exposição pública de experiências privadas, sobretudo com o uso da tecnologia. Pela discussão de publicações representativas sobre como lidar com o luto a partir da segunda metade do século 20 e início do século 21 (Neimeyer *et al.*, 2011; Neimeyer, org., 2012; Neimeyer, org., 2016; Stroebe, Stroebe e Hansson, 1993; Stroebe *et al.*, 2008a; Stroebe *et al.*, 2001), pude elencar pensamentos e práticas que provocaram inquietações metodológicas, uma vez que traziam propostas fora da via principal de entendimento sobre o tema. Afinal, o que é a ciência senão a resposta a provocações e ao desconforto diante do que é dado como conhecido? Assim, trago os estudos e entendimentos sobre o luto até hoje, sabendo que atualizações de conhecimento são constantes e necessárias.

Apresento no Capítulo 2 alguns modelos teóricos, como a teoria do apego, desenvolvida por John Bowlby (1978a, 1978b, 1981, 1989 e 1994), e a teoria das transições psicossociais, criada por Parkes (1971, 1993, 1998 e 2009). Tendo sido discípulo de Bowlby, o pensamento de Parkes dialoga muito bem com o desse autor. Apresento o luto entendido como um processo dual, modelo teórico desenvolvido por Stroebe e Schut (1999 e 2001a) que tirou o profissional clínico da comodidade de descrever o processo como se fosse praticamente estático e revolucionou minha maneira de pensar sobre o luto, sem a previsibilidade de fases sequenciais, possibilitando-me ter respostas para questões sobre a duração do luto e condições particulares em uma família para vivê-lo. A psicanálise não poderia ser excluída, contribuindo com os trabalhos de Freud (1984, 1996a e 1996b) e de Fonagy, Gergely e Target (2008), estes últimos promovendo o diálogo entre a psicanálise e a teoria do apego. Worden (1993) construiu o modelo de descrição do fenômeno do luto fazendo uso do que chamou de quatro tarefas, que se tornaram aceitas e praticadas devido à sua sustentação teórica e à facilidade de compreensão por parte dos clínicos. Bonanno e Kaltman (1999), Bonanno (2009) e Bonanno, Goorin e Coifman (2008), da Universidade Columbia, em Nova York, desenvolveram seu pensamento sobre os quatro componentes do luto, que decidi incluir, mesmo não sendo muito conhecidos no Brasil, porque não se satisfizeram com as definições clássicas e ampliaram o questionamento, de modo a considerar a experiência do luto vista por outros ângulos, incluindo o aspecto cultural, que penso ser indispensável. Por fim, ainda nesse capítulo, trago a contribuição do construcionismo social, particularmente pelos trabalhos de Robert Neimeyer (Gillies e Neimeyer, 2006; Gillies, Neimeyer e Milman, 2014; Neimeyer *et al.*, 2010), com abrangência no que diz respeito aos aspectos de construção de significado, ressaltando o lugar dialógico na psicoterapia para luto.

Na escolha desses focos e abordagens, busquei oferecer elementos para conhecimento e aprofundamento, de modo a fundamentar as decisões que não podem ser tomadas aleatoriamente. Com base na minha experiência, discuto aqueles que se apresentam mais funcionais diante da realidade brasileira, ainda que originários de outras culturas. Convido o leitor a empreender essa viagem, se ainda não a tiver feito, e acompanhar o que nos apresentam esses pesquisadores e clínicos no que pode ser aplicável ao seu trabalho.

Inicio o Capítulo 3 questionando por que não entender o luto como um processo vivido em fases. Essa questão me parece fundamental em uma publicação que se propõe a ser contemporânea, assim abrigando novos e desafiadores olhares. Focalizei sobretudo o conceito de vínculos contínuos, pela dificuldade de serem compreendidos como parte de um processo de luto saudável. Entender os vínculos contínuos implica compreender o processo do luto como dual, talvez mesmo remontando a definições tradicionais, que falam em término do luto. Apresento as diversas expressões do luto, como: o complicado (e a discussão sobre sua inserção ou não no DSM-5); o antecipatório diante de uma doença e sua relação com os cuidados paliativos e as diretivas antecipadas de vontade – que abordei também em Franco (2014) – para ampliar a participação da pessoa no seu processo de doença; o não reconhecido pela falha na empatia, como Neimeyer e Jordan (2002) definiram, com base em Doka (1989). Também o luto coletivo é abordado, mais recentemente com visibilidade ampliada em razão das mortes desencadeadas pela pandemia de Covid-19. O luto na família não poderia ser excluído, sobretudo se considerarmos as novas formas de configuração familiar e as demandas adaptativas ao longo do ciclo vital para seu enfrentamento. Objetivo deixar claro que determinado luto não se define estreitamente por um aspecto, podendo mesmo ser simultaneamente coletivo e complicado, não reconhecido e antecipatório e outras combinações possíveis. Tais organizações não se colocam caoticamente, sendo amplamente entrelaçadas.

Passo a abordar no Capítulo 4 os fundamentos para a construção de significado para o luto, a partir da mediação exercida por cultura, sociedade, espiritualidade e religião. A escolha desse tema se encontra, primeiramente, na constatação de que o ser humano não existe apartado de um campo de significados que podem ser construídos por qualquer um desses âmbitos e mesmo pelos quatro ou por intersecções de alguns deles. Somando-se a essa afirmação, entendo que eles representam uma via de compreensão do fenômeno a ser sempre considerada por qualquer um dos olhares que se ocupam dele, uma vez que a pluralidade de olhares tem papel inconteste nessa compreensão.

As ações terapêuticas para o luto são apresentadas no Capítulo 5. Uso essa denominação porque nele busco apresentar situações de vivência de luto (na família, em consequência de grandes desastres, em cuidados paliativos, por suicídio, no ambiente de trabalho) que possam ser cuidadas não exclusivamente pela ação da psicologia. Ao não as chamar de ações psicoterapêuticas, abro a possibilidade para que outros profissionais, no seu campo de saber e de prática, atuem terapeuticamente. Desenvolvo também a experiência do luto do profissional de saúde, com destaque para ações de prevenção e autocuidado, entendendo que o cuidar cobra um preço elevado do profissional, expresso em fadiga de compaixão, pesar indireto e *burnout*.

Compartilhar conhecimento requer, antes de qualquer coisa, ousadia para acreditar que alguém possa querer usufruir dele e usá-lo para fins pacíficos. Foi, então, com muita ousadia que decidi escrever este livro, com o aval da editora, que acredita que ele pode ter utilidade para as pessoas, sejam elas profissionais ou leigas, em situação de luto ou interessadas no tema.

Considerando olhares teóricos para a conceituação do luto, alguns dos quais estão presentes neste livro, chamo a atenção do leitor para o conceito de luto que adoto. Esse é o fio condutor deste trabalho. Tendo entendido se tratar de um processo que requer a existência de um vínculo para que, sendo este rompido, se apresentem vivências específicas a esse fenômeno, defino luto como *processo de construção de significado em decorrência do rompimento de um vínculo*. É processo porque implica mudança, elaboração, movimentos para a frente, para trás, para os lados. Implica ser dinâmico, não estático. A construção de significado deixa de ser entendida como aquilo que acompanha o processo, conforme as definições atuais (Neimeyer *et al.*, 2010; Neimeyer, 2011), porque ela é, em si, o processo. Dessa maneira, o luto se apresenta em um contexto cultural, regulador de significados; é singular, público, grupal, comunitário, domínios esses que trazem significados prontos e vigentes, com força suficiente para se impor ao indivíduo que vive esse processo e poderá questioná-los, submeter-se a eles, ressignificá-los. Nesse processo, o indivíduo percorre caminhos sobrepostos, concorrentes e paralelos em seus questionamentos sobre religião, espiritualidade, pertencimento, identidade social. Vive repercussões na saúde e na sua capacidade cognitiva, com impacto no aprendizado e no desempenho de tarefas. Por fim, a especificidade do vínculo rompido, que é resultante da história de relação da pessoa enlutada e de sua compreensão acerca das possibilidades de enfrentamento em seu mundo presumido, conjuga-se com os demais fatores, tornando o processo singular, porém contextualizado. Como construção subjetiva, sua finalização ou compleição caberá ao indivíduo enlutado, sobretudo se levarmos em consideração que os significados construídos seguem por caminhos particulares.

Peço que enxerguem este livro como um resultado resumido de mais de 45 anos de estudo sobre o luto, a partir do meu primeiro contato, na graduação, com uma teoria que explica e faz pensar sobre como os vínculos são formados e o que ocorre quando são rompidos.

Peço também que o leiam tendo em mente que, se somos privilegiados para buscar e oferecer conhecimento a pessoas que vivem talvez a experiência mais dolorida e desorganizadora de sua vida, temos a responsabilidade de, mantendo a condição de sermos humanos – nossa melhor qualidade, na minha opinião –, oferecer reciprocidade no cuidado, ou seja: um ser humano cuidando de outro ser humano. Essa é a essência do cuidar, que está aberta para quem se dispõe a se aproximar da dor do outro, tocar e se deixar tocar, indo além da simples empatia, que é, porém, elemento necessário ao cuidado compassivo.

Aqui expus raízes, sementes e frutos do luto, em algumas de suas possibilidades de ser entendido e praticado. É por essas sendas abertas que este livro se apresenta. Nem sempre elas são sinalizadas com precisão, por se tratar de um campo de conhecimento científico em constante construção e necessariamente sensível às demandas que a vida impõe ao ser humano. A estrela guia, porém, é a atenção que coloco para entender que tudo o que faço e busco desenvolver, seja por mim mesma, seja por meio dos alunos e supervisionandos, visa chegar aos enlutados para lhes oferecer o que de melhor podemos sem incorrer em faltas éticas.

1. PERSPECTIVAS HISTÓRICAS

A pré-história

O luto nem sempre foi entendido da forma como é hoje. Tampouco se tornou uma questão de interesse apenas na contemporaneidade (Parkes, 1998; Worden, 1993). Isso se justifica tanto pelo fato de os humanos serem a única espécie consciente de sua finitude como por serem gregários e sociais, devido à necessidade de sobrevivência. Destaca-se, assim, a importância da formação de vínculos que assegurem organizações sociais necessárias para a sobrevivência não apenas do indivíduo como da espécie.

Parkes (1998, 2001, 2011a e 2011b) apresenta um histórico de como a questão foi considerada e tratada a partir do século 17, creditando a essa trajetória o ônus de o luto ser visto como doença até bem recentemente. Parkes (2011b) relata o trabalho de Conradus Burcardus Vogther, em 1703, para obter o título de médico na Universidade de Altdorf, na Alemanha. A publicação de Vogther recebeu o título em latim *De morbis moerentium* [O luto patológico], e, embora a obra não tenha obtido reconhecimento, essa forma de entender o luto manteve-se vigente durante séculos. Parkes (2011a e 2011b) aponta também para o trabalho de Lindemann (1944), que entendia que o luto poderia ser elaborado e tratado pelo encorajamento à expressão das emoções, de modo que, com apenas algumas sessões, o luto complicado se transformaria em normal. O que Parkes critica é o fato de tais recomendações terapêuticas serem feitas sem base em pesquisa quantitativa. Ainda assim, justifica os achados de Lindemann ao contextualizá-los no período histórico seguinte ao fim da Segunda Guerra Mundial, quando a postura de se mostrar inabalável pelos reveses de uma guerra era valorizada, o que levava as pessoas a suprimir as emoções. Em consequência, a proposta a favor da expressão foi entendida como uma solução que se aplicaria genericamente, algo de que Parkes (2011b) discorda.

Na prática, talvez por uma herança das abordagens teóricas e clínicas que se apoiam na cura pela palavra, como a psicanálise, até bem recentemente (meados do século 20) muito valor era dado à expressão verbal do conteúdo emocional.

Quando surgem novas abordagens, recorrendo a técnicas não totalmente apoiadas na palavra, abre-se o leque de ações esperadas por parte dos terapeutas.

Para Parkes (1998 e 2001), os estudos sobre luto surgem de três fontes de pesquisa:

- as perdas e suas consequências;
- os vínculos que antecedem essas perdas;
- outros tipos de trauma psicológico.

Geralmente, uma pesquisa com foco em um desses aspectos dará pouca importância aos demais. Ressalte-se também a diversidade dos campos de estudos de onde se originam os pesquisadores – como psiquiatria, psicanálise, psicologia, sociologia, antropologia, etologia, fisiologia, endocrinologia –, o que levou, por um lado, à fragmentação do fenômeno estudado e, por outro, à ampliação de sua compreensão.

Considero que esse segundo resultado contempla a necessária pluralidade para a compreensão do fenômeno, sem deixar, porém, de focalizar seus aspectos epistemológicos definidores, como em cada um dos campos do conhecimento mencionados acima. Entendo também que essa abertura propiciou a emergência de técnicas diversificadas, utilizando recursos das artes – por exemplo, o fortalecimento das técnicas grupais especificamente voltadas para luto e o olhar atento para o processo de luto de crianças e adolescentes.

Parkes (2001) trata da quantidade de pesquisas que têm sido feitas sobre o tema, sobretudo no que se refere às diferenças culturais e à eficácia do cuidado, chamando a atenção para a necessidade de se avaliar adequadamente as necessidades dos enlutados e de se levar em conta as diferentes causas de morte, assim como para a importância de preparo técnico adequado daqueles que pretendem trabalhar com pessoas e comunidades enlutadas, sejam voluntários ou profissionais.

DeSpelder e Strickland (2011), por sua vez, apresentam um histórico muito interessante sobre como, nos Estados Unidos, estudiosos e clínicos se congregaram para formar um grupo que viria a se tornar o International Work Group on Death, Dying and Bereavement (IWG). Em 1956, ocorreu em Chicago o seminário The Concept of Death and its Relation to Behavior [O Conceito de Morte e sua Relação com o Comportamento], organizado por Herman Feifel, representando a American Psychological Association (APA – Associação Americana de Psicologia). A partir desse evento, e com a contribuição de autores de diferentes campos do conhecimento, abordagens, olhares culturais e práticas profissionais, Feifel publicou o livro *The meaning of death*, em 1959. Numa época em que não se falava de morte, o autor ressaltava que sempre fora ensinado que esse era o assunto tabu na relação com pacientes. Por meio do Herman Feifel Award, prêmio que leva seu nome, ele é lembrado a cada encontro do IWG. Assim se homenageia seu trabalho e se perpetua seu impacto na tanatologia.

Depois de Freud (1917) e até o final do século 20

Em ocasiões anteriores (Franco, 2010 e 2018), apontei estudos e publicações que, a partir das três últimas décadas do século 20, abordaram maneiras de pensar o luto divergentes da postulação inicial de Freud (1917 [1915]/1984). A elaboração do luto, ou trabalho de luto, como proposta por Freud, passou a ser entendida como parte do processo e abriu um caminho importante em sua compreensão e em seu manejo, porém não considerou que, concomitantemente, a pessoa enlutada precisa também fazer ajustamentos importantes na própria vida. Uma leitura demorada desse texto mostra que o foco maior do autor é a melancolia, sendo o luto entendido e definido como uma vivência esperada diante da perda de uma pessoa ou abstração significativa.

Focalizei, ainda, temas de interesse recente: mudanças populacionais, como o envelhecimento; novas possibilidades proporcionadas pela inovação tecnológica, como a vivência ou simbolização do luto pelas redes sociais ou nas relações virtuais; o papel dos cuidadores e o risco de *burnout* para esses profissionais (Franco, 2010 e 2018). Pesquisas sobre luto requerem alinhamento com a realidade histórica, social, cultural e populacional. São inúmeros os fatores que dão o contorno e o conteúdo a esse âmbito de estudos e intervenções, como a própria definição do fenômeno propõe.

Na contemporaneidade, o foco maior está na distinção entre o luto como vivência resultante de uma perda, com suas necessidades adaptativas, e o luto que requer atenção devido ao sofrimento experimentado por aqueles a quem afeta, com a avaliação dos fatores de risco e de proteção. Com essa preocupação, estudos atuais têm se mostrado atentos ao multipluralismo cultural, como recomenda Rosenblatt (1993 e 2010). Nesse sentido, as análises de Stroebe e Schut (1999 e 2001b) e de Field (2008) apontam para a necessidade de colocar o trabalho de luto lado a lado das demandas da vida cotidiana, para que seu impacto seja observado.

Stroebe, Hansson e Stroebe (1993b) organizaram um importante material no formato de manual sobre o luto, abrangendo teoria, pesquisa e intervenção. Em 2011, Stroebe, Hansson, Schut e Stroebe ampliaram a proposta do manual anterior e incluíram aspectos relativos a consequências do luto, modos de enfrentamento e abordagens de atenção e cuidados (Stroebe *et al.*, 2001). Sete anos mais tarde, ampliaram a proposta, com atualizações em teorias e intervenções (Stroebe *et al.*, 2008b).

Em função da relevância desses autores, por seu histórico de pesquisas e publicações – sobretudo vinculadas à Universidade de Utrecht, nos Países Baixos –, uma viagem pelo conteúdo dos três manuais mostra o cenário dos estudos sobre o luto desde as últimas décadas do século 20. É possível identificar tanto as questões que permanecem no foco da atenção dos pesquisadores e dos clínicos desde então como as que surgiram em anos recentes, em razão de avanços tecnológicos e da ampliação dos métodos de pesquisa para incluir os qualitativos entre aqueles aceitos e considerados científicos, sobretudo para as ciências humanas e sociais, assim como questões trazidas pela bioética e pelo deslocamento do eixo das pesquisas para fora da Europa, por exemplo.

O primeiro desses manuais (Stroebe, Hansson e Stroebe, 1993b) tem como eixos questões basais sobre definições de luto e como mensurá-lo, que aqui destaco. O capítulo de Shuchter e Zisook (1993), por exemplo, aborda as fases do luto (com a ressalva de que não devem ser tomadas rigidamente), sua duração e o que se pode identificar como resolução. Sua importância reside na necessidade de levar em conta a multidimensionalidade na avaliação do luto, para incluir aspectos como o medo, a culpa e a desorganização mental. Representa um avanço nessa ampliação da lente usada para compreender o processo, pois insere fatores que, mesmo não sendo desconhecidos, eram subdimensionados.

O capítulo de Hansson, Carpenter e Fairchild (1993) aponta para as questões implicadas na mensuração do luto, uma vez que, apesar de os instrumentos existentes então se mostrarem cientificamente validados, havia pouca clareza sobre os construtos medidos: a definição do fenômeno a ser avaliado, ou seja, o luto, ainda se via envolvida em discussões teóricas. Note-se que a questão da mensuração do luto mantém-se como foco de interesse nas publicações mais atuais, mesmo quando suas definições assentam-se em constantes que apresentam convergências, sobretudo quanto a ser um processo. Entre os pesquisadores brasileiros, cito Barros (2008), em seu trabalho de adaptação do *Texas Revised Inventory of Grief*, de 1981, com mães que perderam filhos por câncer, e Alves (2014), com o mesmo instrumento, porém para a população adulta e independentemente da causa da morte. Em ambas as pesquisas, os passos metodológicos necessários para a validação de um instrumento foram dados e o resultado foi submetido à aprovação de uma banca julgadora, sendo pesquisas validadas que têm seu lugar no diagnóstico de um luto.

Nessa mesma publicação, apresentam-se algumas das teorias vigentes à época sobre o luto, nas quais se incluem a perspectiva do construcionismo social (Averill e Nunley, 1993), a teoria das transições psicossociais (Parkes, 1993) e a conexão entre as emoções e seu contexto social (Rosenblatt, 1993). Também são abordadas as alterações fisiológicas decorrentes do luto pela perspectiva da neurociência (Kim e Jacobs, 1993; Irwin e Pike, 1993). Esses capítulos, especialmente, podem ser considerados seminais quanto ao desenvolvimento dos estudos sobre os temas que abordam, como será observado nas edições seguintes de manuais sobre luto, capitaneados principalmente por Margareth Stroebe e Henk Schut. A consideração pelo papel do âmbito social, por exemplo, vai em direção oposta à da psicanálise, uma vez que desenvolve sua lógica não linearmente, e sim como o construcionismo social, entendendo o movimento de uma constante construção crítica. No âmbito da psicoterapia, fundamenta-se na proposta dialógica, mais por meio da importância dada aos processos conversacionais e à relação que se estabelece nos encontros e menos por meio das conclusões a ser alcançadas.

A obra dedica ainda toda uma seção a explorar especificamente a viuvez, como nos capítulos de Stroebe e Stroebe (1993), McCrae e Costa Jr. (1993) e Sanders (1993). A viuvez apresenta situações de construção de identidade que estão sujeitas a regras da cultura, além da experiência particular de o viúvo ou a viúva ter de se entender com o ônus advindo de não mais compartilhar responsabilidades e decisões com o parceiro. Contextualizada nas últimas décadas do século 20, a viuvez representava – e ainda representa – uma experiência desorganizadora, que voltaria a ser estudada em outras pesquisas, devido sobretudo às mudanças na constituição familiar e à atenção oferecida às famílias, destacando aqui aquelas com base nos cuidados paliativos (Hudson *et al.*, 2012 e 2015) e no recurso da internet (Frizzo *et al.*, 2017).

Outros tipos de luto são abordados, como o de crianças (Silverman e Worden, 1993), a morte em decorrência da aids (Martin e Dean, 1993) e a experiência de sobreviventes do Holocausto (Kaminer e Lavie, 1993). A partir da leitura dessas publicações, destaco quanto a pesquisa sobre o luto estava, então, em claro diálogo com a prática clínica e em estreita atenção com os impactos sociais do luto. Validar o luto de crianças, abordar as consequências da aids na vivência do luto (sobretudo na época em que pouco se sabia sobre a doença), manter na memória os lutos decorrentes do Holocausto, afetando até mesmo a geração subsequente, são atitudes de atenção à experiência humana que entraram no cenário da pesquisa e da prática para não mais o deixarem.

Esse manual, portanto, abordou diversas questões, e ressalto a constatação de que não se esgotam. A prática nos grupos de autoajuda (Lieberman, 1993), a distinção entre terapia e aconselhamento (Raphael *et al.*, 1993) e o papel do apoio social (Stylianos e Vachon, 1993) estão presentes até hoje nas preocupações dos pesquisadores e clínicos, como se vê inclusive no trabalho de pesquisadores brasileiros – por exemplo, Pascoal (2012), Marcarini *et al.* (2015) e Tomasi (2012). Ou seja: são questões permanentemente para os clínicos e trazem para o cenário dos estudos sobre o luto a necessidade de sua inserção em um contexto histórico e social, impedindo assim sua obsolescência.

No fechamento, os autores (Stroebe, Hansson e Stroebe, 1993a) apresentam suas considerações sobre problemas metodológicos e expressam um posicionamento político, inclusive ressaltando a iniquidade de acesso aos serviços de atenção e uma preocupação que vai além das teorias e técnicas, voltando-se para questões morais e éticas no cuidado com a pessoa enlutada em condição de vulnerabilidade. Focalizam também o ponto de vista da ética em pesquisa e a necessidade de se desenvolverem serviços de apoio de amplo alcance, na busca de diminuir as diferenças de acesso a eles.

Refletindo sobre tais posições e olhando para a realidade brasileira do século 21, lamento constatar que pouco avançamos em relação ao que se faz fora do Brasil, mas me regozijo porque sei que fizemos muito pelos estudos e práticas sobre o luto e para pessoas enlutadas. A desigualdade social se mantém, até mesmo se acentua a partir da segunda década do século 21; contamos com um sistema de saúde pública que é um verdadeiro herói da resistência, mesmo em um ambiente dominado pela burocracia, mas ainda há fossos na oferta de cuidados à saúde da população e nos critérios de alocação de recursos para pesquisa, sobretudo no frágil entrelaçamento saúde-educação como força de cidadania.

No Brasil, na época da publicação desse manual (Stroebe, Hansson e Stroebe, 1993a), pensava-se o luto ainda relacionado muito de perto ao trabalho de Elisabeth Kübler-Ross (Kübler-Ross e Kessler, 2005; Kübler-Ross, 2009) e, com alguma distância, ao de John Bowlby (1978a, 1978b e 1981). É inegável a enorme disseminação do livro de Kübler-Ross, aqui traduzido como *Sobre a morte e o morrer*, que facilitou a compreensão sobre as fases do morrer e do luto e, ainda hoje, é considerado leitura importante para a compreensão do fenômeno. A obra de Bowlby não teve a mesma divulgação que a de Kübler-Ross, porém conta atualmente com edições brasileiras para atender à demanda tanto de pesquisadores como de clínicos. Além disso, é aceita em círculos acadêmicos que valorizam a fundamentação teórica possível de ser traduzida em pensamento e prática clínicos, o que se vê no país com frequência cada vez maior, como nas publicações de Santos (2005) e Franco (2010 e 2015b).

Seguindo nessa reflexão, devo ressaltar que para nós, brasileiros, uma obra sobre luto publicada em inglês em 1993, na qual todos os autores são oriundos do hemisfério Norte ou ali vinculados a renomados centros de pesquisa e intervenção, assemelhava-se à promessa de realização de um sonho. O LELu seria fundado pouco tempo depois, em 1996, dando origem a pesquisas relevantes em solo brasileiro e a uma prática clínica institucional que se mantém até hoje.

Na transição entre os séculos 20 e 21, é necessário deter-se sobre o trabalho de Kübler-Ross. Ela esteve presente na reunião seminal que levou à fundação do

IWG, realizada em Columbia, Maryland, e presidida por John Fryer, como informa o documento da 30ª reunião do grupo (realizada na cidade de London, no Canadá, em junho de 2018). Em 2009, completaram-se 40 anos da primeira edição de seu livro *Sobre a morte e o morrer*, obra que, sem sombra de dúvida, estabeleceu um marco na tanatologia, no ensino e na prática da medicina e da enfermagem e na relação com pacientes próximos da morte. Na apresentação da edição comemorativa, Kellehear (2009) destacou a atualidade da obra, mesmo diante dos avanços da ciência ocorridos desde então[2]. Hoje podemos fazer novos questionamentos sobre a morte e o morrer, à luz tanto dos avanços científicos como da bioética, tomando como exemplo o conceito de morte encefálica e as condições necessárias para o transplante de órgãos, mas, em 1969, Elisabeth Kübler-Ross afirmou que os pacientes tinham voz e que cabia aos profissionais ouvi-los, para com eles aprender sobre a experiência do morrer – que não é restrita ao momento da morte e, de outra forma, poderia ser incomunicável.

A proposição de Kübler-Ross sobre as fases do morrer vem sendo discutida atualmente. Vale dizer que ela mesma, em suas últimas obras, deixou claro quanto foi mal-entendida por aqueles que não consideravam as variáveis presentes no processo de morrer. No entanto, considero que sua contribuição merece respeito, porque quebrou um tabu na formação dos médicos, ampliando a possibilidade de ação dos profissionais da área, dando voz aos pacientes e seus familiares. Mesmo tendo sido essa uma questão que tanto incomodou a autora, é caracterizada como sua maior contribuição, tornou-se popular, é citada em inúmeras publicações e utilizada até hoje como balizadora do processo de luto. Kuczewski (2004), em uma releitura da obra de Kübler-Ross na perspectiva da bioética, enfocou as fases do luto como uma possibilidade de compreender esse processo de final de vida.

Stroebe, Schut e Boerner (2017) retomam as fases do luto e fundamentam as razões para que essa perspectiva não seja utilizada na compreensão de seu processo, sobretudo por considerarem que falta a ela um substrato teórico. Para isso, analisam publicações que abordam a questão, a fim de que os profissionais de saúde mental se acautelem e possam identificar e acompanhar o processo de luto a partir da vivência específica daquele enlutado. Bonanno (2009) já havia apontado que considerava haver risco de dano ao enlutado pela manutenção da ideia de fases previsíveis do luto. Por descreverem o que seria um processo esperado, poderiam fazer o enlutado acreditar que há um jeito certo de vivê-lo, o que desconsidera as diferenças – muitas – do processo. No entanto, historicamente,

---

2. Kellehear foi convidado para escrever a apresentação devido ao seu percurso na área da tanatologia. Seu livro sobre a história social da morte, de 2007, destaca-se pela visão contemporânea sobre o fenômeno, aliando filosofia, história e sociologia, entre outros campos do saber.

a definição das fases do luto teve peso e ainda se mantém, mesmo com o surgimento de outras definições e descrições desse processo.

No meu entendimento, popularizou-se e tornou-se uma explicação de fácil acesso e compreensão, que pode ser aplicada rapidamente, sem exigir muita análise de dado processo, em sua singularidade. Na prática clínica, é com frequência um balizador que pode levar a pessoa enlutada a criar a expectativa de estar vivendo seu luto do modo certo, com base no conhecimento que tem sobre as fases. Vejo reiteradamente meus clientes perguntarem em que fase do luto estão, e se estão ou não vivendo um luto certo de acordo com elas. Passar dessa compreensão, com base em uma referência externa e frequentemente tomada como balizadora do olhar, e adentrar sua subjetividade e a singularidade da experiência é um movimento delicado, porém necessário, sendo até mesmo um ponto de inflexão no processo.

Iniciando o século 21 num mundo sem fronteiras

O manual seguinte (Stroebe *et al.*, 2001) ampliou muito seu escopo em relação ao anterior. Dividido em três eixos – questões sobre teoria, metodologia e ética; consequências do luto no ciclo vital e no contexto social; enfrentamento, seus mecanismos e medidas –, retrata o fenômeno do luto numa perspectiva aberta a diversas posições, não necessariamente convergentes, mas sempre instigadoras, o que possibilita avanços no estudo e na prática. O primeiro eixo aborda questões éticas nas decisões em pesquisas sobre luto (Cook, 2001), o que se justifica em razão de outros recursos, como em pesquisas realizadas pela internet e na decisão sobre pesquisar quantitativa ou qualitativamente (Neimeyer e Hogan, 2001), e desenvolve o histórico dos estudos sobre luto (Parkes, 2001). O segundo eixo focaliza o ciclo vital e as diferentes experiências de luto por essa perspectiva. No terceiro eixo, apresentam-se perspectivas ampliadas para a compreensão do enfrentamento do luto, como diferentes abordagens terapêuticas para diferentes necessidades (Van Heck e Ridder, 2001), e, pela primeira vez, enfatiza-se a necessidade de avaliar a eficácia das intervenções feitas com pessoas enlutadas (Schut *et al.*, 2001), uma vez que se coloca luz na ideia de que há variadas formas de viver um luto (Stroebe e Schut, 2001b) e questionam-se postulados presentes em suas definições clássicas, ao apresentar a continuidade dos vínculos com o falecido (Klass e Walter, 2001), tema que ainda teria muitos desenvolvimentos.

Uma questão que se desdobraria amplamente nos anos seguintes é abordada nesse manual. Trata-se de discutir critérios para o luto complicado e sua distinção em relação ao luto traumático (Prigerson e Jacobs, 2001), que estaria em foco diante da então prevista publicação do DSM-5 (APA, 2013), ocorrida em 18 de maio de 2013. Desenvolvo o tema no Capítulo 3 deste livro.

Em 2008, Stroebe, Hansson, Schut e Stroebe publicam um manual sobre pesquisa e prática com luto, apresentando avanços teóricos e técnicos, especificamente nas formas de intervenção (Stroebe *et al.*, 2008b). Merecem destaque pela força do diálogo pesquisa-prática alguns capítulos, como aqueles sobre a natureza e as causas do luto (Weiss, 2008), as teorias vigentes – por exemplo, o modelo das duas vias (Rubin, Malkinson e Witztum, 2008) – e as questões relativas à psicometria do luto com acréscimos resultantes de pesquisas (Neimeyer, Hogan e Laurie, 2008). A teoria do apego é distintamente considerada em uma obra desse porte, com foco específico no luto em toda sua abrangência (Mikulincer e Shaver, 2008) e muita clareza para apontar os pressupostos teóricos que justificam sua escolha como base de intervenções para enlutados. O luto tratado na internet (Stroebe, Van der Houwen e Schut, 2008) é abordado como um instrumento de suporte ao enlutado, um recurso de intervenção e de pesquisa. Definitivamente, a internet insere-se, portanto, no campo dos recursos terapêuticos, adotando uma linguagem próxima daquele que se beneficia da terapia e ampliando possibilidades para além do contato presencial e local.

Resumindo o cenário proporcionado por essas três publicações, posso dizer que os sete anos que separam as duas últimas permitiram que se efetivasse uma revolução nos estudos e intervenções sobre o luto. O manual de 2008 apresenta preocupações delineadas em experiências contemporâneas e mostra mudanças significativas em relação ao anterior, incluindo pontos polêmicos a ser estudados e trazidos para o âmbito das intervenções. A fundamentação teórica se amplia para além da teoria do apego, enfatizando a perspectiva da sociedade contemporânea. O luto mostra-se vivido e expresso em contexto sociocultural como até então não havia sido, mesmo se considerarmos apelos anteriores nesse sentido. O envelhecimento populacional está presente em artigos sobre o luto de pessoas idosas – por exemplo, viúvas ou avós. Guardadas as diferenças culturais quanto ao valor atribuído ao idoso, o fato de o ser humano viver mais tempo, com presença significativa nas configurações familiares e até mesmo na economia, dá visibilidade às demandas físicas, emocionais, espirituais, sociais e cognitivas desse segmento, mesmo que sob risco de idadismo. O idoso vive seu luto não apenas pela perda do parceiro amoroso ou de pessoas significativas de sua geração, mas também pela perda de filhos e netos, e o envelhecimento populacional coloca luz sobre essa experiência, para que não seja mais uma situação de luto não reconhecido, como veremos no Capítulo 3.

A facilidade que a tecnologia trouxe para as comunicações imediatas e em tempo real é abordada quando se fala sobre o luto público e sobre o uso da internet para expressões e terapia de luto. Essa é uma possibilidade transformada em realidade que, mesmo sem ter alcance democrático, ampliou a gama de recursos terapêuticos. Daí se justifica o interesse dos pesquisadores em compreender seu alcance, bem como o dos clínicos que, intuitivamente ou não, recorrem a essa linguagem.

A religião é abordada também como um componente do luto a ser ressaltado se levarmos em conta quanto, ao lado da espiritualidade, ocupou espaço de interesse a partir do fim do milênio anterior, no que se refere a processos de significação. A família já vinha tendo lugar de destaque nas preocupações tanto com pesquisa como com intervenção em luto e, juntamente com questões relativas a desastres e catástrofes, que foram então abordadas, constrói o cenário contemporâneo que continua merecendo atenção até o presente momento. Enfatizam-se a precisão e as dificuldades éticas para o diagnóstico do luto, assim como nas suas formas que não sigam o assim chamado luto normal. Destaca-se, portanto, a necessidade de definir o luto complicado, a par com outras formas de luto que possam requerer atenção.

Quando, porém, são analisados os 16 anos que separam o primeiro manual (1993) do mais recente (2008), tendo como pano de fundo acontecimentos históricos, científicos, políticos e sociais, algumas preocupações se ampliam, e isso é bom. Uma delas diz respeito aos cuidados éticos na pesquisa com pessoas enlutadas. Inclui-se aí a realidade das famílias globalizadas, que, tanto por mobilizações recentes, desde o início do século 21, como pelos avanços da ciência com impacto social (ou seria o inverso?), abrem o campo para que casais homoafetivos tenham filhos, seja por adoção, seja por fertilização *in vitro*. Outra novidade é a redução das distâncias geográficas em virtude dos recursos tecnológicos que levam o ser humano a estar em muitos lugares ao mesmo tempo.

Intensifica-se o diálogo teoria-prática

Neimeyer *et al.* (2011) organizaram uma publicação com o objetivo de demonstrar o que vinha sendo feito em diferentes lugares do mundo, unindo pesquisa e prática, a respeito do luto. A proposta de apresentar estudos sobre luto no mundo contemporâneo não ficou datada, pela amplitude dos temas abordados e pela plasticidade de desenvolvimento que eles possibilitam. Os autores falam da teoria do apego na compreensão do luto com foco em dificuldades na sua elaboração, seja por um estilo de apego inseguro (Zech e Arnold, 2011), seja pela possibilidade de mudança no tipo de vínculo, para os lutos não resolvidos (Field e Wogrin, 2011). Ou seja: não se discute mais se se deve usar ou não a teoria do apego. Discutem-se as especificidades de seu uso que sejam mais diretamente voltadas para as condições do processo de luto. Trata-se, portanto, de uma teoria sólida e indubitavelmente respeitada, oferecendo opções para as ações terapêuticas em diferentes contextos. O luto pela perda de um animal (Carmack e Packman, 2011) não apenas é apresentado como também vislumbrado pela perspectiva dos vínculos contínuos, que, mesmo já tendo sido apresentados em outras publicações, como Klass, Silverman e Nickman (1996) e Field e Filanosky (2010), ainda não ocupavam lugar de aceitação por pesquisadores do luto. Por isso, considero ousada uma publicação que retrate uma experiência fazendo uso de duas questões vistas como tabu: os vínculos contínuos e o luto não reconhecido pela morte de um animal.

A questão de transpor dados obtidos em pesquisa para a prática clínica, presente no próprio título do livro, é contemplada no capítulo de Ayers, Kondo e Sandler (2011). Esses autores destacam que seu foco está em pesquisa e atendimento a crianças enlutadas e seus cuidadores (familiares) também enlutados, uma vez que há carência de estudos que avaliem a efetividade das técnicas e da comunicação da pesquisa com os serviços oferecidos, que são realizados sem a preocupação de acompanhar os achados acadêmicos. Apontam para a importância do treinamento dos terapeutas e do monitoramento da implementação dos achados de pesquisa no que diz respeito à prática clínica, a fim de que o vazio entre os dois âmbitos – pesquisa e prática – deixe de existir e um acrescente sentido ao outro.

Na minha experiência com a formação de psicoterapeutas para trabalhar com luto, reforço essa importância, procurando validar os achados de pesquisa e possibilitar que estes, por sua vez, se reflitam nas práticas clínicas, que devem gerar perguntas que venham a ser respondidas pela ciência. No entanto, no Brasil, é muito difícil obter fundos para pesquisas que possibilitem estudos longitudinais a fim de efetuar o acompanhamento como defendido por Ayers, Kondo e Sandler (2011). Ficamos com lacunas na pesquisa e também na validação dos resultados da psicoterapia, sua eficácia e suas restrições e limites.

Ainda pensando no mundo contemporâneo, o trabalho de Gilbert e Horsley (2011) aborda o uso da tecnologia por meio de uma plataforma multimídia de apoio ao luto. Esses recursos tecnológicos vieram para ficar a partir do final do século 20, não apenas na pesquisa sobre luto como nas possibilidades de intervenção. Permitem acesso mais fácil ao recurso, embora não democrático, sobretudo se considerarmos a realidade brasileira, que na época apresentava, e ainda apresenta, limites no acesso à tecnologia.

Uma publicação sobre técnicas para terapia do luto organizada por Neimeyer (2012) deu espaço para dois trabalhos que vou aqui sublinhar. Um deles é sobre *Qi Gong*, com base na medicina chinesa, integrando mente e corpo, realizado na

Ásia (Chan e Leung, 2012). Embora a maioria das publicações tenha sido gerada no Ocidente, mais especificamente no hemisfério Norte, o artigo dessas pesquisadoras de Hong Kong merece destaque. A técnica é especialmente dirigida para pessoas enlutadas com dificuldade de nomear e expressar emoções ou que apresentem reações psicossomáticas, como insônia ou dor física. Faz uso de uma sequência de movimentos (esfregar as palmas das mãos, bater palmas, segurar uma bola imaginária de energia, respiração compassiva). Os pressupostos da medicina chinesa afirmam que, dos 14 meridianos (caminhos das energias-chave do organismo) que correm ao longo do corpo, 12 passam pelas mãos e, portanto, ativá-los possibilita que o *Qi* (energia) estagnado pela dor do luto volte a fluir, restabelecendo a harmonia interna das funções corporais e reduzindo as emoções negativas de pesar, raiva, frustração, tristeza e desamparo, ao mesmo tempo que promove maior bem-estar.

Outra técnica também inovadora apresentada (Kosminsky e McDevitt, 2012), a dessensibilização e o reprocessamento dos movimentos oculares (*eye movement desensitization and reprocessing* – EMDR). O EMDR é uma técnica recente, desenvolvida por Francine Shapiro (Shapiro e Forrest, 1997), que combina elementos de abordagens cognitivas e corporais com a estimulação bilateral dos olhos. Há protocolos definidos para sua utilização, bem como a necessidade de formação adequada e específica. Seu emprego em situações de luto ainda é incipiente, o que constatei com a pesquisa de doutorado que orientei e cujo foco era o uso de EMDR como técnica para terapia do luto (Silva, 2019). Encontramos publicações de experiências clínicas, porém poucas são resultantes de pesquisa sistematizada. É considerada inovadora porque vai além da comunicação pela fala e tem pressupostos importantes, na teoria da aprendizagem e na concepção de que o trauma é o que mantém a pessoa enclausurada em uma memória traumática, pois, por sua própria natureza, ele domina a capacidade do cérebro de processar a informação. Ressalto, porém, que se trata de uma técnica que requer formação especializada, em centros reconhecidos, não bastando apenas uma aproximação teórica.

Destaquei esses dois capítulos do livro organizado por Neimeyer (2012) exatamente para apresentar o lugar em que se encontram as técnicas não verbais de atenção à pessoa enlutada. Considerando-se a história dos estudos e da atenção ao luto, a possibilidade de apresentar uma técnica fundamentada teoricamente (mesmo que não dentro dos muros da academia), exemplificada pela experiência dos autores, com indicações claras de seus critérios de inclusão e exclusão – ou seja, para quem elas podem ou não ser benéficas –, traz uma condição de arejamento para a prática do cuidado que dialoga muito de perto com o mundo contemporâneo. Há espaço para a inovação, desde que com critérios.

O luto no século 21

Em 2016, Neimeyer organizou outra publicação sobre técnicas para terapia do luto, a qual retrata a amplitude que o tema assumiu por meio da diversidade de olhares e suas propostas de cuidado. Intervenções baseadas em evidência para enlutados (Tieman e Hayman, 2016) utilizam-se de um modelo que valida experiências publicadas e discutidas para, a partir delas, delinear aquela que pode ser a mais indicada para cada caso. Essa abordagem se torna possível com o uso significativo dos recursos digitais disponíveis, como plataformas e *sites* de busca, solidificados a partir da última década do século 20. Essa maneira de fazer pesquisa e de provocar o diálogo com a prática tem se tornado próxima da realização contemporânea em núcleos de pesquisa não exclusivamente voltados para o luto. Apoia-se fortemente na ciência para definir uma técnica de cuidados ao enlutado. A revisão sistemática de literatura, por exemplo, é um método de pesquisa de publicações que conduz o pesquisador a saber perguntar e a saber procurar. Tenho orientado pesquisas que se utilizam desse método, mesmo que não seja para escolher uma técnica para utilizar com a pessoa enlutada, mas para buscar evidências de fatores favoráveis a uma situação específica ou para responder a uma pergunta de pesquisa. Entendo que essa é a postura a ser desenvolvida não apenas pelo pesquisador como também pelo clínico, a fim de que possa fundamentar sua escolha de maneira criteriosa e apoiada na ciência.

Instrumentos para a compreensão do processo de luto têm destaque também, como o *Hogan Grief Reaction Checklist* (Hogan e Schmidt, 2016a), empiricamente construído e utilizado com maiores de 18 anos. Este está em processo de validação para a população brasileira, sob minha responsabilidade no LELu, tendo tido aprovação da autora Nancy Hogan exclusivamente para uso em pesquisa até que ele seja finalizado. No contexto de pesquisa, foi utilizado em três teses de doutorado orientadas por mim (Menezes, 2017; Pandolfi, 2018; Silva, 2019), tendo possibilitado análises não apenas metodologicamente corretas como também amplificadoras da compreensão do fenômeno estudado em cada uma delas. Valorizo muito o fato de ter sido construído com falas de pessoas enlutadas, de maneira a ficar muito próximo da experiência daqueles que o respondem. Verdadeiramente, seu objetivo não pode ser entendido como sendo de avaliação, e sim de descrição e compreensão da experiência do enlutado. É constituído por 61 afirmações sobre emoções ou sentimentos que o respondente tenha tido, nas duas semanas anteriores à data de sua participação, referentes à pessoa falecida. As respostas são alocadas em categorias: desespero; comportamento de pânico; crescimento pessoal; culpa e raiva; desligamento e desorganização. Sua análise possibilita uma compreensão abrangente do processo de luto; entendo-a como importante por incluir afirmações próprias de crescimento pessoal, o que, sem dúvida, faz parte dele.

Hogan e Schmidt (2016b) focalizam também a compreensão da experiência de luto a partir do apoio social. Esse aspecto é relevante pela importância não apenas da existência como da qualidade deste, como facilitador do processo de luto. A aplicação do instrumento que desenvolveram leva ao questionamento de outra forma de apoio social a ser encontrada na psicoterapia, não mais por meio da fala, mas sim pela escuta qualificada sem julgamento.

Verifica-se que os estudos sobre luto ampliaram seu foco no início do século 21. Os fenômenos são diversos daqueles vistos e estudados até então, os horizontes trazem novas perspectivas e as possibilidades de intervenção no que diz respeito a pessoas e comunidades enlutadas se adaptam não só às necessidades como às possibilidades. No Brasil, os avanços são notáveis desde o início dos anos 2000. Centros de pesquisa, de prestação de serviços e de formação profissional apoiados por universidades vêm sistematicamente produzindo conhecimento, ocupando um lugar de respeito pela atuação ética, promovendo a educação da população leiga para os temas relacionados à perda e ao luto.

O luto mudou? Se olharmos para a maneira como as pessoas se vinculam, sim. É relevante nessas ponderações buscar suporte no pensamento de Bauman (1998 e 2004), que nos mostra a fragilidade dos vínculos estabelecidos no mundo contemporâneo ou pós-moderno. A relação do ser humano com o tempo aponta para a ciência, buscando dominá-lo, ao mesmo tempo que se vê um maior interesse pela espiritualidade, a fim de gerar significados que requerem tempo para ser construídos e praticados. O sentido da intimidade e a necessidade de tempo para sua construção se choca com o tempo vivido com pressa pelo ser humano pós-moderno. As pessoas se vinculam com a segurança e a paciência necessárias? Ou não se vinculam, apenas se relacionam? Cabe mesmo repensar os vínculos que podem ser genuínos, embora travestidos de superficiais, rápidos, com impaciência diante de crises.

Portanto, falamos de formas de luto que eram impensáveis até pouco tempo atrás. Mesmo que ainda não sejam reconhecidos, como no caso da morte de alguém com quem o enlutado se relacionava virtualmente, e ainda que se utilizem de recursos tecnológicos, como os velórios virtuais, são vínculos genuínos e são lutos consequentes ao seu rompimento. A questão foi estudada no Brasil por Bousso *et al.* (2014), ao analisar manifestações de luto postadas em uma rede social, na página da pessoa falecida. Os pesquisadores identificaram que tais redes impulsionam sentimentos de outra forma retraídos e favorecem a elaboração do luto de pacientes, familiares e equipe de profissionais. Tal recurso, inimaginável até por volta dos anos 2000, hoje é uma realidade aceita em diversos segmentos e valida modos de viver e expressar um luto.

Em trabalho anterior (Franco, 2018), apresentei um amplo histórico dos estudos sobre o luto, passando por questões socioculturais, por aspectos advindos dos avanços da ciência e pela necessidade de refletir eticamente sobre eles. Os estudos sobre o luto abrangem um vasto campo de saber construído cujas pesquisas precisam ter continuidade, de forma que sejam destinadas a pessoas e comunidades enlutadas, em suas experiências que demandam cuidados fundamentados e éticos. Aponta-se também para a necessidade de uma formação profissional específica, nos vários campos de atividade, a fim de que a população enlutada possa contar com um tratamento respeitoso e de qualidade por parte do profissional que lhe oferece atenção e cuidados.

O luto no cenário pandêmico

Em 2020, novos questionamentos sobre o luto se impuseram. Com o surgimento da pandemia de Covid-19, o luto vivenciado no mundo adquiriu proporções nunca imaginadas. As comparações com a gripe de 1918, também conhecida como gripe espanhola, foram ingênuas diante da proporção que o coronavírus assumiu. Aquela também foi uma vasta e mortal pandemia, que, de janeiro de 1918 a dezembro de 1920, infectou aproximadamente 500 milhões de pessoas, ou seja, um quarto da população mundial na época. A Covid-19, iniciada em dezembro de 2019 na China, chegou a aproximadamente 78 milhões de casos diagnosticados e 1,7 milhão de mortes no mundo todo no final de 2020. A possibilidade de vacinação global passa por entraves políticos e econômicos. O comportamento das pessoas mudou consideravelmente, para atender aos cuidados quanto à propagação do vírus, e o impacto econômico não pode ser plenamente avaliado. Os profissionais da saúde foram expostos a situações extremas de risco e estiveram no epicentro da exaustão e do desgaste.

Em razão desses fatores, a atenção geral voltou-se para o luto específico diante da pandemia e para a demanda de ações terapêuticas. Os conceitos de luto privado, coletivo e público, como abordados por Walter (2008), foram debatidos, clareando a distinção entre eles. O luto coletivo não precisa ser público para ser vivenciado, pois o senso de pertencimento a uma coletividade, a um grupo, a um ideal comum a outras pessoas é o que o define como tal. Além desse cuidado na distinção, destaco que o luto coletivo não supre as necessidades de experiência de um luto individual, pois não se trata de uma questão quantitativa, mas sim de pertencimento. Há aspectos e significados de um luto individual que não se realizam na vivência de um luto coletivo e, como Walter (2008) destaca, este último é mais breve que aquele.

DaMatta (1997) esteve muito atual por meio de suas ideias a respeito do que se vive em casa (na privacidade) e do que se vive na rua (publicamente). Os significados atribuídos ao luto vivido em consequência da Covid-19 foram ampliados diante da limitação para participar dos rituais fúnebres, por razões biossanitárias. O recurso de comunicação de profissionais por *lives* foi utilizado à exaustão, trazendo o que entendi como um benefício, por possibilitar informação com grande alcance, porém nem sempre com a qualidade desejada.

O luto púbico, com a expansão da comunicação pela internet, marcou muito mais essa experiência do que o luto privado. A atenção às pessoas enlutadas, restrita a recursos *on-line*, não mais presencialmente, exigiu que os profissionais ampliassem seus recursos habituais a fim de enfrentar com qualidade essa demanda. Ressalto que ficou logo claro que não se tratava de uma questão apenas quantitativa, a partir da informação diária sobre o número de mortos. Tratava-se de um luto com contornos próprios, que levou a reflexões sobre o que se sabia até então e o que se apresentava a partir dali.

Tive oportunidade de colaborar com um grupo que se ocupou de apontar as possibilidades de cuidados específicos com o luto na pandemia (Cogo *et al.*, 2020), em uma publicação de distribuição gratuita, de modo a ampliar o alcance das informações. Nela abordamos peculiaridades desse luto, pela falta ou pela severa restrição dos rituais fúnebres que representaram a ausência de um fechamento e de uma concretude tão necessários para esse processo. Ressaltamos que esses são fatores de risco para o luto complicado e sugerimos rituais substitutivos utilizando recursos tecnológicos. Foi um período de extensas demandas adaptativas não só para os enlutados como para os profissionais que deles cuidaram. Era preciso oferecer atenção psicossocial a um número crescente de enlutados, a par com o sofrimento psíquico apresentado pelos profissionais da saúde que atuavam na linha de frente em unidades de saúde e hospitais voltados para pacientes com Covid-19.

Mayland *et al.* (2020), por meio de revisão de literatura, buscaram informações sobre experiências de pessoas enlutadas em outras pandemias ou epidemias. O que os levou a procurar essas informações foi a dificuldade de dimensionar o impacto da pandemia de Covid-19 sem a distância histórica necessária. Por consequência, houve também dificuldade para identificar as ações terapêuticas que pudessem ser benéficas. Foram analisadas seis pesquisas, realizadas na África, no Haiti e em Cingapura. Elas trataram de sobreviventes de outras epidemias, que poderiam eventualmente ser também enlutados. De fato, essas pessoas viveram perdas consequentes à doença em questão, como ruptura do seu cotidiano conhecido, das normas sociais, dos rituais e das práticas relativas ao luto. Foram identificados fatores de risco para luto complicado, como a dificuldade de se conectar com a pessoa falecida, antes e depois da morte. As recomendações dizem respeito à necessidade de encontrar formas inovadoras de manter a conexão com as pessoas enlutadas e realizar os rituais.

Essa pesquisa ressalta o que foi identificado empiricamente também no Brasil, em todos os estados afetados pela Covid-19, tendo demandado ações que atendessem a essa dificuldade. Tem sido de fato uma experiência de intenso sofrimento, em todos os segmentos afetados – como pessoas que tiveram a doença e se salvaram, pessoas enlutadas, profissionais da saúde e cuidadores em outras áreas do cuidado, mesmo sem estar na linha de frente.

Sensíveis às novas necessidades desencadeadas pelo luto por Covid-19, Boelen *et al.* (2020), que utilizam habitualmente terapia cognitivo-comportamental no atendimento presencial às pessoas enlutadas, estudaram os desafios e resultados do uso remoto dessa técnica, devido às restrições sanitárias. Além de constatar que isso é possível, utilizando chamadas telefônicas ou por vídeo, abordaram riscos e possibilidades de tal atendimento e destacaram cuidados a ser observados, referentes à manutenção do ambiente de forma a viabilizar visão e audição de ambas as partes e seguir com os protocolos da técnica.

Quando se instalou o isolamento social, precisei adequar tanto meus atendimentos da clínica privada como aqueles do LELu, com base na teoria do apego, às novas condições de atendimento remoto. A pergunta a ser respondida era: vai dar certo? Ela se desdobrava em outras, sobre as necessidades de adaptação que seriam necessárias quanto a sigilo, privacidade, possibilidades e restrições à realização dos atendimentos. Paralelamente, havia a questão, nas supervisões clínicas do LELu, de como ensinar algo que, como supervisora, eu também estava aprendendo. Houve momentos iniciais de temor pela impossibilidade, mas seguimos com muito cuidado e olhando para ambos os lados, do psicoterapeuta em formação e do paciente enlutado, chegando a realizações satisfatórias. Havia famílias com condições habitacionais restritivas ao atendimento, sem um lugar que garantisse privacidade ao paciente. Tivemos de aprender, portanto, o que era possível de ser feito, que era muito melhor do que o ideal perfeito. O feito era melhor que o perfeito. Esse foi um norteador importante ao longo dos meses de trabalho remoto. Outro aprendizado importante é que algumas pessoas não tinham familiaridade com os recursos tecnológicos que pareciam simples para os psicólogos. Para quem está acostumado a receber seu paciente no ambiente pedagogicamente seguro e estruturado de uma clínica-escola, ter de adentrar tecnologicamente a casa do paciente e conhecer de modo vívido uma realidade que até então lhe era apenas relatada, e não vista, exigiu o desenvolvimento de habilidades e atenção empática que iam além do aprendizado de técnicas de diagnóstico e de intervenção terapêutica para aquele luto. A teoria do apego se mostrou suficientemente consistente para permitir as adaptações, pela nossa constatação empírica. Nem sempre foi possível atender sem interrupções, de ordem tecnológica (má qualidade da conexão) e econômica (pessoa não contava com equipamento de qualidade ou créditos no aparelho celular para ficar o tempo regulamentar da sessão terapêutica, ou a criança não dispunha de material lúdico ou gráfico, como lápis e papel, para um atendimento). Foi possível constatar que o processo de adequação dos psicólogos se deu a contento, acrescentado de um aprendizado inesperado requerido para atendimentos não presenciais. Garantir o enquadramento da pessoa na tela do celular ou computador, cuidar de iluminação e isolamento acústico no ambiente de ambos para evitar interferências na comunicação, adotar medidas ergonômicas para suportar as muitas horas em frente ao eletroeletrônico, que provocam cansaço físico e também mental: os cuidados que tomamos habitualmente em relação à saúde do profissional do ofício do cuidar se desdobraram para atender a essas novas demandas, que se tornaram também situações de risco.

Este capítulo não poderia terminar sem abordar o luto, a dolorosa experiência de perder uma pessoa significativa por Covid-19, que poderia estar no Brasil ou em outros países. Este é o significado de uma pandemia: afeta a todos, no mundo todo. Ainda teremos o que aprender, mesmo sem vislumbrar por quanto tempo viveremos essa situação de exceção que se tornou a regra.

Se esse pode ser chamado de um novo luto ainda não me arrisco a dizer com certeza. Estamos vivendo dentro da experiência, sem o distanciamento histórico necessário para uma afirmação definitiva. Muitas mudanças vieram para ficar, e talvez a maneira de viver um luto e o cuidado ofertado aos enlutados estejam entre elas. Historicamente, é possível afirmar que o novo já chegou, mesmo que ainda não saibamos muito bem distingui-lo. No Capítulo 5, ao abordar as ações terapêuticas direcionadas aos enlutados, desenvolvo meu pensamento a esse respeito.

2. PERSPECTIVAS E MODELOS TEÓRICOS

A experiência humana de perder alguém significativo ou de ver romper-se um vínculo com uma situação que dava significado à própria vida, definindo os contornos de sua identidade, deixa marcas na biografia de qualquer pessoa. Somos seres biográficos e, em cada uma de nossas páginas, não ficam registrados apenas relatos, mas experiências verdadeiramente vividas. Há algumas situações dramáticas, outras curiosas e, até mesmo, engraçadas. São pintadas com humor e dor, com esperança e desalento. Não deixam de ser vividas, porém.

A história da perda é ao mesmo tempo individual e amplamente contextualizada. Ela não começa no momento da perda, do rompimento, mas antes, quando se constroem os vínculos (Bowlby, 1978a, 1978b e 1981), sendo até mesmo transmitida transgeracionalmente (Walsh e McGoldrick, 1991; Coleman, 1991). Quando se oferece escuta atenta a alguém enlutado, ou mesmo na construção conjunta de seu genograma[3], ressaltam-se aspectos contidos em sua narrativa que talvez não tenham sido valorizados e instiguem indagações. A pessoa em questão pode não ter vivenciado a perda, mas o espectro desta chega até ela. O que ressalto aqui fica claro no texto de Kaminer e Lavie (1993), que focalizaram os sobreviventes do Holocausto. Podemos falar, portanto, de uma memória familiar inerente a uma narrativa, e não de uma forma de luto crônico.

Para a compreensão da história de uma perda, buscam-se fundamentos teóricos ou modelos explicativos e interpretativos. Há diversas possibilidades de compreender o luto em suas múltiplas raízes, processos, resultados e demandas de intervenção. Consequentemente, elaboram-se diferentes definições, teoricamente sustentadas com maior ou menor solidez. Conhecê-las possibilita dar atenção a uma experiência que todas as pessoas vivem e, mesmo assim, não é banal: o luto pela perda de alguém significativo. Essa atenção, porém, requer sustentação para as ações de prevenção e cuidado, de modo que as pessoas enlutadas possam

---

3. O genograma é uma representação simbólica, resumida, das relações entre os membros de uma família. É diferente de uma árvore genealógica, pois aponta não só graus de parentesco como padrões de comportamento, atitudes e doenças físicas e psíquicas.

enfrentar esse processo com seus recursos adaptativos e, na falta deles ou na dificuldade de utilizá-los, contar com apoio de qualidade.

Entender o que leva a um enfrentamento inadequado justifica que se estude o luto. Uma definição inicial dada por Bowlby (1981) faz uso da analogia de Engel (1961), que diz que a perda de uma pessoa amada é psicologicamente tão traumática como uma ferida ou queimadura o é fisiologicamente, colocando o luto no patamar de doenças que requerem tratamento visando à cura. É compreensível que essa analogia venha de Engel, por seu interesse na perspectiva biopsicossocial das doenças. Com base nessa posição, ao investigar se o luto é uma doença, Stroebe (2015) desenvolve outra interpretação e questiona onde estava o foco do autor: ele queria definir luto ou definir doença? Sua conclusão é a de que a tônica do artigo era provocativa e Engel não estava preocupado em definir luto como doença, mas sim em demonstrar as muitas formas pelas quais uma doença pode se manifestar. No entanto, Stroebe (2015) justifica essa discussão ao lembrar que ela se enquadra no contexto do início do século 20, que questionava se o luto era uma forma de transtorno mental e enfatizava a necessidade de cuidados médicos para sua resolução.

A questão proposta por Engel, portanto, não era irrelevante, sobretudo se considerarmos que foi apresentada na forma de um diálogo socrático, que requer debate de ideias. Sua definição de luto diz que ele é "a resposta característica à perda de um objeto valorizado, seja este uma pessoa amada, um objeto especial, um emprego, *status*, casa, país, um ideal, uma parte do corpo" (Engel, 1961, p. 18). Uma vez que o luto é uma reação normal, assemelha-se a outras situações que também o são, como uma queimadura. Em comunicação pessoal a Stroebe (2015), Engel ainda lamenta que esse artigo tenha sido entendido como uma defesa da medicalização do luto. A partir de uma reação natural e esperada a uma perda, ele argumentava socraticamente sobre o que é uma doença, não sobre o fato de o luto ser ou não uma doença.

Ampliando o questionamento, Stroebe, Schut e Boerner (2017) tratam daquilo que é expresso e interpretado como luto em dada cultura e do pesar associado à perda de alguém por morte. O objetivo dos autores foi apontar o que os profissionais da área da saúde, especificamente médicos, precisam saber sobre luto. Ressaltam evidências de risco à saúde, procura mais frequente por serviços médicos e aumento no uso de medicação como reações associadas a dificuldades no processo de luto. A par com essas questões médicas, há as nutricionais, as econômicas e as relativas à qualidade do sono, que também têm impacto. Não fica difícil entender por que, durante muito tempo, foi usada a denominação "luto patológico" para queixas como essas.

O'Connor (2013) já havia chamado a atenção para mecanismos fisiológicos e processos neurobiológicos observados ao longo do processo de luto – sobretudo do luto complicado – que poderiam ter relação com problemas de saúde. Stroebe *et al.* (2017) sustentam que as emoções vivenciadas no luto, notadamente o pesar, não implicam a necessidade de cuidados, mas que o processo de luto em si pode fazê-lo. Assim, a resposta de cuidados necessita ser oferecida para atender à demanda, que, por sua vez, deve estar claramente compreendida. Essa posição não ignora as possibilidades de intervenção disponíveis, seja a psicoterapia (em suas diferentes abordagens), seja a medicação, seja o atendimento *on-line* ou presencial, em grupos com ou sem a presença de um profissional.

Era com essa distinção que Bonanno, Goorin e Coifman (2008) se preocupavam ao apontar as diferenças entre tristeza e pesar, para identificar em que situações de luto uma ou outra emoção se colocava e quando a atenção era necessária. Sublinharam o fato de que a tristeza, como emoção presente nas situações de quebra de expectativa, afastamento e rompimento, indica uma reação natural e esperada; o pesar requer cuidados quando associado a uma vivência de luto, pelo risco de ser o precursor de uma depressão.

A partir da última década do século 20 e nas primeiras décadas do século 21, muito tem sido pesquisado e discutido acerca do que definimos como luto complicado e luto prolongado, para afinar a demanda de cuidados e, em consequência, oferecer preparo técnico adequado aos cuidadores profissionais que se dedicam a eles. Destacam-se os estudos de Prigerson *et al.* (1995a e 1996), Lichtenthal, Cruess e Prigerson (2004), Prigerson, Vanderwerker e Maciejewski (2008), Holland *et al.* (2009) e Rando *et al.* (2012) com vistas à publicação do DSM-5 (APA, 2013), abordando a questão de ser ou não o luto um transtorno mental e, em caso positivo, de que ordem. O que há de comum a essas publicações é o foco na distinção entre luto complicado e depressão, bem como a avaliação acerca de o luto ser ou não um transtorno mental e, em caso positivo, de que ordem. Abordam também a polêmica sobre a exclusão do luto em diagnóstico de depressão, se a morte tiver ocorrido dois meses antes da manifestação da doença.

O DSM-5 apresenta classificações para diagnósticos psiquiátricos que tocam de perto a identificação do que particularmente pode ser entendido como formas de luto que fogem ao considerado normal. Ele é a base para a definição de doenças psiquiátricas e referência para práticas clínicas, o que causa protesto por parte de profissionais e pesquisadores das ciências humanas, que consideram seus objetos de estudos não passíveis de quantificação.

No DSM-5, luto e transtorno depressivo maior são considerados diagnósticos diferentes, havendo, porém, sintomas que devem ser observados atentamente por se apresentarem em ambas as condições. No luto, o afeto predominante inclui sentimentos de vazio e perda, enquanto na depressão encontram-se humor deprimido persistente e incapacidade de antecipar felicidade ou prazer. A partir dessa alteração no diagnóstico do transtorno depressivo maior, já não se descarta a possibilidade da co-ocorrência de luto e transtorno depressivo maior, devendo o clínico ficar atento para distinguir um caso de depressão daquilo que seria apenas uma resposta normal e adaptativa à perda.

O DSM-5 não criou um diagnóstico oficial para o luto complicado, apontando para a necessidade de estudos posteriores mais aprofundados a fim de eleger os critérios que determinariam sua existência. O que resultou disso foi a inserção de uma proposta diagnóstica denominada "transtorno do luto complexo persistente", na seção "Condições para estudos posteriores".

Com essa posição, considero necessário levar em conta aspectos culturais que diferenciam as respostas ao luto, sendo eles integrantes de peso para uma classificação inerente ao luto em si, e não comparado ao transtorno depressivo maior. Daí minha afirmação de que a sutileza e a atenção a ser utilizadas na busca do diagnóstico devem ser mantidas.

Portanto, saber diferenciar o que é uma experiência humana natural, embora dolorosa, de outra que requer atenção profissional indica também a necessidade de um posicionamento teórico que sustente essa diferenciação. Na história dos estudos sobre luto, várias teorias, abordagens e pensamentos estiveram e estão presentes, o que leva ao interesse na organização das principais teorias e seus desdobramentos.

Hansson e Stroebe (2007) organizaram informações a respeito das teorias sobre luto, seu enfrentamento e, num modelo ampliado, suas manifestações e fenomenologia. A releitura dessa organização me permite apresentar, a seguir, aquelas que entendi como necessárias para desenvolver minha compreensão das teorias abrangidas, de modo a torná-las didáticas, na forma de uma introdução e apresentação de diferentes arcabouços que sustentam a compreensão do luto, como fenômeno e como processo.

Inicio por aqueles que se utilizam do trabalho de luto ou da elaboração do luto. Vale aqui esclarecer esse conceito. O tema do trabalho de luto é encontrado em Freud (1917 [1915]/1984), em "Luto e melancolia", escrito em 1915 e publicado em 1917. Foi um marco na sua compreensão, deixando de ser uma situação a ser tratada pela ação médica para se transformar numa elaboração do psiquismo. Esse conceito é definido como um processo de diminuição gradual da energia que liga o indivíduo enlutado ao objeto perdido ou à pessoa falecida. Durante esse processo, o enlutado tem de enfrentar a realidade da perda e começar a desvincular-se do ente querido. Esta é a principal tarefa do trabalho de luto: romper os laços com ele, confrontando os sentimentos e emoções associados à perda, chorando a morte, expressando tristeza ou saudades do morto. O teste de realidade evidencia que os esforços pelo reencontro são inúteis. A pessoa enlutada adquire liberdade para reorientar as suas emoções e a sua atenção a outras coisas.

Assim, as teorias que se baseiam no trabalho de luto como um princípio de enfrentamento adaptativo são: a psicanálise, representada por Freud (1917 [1915]/1984); a teoria do apego, representada por Bowlby (1978b e 1981), cujos recursos, especificamente, apoiam-se no modelo de fases para o enfrentamento do luto; e a teoria evolucionária (baseada na teoria do apego), representada por Archer (2008). Elas orientam o enlutado a identificar sua perda e enfrentá-la mediante o diálogo entre seu desejo de reencontro e a realidade que reflete essa impossibilidade. Sendo esse um processo psíquico, aí reside o trabalho do luto, que, em condições normais, não requer intervenções externas, sobretudo medicamentosas, para ser processado.

O construcionismo social (com princípios da terapia cognitivo-comportamental), a teoria sistêmica (sobretudo no trabalho com famílias) e as perspectivas culturais têm como princípio de enfrentamento adaptativo o processo de construção de significado, a reconstrução de biografia nas famílias e as interações interpessoais. Trazem para o cenário das teorias sobre o luto um olhar renovado, que propõe a interação entre cliente e terapeuta. Seus nomes de destaque são: Neimeyer (2001), sobretudo pelo peso que dá ao construcionismo social; Rosenblatt (1993 e 2008), pela importância que atribui à cultura na construção do significado para um luto; Walter (2008), por apontar o lugar do luto tornado público e sua relação com o luto privado.

Ampliando o foco, encontramos os modelos de luto de amplo espectro, importantes por levarem a compreensão do fenômeno para além da elaboração, incluindo outros componentes no processo, como mundo presumido (Parkes, 1971, 1993 e 1998), duas vias para a elaboração (Rubin, 1981) e regulação da emoção (Bonanno e Kaltman, 1999). Por fim, há a ênfase nos modos de enfrentamento, com destaque para as quatro tarefas descritas por Worden (1993) e o modelo do processo dual, defendido por Stroebe e Schut (1999). Um ponto que distingue esses modos de enfrentamento é o protagonismo dado ao enlutado na vivência do seu processo de luto.

Neste capítulo, amplio as abordagens da teoria do apego, desenvolvida por Bowlby (1981); da teoria ou modelo das transições psicossociais, desenvolvida por Parkes (1993); do processo dual, de Stroebe e Schut (1999); da psicanálise freudiana; das tarefas do luto, como descritas por Worden (1993); de Bonanno e Kaltman (1999), considerando seus quatro componentes; e do construcionismo social, como entendido por Neimeyer (2001). Para fazer essa escolha, utilizei o critério de envolver aquelas que promovem o diálogo entre seus pressupostos e podem ampliar a visão do profissional que cuida de pessoas em luto.

Teoria do apego

Bowlby (1981 e 1994) desenvolveu os princípios fundamentais da teoria do apego com base em suas observações sobre como se estabeleciam os vínculos, que descreveu como padrões de apego construídos entre o bebê e seu cuidador primário – com mais frequência a mãe. Seu interesse adveio da etologia, o estudo do comportamento animal, do qual extraiu a compreensão das razões para as mães se vincularem aos filhos e de suas reações à separação. O próprio Bowlby (1981) considerou tais observações escassas, dizendo que necessitariam de mais atenção, sobretudo para indivíduos de diferentes idades. Isso não o impediu de apontar uma sequência de comportamentos ou reações esperados quando a criança é afastada da mãe. A essa sequência ele denominou luto, usando a palavra em inglês *grief*, que significa o pesar consequente a uma perda. Tal conhecimento é apresentado na trilogia *Apego e perda* (Bowlby, 1978a, 1978b e 1981); considerada um marco nos estudos sobre o tema, ela aborda os processos de formação de vínculos, as reações a uma separação e o processo de luto, quando a separação se torna definitiva. Essa trilogia oferece os fundamentos-chave para o que entendo sobre luto e aos quais recorro para compor o pensamento clínico que define minhas ações.

A busca de segurança é a principal motivação da construção de vínculos. Os comportamentos de apego se desenvolvem ao longo da vida na relação com o cuidador principal – não necessariamente a mãe, mas aquela que Bowlby denominou figura materna. Com a experiência, o cuidador reconhece os comportamentos de busca de proximidade por parte do bebê e responde a eles. Da mesma forma, conforme o cuidador responde, o bebê passa a construir estratégias para obter essa proximidade e mantê-la. Trata-se de um processo de aprendizagem mútua, com aquilo que é instintivo, que vai se estabelecendo e permitindo o desenvolvimento de comportamentos que se apresentarão quando o indivíduo vivenciar o rompimento de um vínculo, na busca de restabelecê-lo.

Bowlby (1994) afirmou que o comportamento de apego, que visa à proteção e tem papel decisivo na sobrevivência do indivíduo e da espécie, tem duas finalidades: a) manter o apego: sugar, sorrir, tocar e agarrar, seguir; b) recuperar o apego, que implica chorar e procurar. O comportamento de apego persiste durante toda a vida e, na adolescência e vida adulta, passa a ser dirigido também a outras figuras, sejam humanas ou simbólicas. É sobretudo ativado em situações de perigo, de adoecimento, de medo. Não é isso o que vemos no comportamento do enlutado, ao deparar com uma perda significativa? É possível perceber que se trata de um equilíbrio dinâmico presente no sistema de apego, constituído pela interação mãe--bebê e expresso por:

- comportamento de apego da criança;
- comportamento exploratório da criança e atividade lúdica;
- comportamento da mãe de prover cuidados maternos;
- comportamento da mãe que não seja o de dispensar cuidados maternos.

A partir da formação de vínculos, são construídos os modelos operativos internos, que se expressam nas ações empreendidas pelo indivíduo, com seus componentes relacionais. Aquele que tiver construído seus vínculos com uma figura de apego sensível, disponível e responsiva contará com um sistema de apego saudável quando em situação de perigo subjetivamente percebido, bem como com um senso saudável de segurança e representações mentais positivas de si e dos outros – isto é, terá construído seu modelo operativo interno, que lhe será favorável no enfrentamento de situações adversas, inclusive perdas. Se, por outro lado, as figuras de apego não tiverem sido disponíveis, confiáveis e suportivas, será construído o modelo operativo negativo de si (não ser merecedor de amor) e dos outros (não são responsivos, são rejeitadores).

Os modelos operativos internos têm duas características importantes e afetam a maneira pela qual a criança vai interpretar acontecimentos, guardar informações na memória e perceber situações sociais:

- a imagem que a criança tem de outras pessoas: se uma figura de apego é considerada ou não alguém que, em geral, responde às necessidades de apoio e proteção;
- a imagem que a criança tem de si mesma: se o indivíduo é considerado ou não uma pessoa a quem alguém – e a figura de apego em particular – responde de modo adequado.

Novamente, com foco na identificação do modelo operativo interno da pessoa, encontro uma valiosa ferramenta para entender como o luto está sendo processado por ela. Na escuta de sua narrativa, do significado daquela pessoa falecida em sua vida, do lugar da falta, posso me aproximar de seu estilo de apego e encontrar indicadores preciosos sobre os recursos com os quais conta para enfrentar aquele luto.

Ainsworth *et al.* (2015) desenvolveram um método de observação sistemática das interações de crianças de 15 meses de idade com as mães (figura parental), o qual denominaram teste da situação estranha (TSE) (*strange situation test – SST*). Esse método pode ser descrito como a seguir:

1. A figura parental e a criança são conduzidas à sala experimental (sala com brinquedos não pertencentes à criança).

2. A figura parental e a criança ficam sozinhas. A figura parental não participa enquanto a criança explora o ambiente.
3. O estranho entra, conversa com a figura parental e, então, aproxima-se da criança. A figura parental sai da sala sem se fazer notar (primeiro episódio de separação).
4. O comportamento do estranho acompanha o da criança – por exemplo, brinca com ela, se solicitado.
5. A figura parental entra, saúda de novo e conforta a criança (primeiro episódio de reunião).
6. A figura parental sai de novo e a criança fica sozinha (segundo episódio de separação).
7. O estranho entra e acompanha o comportamento da criança.
8. A figura parental entra, saúda a criança e a pega no colo; o estranho sai sem se fazer notar (segundo episódio de reunião).

Os resultados desse instrumento de observação levaram à descrição dos seguintes padrões de apego: seguro; inseguro ansioso/ambivalente; inseguro evitativo. Em uma breve descrição, assim se apresentam os padrões de apego, a partir do que foi identificado pelo teste da situação estranha e ampliado para situações cotidianas:

- Estilo de apego seguro: bebês seguramente apegados à mãe são ativos nas brincadeiras, buscam contato quando afetados por uma separação breve e são prontamente confortados, voltando a absorver-se nas brincadeiras. Mostram comportamento de exploração com liberdade, tendo a mãe como base segura. A chegada de um estranho não lhes causa mal-estar, demonstram saber onde a mãe está. As ações provocadas por alguém com estilo de apego seguro promovem segurança e proteção e também oferecem condições fundamentais para o desenvolvimento que serão buscadas quando um vínculo é rompido, ou seja, quando um luto é ocasionado.
- Estilo de apego inseguro ansioso/ambivalente: bebês ansiosamente apegados à mãe e também esquivos, evitam a mãe, principalmente após a segunda ausência breve. Tratam o estranho de modo mais amistoso do que a própria mãe. Crianças com esse estilo de apego têm comportamentos ansiosos, como abraçar e chorar, pois não sabem se o cuidador estará disponível quando procurado, tendendo a apresentar ansiedade de separação e a mostrar-se receosas em sua exploração do mundo. São muito sensíveis a afetos negativos e suas expressões de estresse mostram-se intensificadas. Com predomínio do estilo de apego inseguro ambivalente, sentem-se responsáveis pelo medo/agressão/

rejeição que percebem em suas figuras de apego quando se aproximam delas: algozes. A figura de apego cuida de modo ambivalente.

- Estilo de apego inseguro ansioso evitativo: com predomínio do evitativo, as crianças têm como característica oscilar entra a busca da proximidade e a resistência ao contato com a mãe. Trata-se de uma reação defensiva, para evitar o contato íntimo, a partir da experiência de que, ao procurar o apoio do cuidador, não encontrarão uma resposta positiva, e sim um ato de rejeição. Mostram como defesa uma atitude de autossuficiência emocional. A figura de apego é não cuidadora, e a criança se entende como causa do medo/agressão/rejeição que percebe em sua figura de apego quando se aproxima dela. Sente-se vítima de quem deveria lhe dar apoio.

- Estilo de apego inseguro desorganizado: identificado posteriormente por Main e Solomon (1990). Pessoas com esse estilo de apego oscilam entre o padrão ambivalente e o evitativo. Sentem-se responsáveis pelo medo/agressão/rejeição que percebem em suas figuras de apego quando se aproximam delas, são algozes. A figura de apego é também causa do medo/agressão/rejeição que as crianças percebem em suas figuras de apego quando se aproximam delas, são suas vítimas. A figura de apego tanto oferece cuidado ambivalente como não oferece cuidado.

Ampliando as possibilidades diagnósticas de uma pessoa vivendo um luto, utilizo-me da conjugação entre seu modelo operativo interno e o estilo de apego, mesmo que apenas para os estilos seguro e inseguro (independentemente de suas variações). Esse é um aprendizado importante que obtive com Parkes (2009), do qual me valho com frequência e segurança.

A pessoa que conta com estilo de apego seguro constrói sua autopercepção como sendo boa, digna, competente e amada. Seus cuidadores, ou mesmo as figuras de apego, respondem apropriadamente às suas necessidades, sendo sensíveis, carinhosos e dignos de confiança. O mundo é seguro, a vida merece ser vivida. A partir daí, constrói-se seu modelo operativo interno, com base na confiança de amar e ser amado, de contar com recursos para enfrentar adversidades.

Por outro lado, a pessoa com estilo de apego inseguro tem de si a percepção de ser indesejada, indigna, desesperançada e incapaz de ser amada. Em paralelo, entende seus cuidadores, ou figuras de apego, como não responsivos às suas necessidades, não confiáveis e insensíveis. Consequentemente, o mundo não é seguro, a vida não merece ser vivida.

Parkes (2009) afirma que os padrões se mostram relativamente estáveis não apenas na infância, mas também nas relações estabelecidas no correr da vida, o que auxilia no entendimento das reações diante das perdas. Confirma ainda que as pessoas que desenvolvem um estilo de apego seguro vivenciam um sofrimento emocional menos intenso ao deparar com o luto na vida adulta do que aquelas que tiveram um estilo de apego inseguro, em qualquer de suas formas. Ressalta, porém, que mesmo aquelas com estilo de apego seguro podem sofrer muito quando se trata de uma experiência traumática de perda.

Considero essa distinção extremamente importante para que se possa entender e conhecer a pessoa em luto que busca suporte de alguma maneira, pois nos permite optar por esta ou aquela direção no cuidado oferecido. A teoria, portanto, fundamenta a técnica, que, por sua vez, devolve à teoria indicadores de problemas merecedores de atenção em pesquisa.

Mesmo tendo o cuidado de não adotar uma explicação baseada na taxonomia, que seria reducionista em relação às complexidades do comportamento humano, a descrição dos estilos de apego possibilita uma compreensão das reações esperadas após uma perda. As pessoas que construíram estilo de apego inseguro na infância ou desenvolveram apegos dependentes na vida adulta estão propensas a viver luto complicado. A falta de confiança em si e no outro, encontrada nas pessoas com estilo de apego desorganizado, pode levá-las a viver um luto complicado ou prolongado.

Archer (2008) dialoga fluentemente com a teoria do apego, pois seu pensamento, expresso na teoria evolucionária, é muito próximo dos fundamentos etológicos aos quais Bowlby (1994) recorreu, bem como dos estudos de Darwin sobre a evolução das espécies. Uma afirmação a favor de sua teoria está na constatação de que o luto é uma reação universal a uma perda, tendo ocorrido ao longo de toda a história da humanidade e em diferentes culturas. Posso dizer, a partir de Bowlby (1994), que a ação do terapeuta, considerando a teoria evolucionária de Archer, pressupõe a atenção para não construir, em lugar do porto seguro, uma relação de dependência que impeça a pessoa enlutada de reformular o modelo operativo interno.

Hazan e Shaver (1987) abordam o apego adulto, dizendo que nos relacionamentos adultos românticos é a atração sexual que figura como fator de aproximação, numa relação nivelada e recíproca. A busca de proximidade no adulto, diferentemente daquela da criança, é mais complexa, sendo facilitada pelo contato físico íntimo. O amor romântico adulto envolve a integração de três sistemas comportamentais:

- o sistema de apego, para manter a proximidade com o cuidador;
- o sistema de prover cuidados, para permitir ao cuidador atender e responder às demandas da pessoa vinculada;
- o sistema reprodutivo, que encoraja e permite a reprodução.

Mikulincer e Shaver (2008) ampliam essa perspectiva, possibilitando que o apego adulto seja compreendido como largamente relacionado ao luto do adulto, porém destacando e relativizando a experiência de transformação dos estilos de apego ao longo da vida. Assim, a vivência do luto na vida adulta sofreria também outras influências, ampliadas além do estilo de apego. Os autores destacam ainda como as conclusões de Bowlby podem ser verificadas pelo uso de novos métodos de pesquisa, trazendo contribuições para psicofisiologistas e neurocientistas, permitindo-lhes compreender os fenômenos das defesas ansiosas e evitativas que podem se manifestar no luto.

Quanto aos vínculos contínuos, mantidos após a morte de um ente querido, Shaver e Fraley (2008) esclarecem que, diante da posição de Klass, Silverman e Nickman (1996) – segundo a qual esses vínculos permanecem sem que seja necessário um desligamento da pessoa falecida e sem que sejam indicadores de distúrbio na elaboração do luto –, Bowlby (1981) usou o termo "reorganização", e não "desligamento", para sinalizar uma evolução saudável do luto. Ele também afirmou que os clínicos às vezes têm expectativas não realistas sobre o tempo e a extensão necessários para que se considere que a pessoa o tenha vivenciado. Shaver e Fraley (2008) abordaram essa questão em meio a outros pontos controversos na teoria do apego no que se refere ao luto.

Bowlby (1978a) considera que o processo requer a experiência de duas mudanças psicológicas: a) reconhecer e aceitar a realidade; b) experimentar e lidar com as emoções e problemas que ocorrem com a perda. Com base na teoria do apego, pode-se concluir quanto essas duas mudanças psicológicas afetam a visão de mundo da pessoa e dela demandam resposta adaptativa. O modelo operativo interno tem, portanto, papel de destaque no processo do luto, uma vez que é atuante na construção de significado, tanto para a relação rompida como para o enlutado em seu projeto de vida.

É tão forte essa constatação quando busco entender o estilo de apego de uma pessoa enlutada por meio da compreensão de seu modelo operativo interno que eu a denomino "meu farol". No meio da tormenta que alguém enfrenta ao viver um luto, a orientação está exatamente em sua experiência em construir vínculos. Tal construção passa pelas suas figuras de apego, inclusive, no contexto terapêutico, a figura do terapeuta.

Zech e Arnold (2011) apresentam sua experiência como terapeutas de luto baseando-se no vínculo estabelecido entre o paciente e o profissional. Chamam a atenção, no que diz respeito ao atendimento de alguém que tenha se afastado da possibilidade de se ancorar seguramente em uma relação significativa, para a necessidade de essa pessoa construir um forte senso de segurança antes de se iniciar na complexidade de um movimento de perda e restauração. Para os autores, o estilo de apego da pessoa enlutada é um guia importante para o terapeuta conduzir sua ação.

Por meio da teoria do apego e tendo como pano de fundo a possibilidade de construção de vínculos contínuos com o falecido, Field e Wogrin (2011) analisaram quando eles poderiam ser adaptativos durante um processo de luto e quando seriam o oposto. O fundamento está na definição de figura de apego como aquela que está disponível física e psicologicamente, ou seja, que oferece segurança. A morte da pessoa que tem esse significado retira do enlutado a função de regulação da emoção que naturalmente advinha dela. Os autores afirmam que a reorganização da vida e de seus significados após a morte de alguém que tivesse essa função pode ser adaptativa, mesmo quando implica a existência de vínculos contínuos que se integram à narrativa de vida da pessoa enlutada. Ao contrário, uma falha na reorganização do sistema de apego leva a uma falha no modelo operativo interno no que diz respeito ao vínculo com o falecido e, consequentemente, na forma de se situar diante das demandas impostas pela vida após aquela perda. Assim, os vínculos contínuos são entendidos pela teoria do apego como compatíveis com uma concepção de luto saudável, desde que não impeçam a reorganização adaptativa à vida após a perda.

Mesmo com meus estudos de longa data a respeito da teoria do apego, constantemente deparo com situações que podem ser exploradas em profundidade com seus fundamentos, desde que estes sejam colocados em um contexto sociocultural que colabore para esses significados. Refiro-me, por exemplo, a como a teoria do apego pode contribuir para a compreensão do luto simbólico de exilados ou imigrantes que tenham perdido não apenas alguém por morte, em seu país de origem ou mesmo no núcleo familiar que o acompanha, mas também inserções e o importante senso de pertencimento. Vou além de considerar a possibilidade de esse ser um luto não reconhecido – o que de fato pode ocorrer na inserção em um novo lugar – para identificar o choque cultural presente nos significados atribuídos a ele, tanto no país de origem como naquele que o recebe. Consequentemente, órgãos oficiais e organizações não governamentais voltadas para a atenção a essas pessoas ofereceriam uma boa possibilidade de intervenção se considerassem também a recomposição da vida após as perdas pelo exílio ou refúgio por meio de ações promotoras de resiliência. Cabe a essas organizações o papel de oferecer uma base segura, à semelhança do que faz o psicoterapeuta em seus atendimentos clínicos à pessoa enlutada. Base segura, sim, desde que signifique de onde crescer, de onde explorar novas possibilidades, contando com o porto seguro para buscar abrigo quando em situação de temor.

Teoria das transições psicossociais

Parkes (2009) acompanha Bowlby (1978b) na sua definição de luto ao considerar que os componentes essenciais para o enlutamento são: a experiência da perda e uma reação de anseio intenso pelo objeto perdido. Ele vai além, no entanto, quando afirma que o pesar pela perda de um ser amado coloca-nos diante de ameaças à segurança, provocando mudanças importantes na vida e na família. Em outras palavras, em nosso mundo presumido.

Janoff-Bulman (1992) desenvolveu o conceito de mundo presumido com destaque para a ideia de um mundo em transformação, ou seja: as crenças fundamentais que a pessoa tem sobre si mesma, sobre o mundo e sobre a relação entre ela e o mundo. No campo das perdas e do luto, o ajustamento positivo, por essa perspectiva, envolve rever a interpretação sobre o mundo, para que ele possa permanecer positivo de alguma maneira, mesmo incorporando a perda.

Dessa forma, Parkes (1993 e 1998) chega à formulação de que uma perda que implica luto pode ser explicada pela teoria das transições psicossociais, definida como uma série de processos de adaptação às mudanças decorrentes do rompimento de um vínculo, provocado ou não por morte. Trata-se de uma maneira de entender o luto que não entra em conflito com outras definições, uma vez que elas têm outro foco, como a natureza dos vínculos, a dinâmica familiar ou a psicofisiologia do estresse. Essa teoria abre a perspectiva de o enlutado deter algum protagonismo no processo.

Parkes (1993) entende que o luto pela morte de alguém significativo é um trauma psicológico importante. Envolve o pesar que arrasta o enlutado para alguém ou algo que está faltando. Há uma discrepância entre o mundo que é e o mundo que deveria ser. Lembrando que este último é um construto interno, o autor ressalta que cada pessoa viverá o luto à sua maneira. Ao longo da existência, existem muitos acontecimentos transformadores, que dividem a vida em antes e depois. O significado do que se ganha e do que se perde com a vivência desses acontecimentos é particular, o que dificulta classificar seu impacto simplesmente como de ganho ou de perda.

Os eventos de mudança na vida com maior demanda de adaptação são aqueles que:

- requerem que as pessoas revejam seus conceitos sobre o mundo;
- apresentam implicações duradouras, e não transitórias;
- acontecem em um tempo curto, em que não há possibilidade de preparação.

Esses três critérios definem as transições psicossociais. Excluem fatos que podem ameaçar mas não resultam em mudança duradoura. Fazem pensar na vivência de uma doença e na proximidade da morte – e, por esse motivo, permitem compreender o processo de luto vivido relacionado aos cuidados paliativos. Indo além, a fim de estabelecer um paralelo entre o luto em cuidados paliativos e as transições psicossociais, ressalta-se que pessoas em processo de luto:

- costumam se retrair dos desafios do mundo externo, fecham-se no seu ambiente seguro e restringem seus contatos sociais a um número pequeno de pessoas em quem confiam;
- podem evitar situações e cadeias de pensamento que lhes mostrem discrepâncias entre o mundo interno e o externo;
- por vezes preenchem sua vida com atividades de distração ou negam a realidade do que aconteceu;
- podem ter acionados todos os mecanismos de defesa que protegem alguém de se dar conta de uma perda. Essas defesas frequentemente são bem-sucedidas em impedir que a ansiedade se torne desorganizadora, mas também adiam o processo de transformação.

Segundo Parkes (1971), uma transição psicossocial desencadeada por luto tem tal magnitude que comporta disfunções simultâneas, considerando-se as áreas de funcionamento mencionadas. Ao emergir como uma inter-relação complexa de processos psicológicos, sociais e culturais, cujas implicações não ficam claras para quem as vivencia, oferece resistência, o que é frequente em mudanças importantes. Surgem, então, três demandas: suporte emocional; proteção durante o período de desamparo; e assistência para construir novos modelos de mundo adequados à situação emergente. A vivência do pesar – entendido como uma emoção que dirige a pessoa a algo ou a alguém que está faltando –, associada às transições psicossociais, exerce grande peso. A discrepância entre o mundo que é e o que deveria ser torna-se inegável. Ou seja: o mundo presumido não será mais o mesmo. O mundo que deveria ser é um construto interno, o que torna a experiência de luto única e individual, como afirma Parkes (1993 e 1998).

Kauffman (2002) entende que o conceito de mundo presumido é o princípio ordenador da construção psicológica ou psicossocial do mundo humano. Indo além, ele afirma que o conceito de perda do mundo presumido (enfrentamento da mudança), com sua consequente transição psicossocial, é uma teoria do luto. Trabalha com o princípio da constância, com construtos internos desta, sendo a mudança a ruptura desses construtos. Daí poder ser denominada uma teoria do luto.

Field (2008), tratando dos vínculos contínuos como forma de enfrentamento ou de vivência do luto, menciona a transição psicossocial. Para ele, o enlutado, ao manter um vínculo com o falecido, desde que consciente de que a morte tenha se dado, experimenta ainda uma transição psicossocial que lhe permite gradualmente introduzir em sua vida as mudanças decorrentes da perda.

A ideia de ser uma transição, em lugar de uma ruptura, alinha-se com a proposta de luto antecipatório, pois permite que a realidade da perda se integre ao andamento de uma doença, assim como com as perdas decorrentes desta. Como conceito de suporte às transições psicossociais, o mundo presumido reverbera o significado da perda. Isso se dá no campo da espiritualidade (Doka, 2002b), quando é natural que as crenças que explicavam o mundo sejam questionadas para ser confirmadas, dispensadas ou transformadas. Também ocorre pelo enfrentamento de desafios, segundo Corr (2002), seja em situações traumáticas, seja naquelas de morte ou luto sem trauma, seja pelo questionamento das premissas implicadas na concepção do mundo presumido, como relata Attig (2002) ao se referir a algo além do aspecto cognitivo, anterior mesmo ao pensamento – talvez até não cognoscente.

Entendo que a grande contribuição da teoria das transições psicossociais é o lugar que dá ao dinamismo presente no processo de luto. Ela dialoga bem com a teoria do apego, exatamente a partir de seus fundamentos a respeito da formação e do rompimento dos vínculos. Tem, porém, vida própria ao desenvolver a importância da revisão de pressupostos que agregam significado à vida da pessoa em luto. É possível percorrê-los em uma primeira entrevista ou no primeiro contato com o enlutado quando se investiga o que mudou em sua vida e, sobretudo, o peso dessas mudanças diante da sua impotência ou resiliência. Mesmo ao longo de um processo terapêutico ou de busca de medidas de proteção para tornar o enfrentamento eficaz, acompanhar as transições psicossociais vivenciadas apresenta-se como uma ferramenta produtiva.

A teoria das transições psicossociais pode bem estar alinhada com o construtivismo social por buscar, de forma dialógica, traçar a narrativa da pessoa em luto com base em sua experiência de ter tido um vínculo que foi rompido. É natural pensar que tal teoria deve levar em conta os pressupostos, de acordo com Janoff--Bulmann (1992), como as ilusões que precisam ser revistas para que a segurança construída a partir da perda esteja assentada nessa realidade. Esse me parece um objetivo importante a ser considerado em uma proposta terapêutica dirigida a enlutados.

Luto como um processo dual

Stroebe, Boerner e Schut (2020) definem luto a partir da palavra inglesa *grief*, descrita como a experiência emocional expressa pelas reações físicas, psicológicas, comportamentais e sociais que a pessoa enlutada vive em consequência da morte de alguém amado. Os autores ressaltam que há semelhanças entre os enlutados, ao menos no mundo ocidental, mesmo não havendo um tempo objetivo que qualifique aquela experiência como normal. Destacam também que não são todos os enlutados que necessitarão de atenção profissional, pois entram no cenário os chamados fatores de proteção: estilo de apego, boa relação com o falecido, suporte psicossocial com qualidade, entre outros.

Com base em Stroebe, Stroebe e Hansson (1993) e Greenstreet (2004), desenvolvi o entendimento de que o luto, por se tratar de um fenômeno complexo, pode se manifestar pela interação de cinco dimensões:

- *Cognitiva*: confusão, desorganização, falta de concentração, desorientação e negação.
- *Emocional*: choque, entorpecimento, raiva, sentimento de culpa, alívio, depressão, irritabilidade, solidão, saudade, descrença, tristeza, negação, ansiedade, confusão e medo.
- *Física*: alterações no apetite e no sono, dispneia, palpitações cardíacas, exaustão, diminuição ou perda do interesse sexual, alterações no peso, dor de cabeça, choro e mudanças no funcionamento intestinal.
- *Espiritual*: sonhos com o falecido, perda ou aumento da fé, raiva de Deus ou de qualquer representação de um poder religioso superior, sentimento de dor espiritual, questionamento de valores, sensação de ter sido traído por Deus, desapontamento com membros da igreja.
- *Social/cultural*: perda da identidade, afastamento das pessoas significativas, isolamento, falta de interação e perda da capacidade de se relacionar socialmente (Franco, 2010).

É importante destacar que a introdução dessas dimensões, sobretudo por Stroebe *et al.* (2017) e Stroebe, Hansson e Stroebe (1993b), oferece uma abertura para a compreensão do luto que vai além daquela que vinha sendo empregada, com foco nas emoções e em sua repercussão no corpo.

Do ponto de vista de Stroebe e Schut (1999), a vivência de um luto se dá de outra maneira, entendida como um processo dual de enfrentamento dele. Esse modelo integra conceitos já existentes e descreve o processo no qual o enlutado oscila entre duas orientações psicológicas: o enfrentamento orientado para a perda e o orientado para a restauração. Segundo os autores, não é possível observar as dimensões de perda e recuperação ao mesmo tempo. As pessoas oscilam entre ambas, confrontando uma e evitando a outra, com idas e vindas. Essa oscilação tem função regulatória adaptativa. Outra função importante durante o processo dual está na possibilidade de construção de significado para a perda e para o indivíduo. Nesse aspecto, portanto, ressalta-se ainda mais a particularidade da experiência do enlutado, que pode se perceber protagonista do seu luto, admitindo as mudanças dele decorrentes. Volta-se para o enfrentamento adaptativo, processo regulatório que necessita de avaliações constantes das experiências vividas para que a oscilação represente movimentos de experimentação e reconhecimento. Essas avaliações permitem traçar com o enlutado os limites nos quais estão seu mundo presumido, seus sistemas de crenças e suas narrativas de vida, dando, assim, suporte às mudanças decorrentes desse processo oscilatório.

Na perspectiva de Stroebe e Schut (1999), cabe uma compreensão ampla para a questão da continuidade dos vínculos, como defendida por Klass, Silverman e Nickman (1996) e Klass e Walter (2001). No processo dual, a oscilação natural permite que o vínculo rompido seja visitado e ressignificado ao longo da vida do indivíduo. Desde que a morte não seja negada, não existe a expectativa de término do vínculo, o que dá lugar para a mudança na natureza da relação com o falecido, a construção de significado para a perda e até mesmo mudanças na identidade do enlutado. Rosenblatt (2008), por sua vez, considera que o processo dual do luto, como descrito por Stroebe e Schut (1999), leva em conta as diferenças culturais, mesmo considerando que o luto seja universal. Essa observação dá lugar a ponderações sobre quanto as culturas diferem no que diz respeito a contexto, regras, expectativas.

Destaco, ainda, em relação à compreensão do luto pelo modelo do processo dual, que por esse caminho é possível dar o protagonismo do processo ao próprio enlutado, a fim de que não fique preso à expectativa de trilhar o percurso de fases como esperadas e perceba, por meio de seus recursos de enfrentamento, os significados que tinha antes da perda e como eles se reconstroem ou transformam ao longo do processo.

Psicanálise

Freud (1917 [1915]/1984) define luto como a reação natural e esperada à perda de uma pessoa amada ou de uma abstração que tenha ocupado esse lugar, como seu país, a liberdade, um ideal. No entanto, para algumas pessoas, a mesma experiência provoca melancolia em lugar do luto, sugerindo uma disposição patológica. Nessa distinção, Freud deixa clara sua posição de que o luto, apesar de exigir grandes mudanças nas atitudes em relação à vida, não é uma condição patológica que requeira tratamento médico. O luto pode ser superado ao longo do tempo, e interferir nesse processo seria uma perda de tempo ou até mesmo algo danoso.

Na distinção entre as duas situações, luto e melancolia, destacam-se semelhanças, como a tristeza profunda, o desinteresse pelo mundo externo, a perda da capacidade de adotar um novo objeto de amor (uma substituição inaceitável) e o afastamento de atividades não relacionadas ao falecido. Uma distinção importante é que o enlutado não tem a vivência de autoacusação, nota tônica da pessoa com melancolia.

O trabalho de luto, sendo sua elaboração uma função do psiquismo, passa pelo teste da realidade, a fim de evidenciar que o objeto amado não mais existe, e chega à demanda de que a libido seja retirada e desvinculada desse objeto. O protesto, a oposição a essa exigência da realidade, a par com as elaborações do luto em processo, é compreensível, pois a imposição de abrir mão do objeto amado, mesmo com um substituto à vista, não é aceitável. Naturalmente, trata-se de um trabalho que demanda tempo e reveste-se de comportamentos que podem se assemelhar, por vezes, a um distanciamento da realidade, com muita dor e protesto, porém possibilita que, ao seu término, o ego se encontre livre para novos vínculos. A inibição e o desinteresse são responsáveis pelo trabalho no qual o ego se vê absorto na elaboração do luto. Ou seja: o ego não está paralisado pela perda nem pelo protesto diante dela.

A melancolia, como descrita por Freud (1917 [1915]/1984), tem relações conceituais e clínicas com a depressão, e Raphael, Minkov e Dobson (2001) descreveram ambos os fenômenos de maneira simples, porém esclarecedora. No luto, o foco do aspecto cognitivo, ou seja, dos pensamentos, é a pessoa perdida, enquanto na depressão o foco está em uma interpretação negativa de si e do mundo. Os afetos presentes no luto são o anseio pelo falecido, a ansiedade de separação, a raiva externalizada, a tristeza. Por outro lado, na depressão, encontram-se agitação, ansiedade, raiva internalizada, sentimentos depressivos. No caso do enlutado, esses afetos dão vez à busca da pessoa perdida e a transtornos variados de sono; no caso da depressão, à busca de reencontro, ao retraimento.

Em anos recentes, a psicanálise tornou-se mais pluralista e capaz de aceitar diferenças (Fonagy, Gergely e Target, 2008). Com isso, aproximou-se dos fundamentos da teoria do apego, dos quais havia se apartado em meados do século 20. Alguns exemplos são: o aumento do interesse no estudo do desenvolvimento infantil como o caminho legítimo para entender as diferenças no comportamento do adulto; a abertura para a compreensão da natureza formadora do meio externo, do meio social, no desenvolvimento da criança. Sendo sensível às famílias que vivem com seus filhos em situações de vulnerabilidade, a psicanálise teve de refazer o conceito de trauma, colocando-o no âmbito do risco socioambiental.

O princípio da mentalização, descrito como a capacidade da criança para entender comportamentos interpessoais em termos de estados mentais, ou operacionalizada como função reflexiva, também aproximou a psicanálise da teoria do apego (Fonagy, Gergely e Target, 2008). A função reflexiva integra cognição e emoção, um componente tanto interpessoal como autorreflexivo. Ainda aqui o pluralismo de entendimento da psicanálise se manifesta, assim como a existência de bases em comum entre esta e a teoria do apego.

Essa retomada do diálogo convida a uma reflexão sobre o que a psicanálise oferece na compreensão do fenômeno do luto e de seus desdobramentos. Já não se trata de distinguir processos normais de patológicos, mas, por meio de fronteiras mais maleáveis, de tocar e, talvez, penetrar outros domínios do conhecimento, como é o caso mais próximo da teoria do apego.

Tarefas do luto

Worden (1993 e 2015) descreve o processo de luto como necessário para possibilitar o crescimento pela experiência e restabelecer o equilíbrio, sendo então finalizado. Para que isso ocorra, algumas tarefas devem ser cumpridas, mesmo que não sejam etapas fixas e sequenciais, progressivas, pois para o autor o luto é um processo fluido, longo e trabalhoso. As concepções sobre o mundo, que foram revistas e validadas pela presença da pessoa falecida, perdem seu sentido original e levam o enlutado a cumprir o que definiu como tarefas do luto, as quais possibilitarão a adaptação à nova realidade. São elas:

* aceitar a realidade da perda;
* processar a dor do luto;
* ajustar-se a um mundo sem a pessoa morta:
* encontrar conexão duradoura.

Worden (1993) entende que as tarefas podem ser executadas sem uma ordem prescrita, mesmo porque aceitar a realidade da perda, embora seja a primeira delas, talvez não seja realizável de início. O autor destaca ainda que o modelo de tarefas foi obtido da psicologia do desenvolvimento, que lhe deu a compreensão de que o ser humano vincula-se por uma questão básica do seu desenvolvimento; portanto, enfrentar a separação de uma figura à qual está vinculado, antes e depois da morte, é uma questão de crescimento ou de seu oposto, de patologia.

Aceitar a realidade da perda implica admitir que a reunião com o falecido é impossível, ao menos nesta vida, e requer que o enlutado acredite que a morte se deu, a fim de que ele possa lidar com os aspectos emocionais da perda. O oposto tem uma carga significativa de negação e abriga pensamentos de que a morte não é real. Se o enlutado não acreditar que a perda é real, não poderá lidar com os afetos dela decorrentes. A tarefa envolve aceitação intelectual e emocional, e esta última pode precisar de mais tempo para se concretizar. Um exemplo é o de pais que mantêm intocado o quarto do filho morto, à espera de seu retorno.

Worden (2015) fala, porém, de um acreditar e não acreditar simultâneos, que se manifestam por saber que a pessoa morreu, mas ainda assim desejar fazer contato com ela, enviar mensagens, telefonar. O autor relaciona esse comportamento àquele descrito por Bowlby (1981) e Parkes (1998) como uma busca para, em dado momento, certificar-se de que a pessoa de fato morreu.

A segunda tarefa requer que a dor do luto seja processada, que seja vivida em lugar de evitada. Worden (1993) coloca no cenário o papel da sociedade, quando esta avalia o luto de alguém e lhe diz que não deve viver essa dor, que é preciso ser forte e corajoso para seguir em frente. Essa tentativa de proteger o enlutado de viver seu luto não só se prova inútil como pode ser danosa. O não reconhecimento do luto, segundo Doka (1989 e 1996), tem papel de fator de risco para o luto complicado. Embora nem todos os lutos tenham a mesma dose de dor, esta precisará ser aceita e processada. Suprimi-la ou reprimi-la pode levar a reações adiadas do luto ou até mesmo a manifestações psicossomáticas.

Ajustar-se ao meio no qual o falecido não mais está é a terceira tarefa. Nela, o enlutado se defronta com a ausência daquilo que é conhecido e com a imposição de viver o desconhecido. Os processos adaptativos são solicitados, para que esse ajustamento não signifique submissão à realidade sem que antes esta seja colocada em consonância com as possibilidades do enlutado. Embora pareça impossível, é necessário e torna-se possível e proveitoso. Há três tipos de ajustamento a ser realizados:

- *Externos*: que mudanças ocasionadas pela morte afetam a vida cotidiana?
- *Internos*: como a morte afetou a definição de si feita pelo enlutado quanto a sua autoestima e seu senso de eficiência para enfrentar a vida?
- *Espirituais*: como a morte afetou suas suposições básicas sobre Deus e o mundo? Como afetou seus valores e crenças fundamentais?

A quarta tarefa implica encontrar, emocionalmente, um lugar para o falecido e seguir adiante. Isso possibilita que o enlutado permaneça vinculado ao falecido, porém não de maneira impeditiva aos seus projetos refeitos ou atualizados. Trata-se de construir a memória com aquela pessoa querida a fim de dar início a uma nova vida. O vínculo afetivo não é um obstáculo para o enlutado: o falecido agora ocupa outro lugar, o de quem, em vida, teve destaque para ele.

Entendo que, na abordagem de Worden, pode-se encontrar uma revisão do mundo presumido, conforme conceituado por Parkes (1998). Ao aceitar a realidade da perda e ajustar-se a uma existência sem aquela pessoa, o enlutado irá rever seu conceito de mundo, para que suas respostas sejam adaptativas. Consequentemente, o luto poderá tomar um lugar em sua biografia que comporte novos significados e, até mesmo, a permanência por meio de um vínculo contínuo, conforme Klass, Silverman e Nickman (1996) afirmavam. Essa conexão entre mundo presumido e vínculos contínuos retrata o dinamismo na elaboração do luto que justifica exatamente o porquê de as tarefas não precisarem seguir na ordem proposta. Na prática clínica, observo esse movimento ocorrer sem a pressa de encontrar uma direção certa, única ou esperada, o que dá ao enlutado a liberdade de ampliar o autoconhecimento e reescrever sua história considerando a perda, sem a preocupação de atingir uma meta ou seguir por um caminho já prescrito.

A fim de que as tarefas sejam realizadas, Worden (1993 e 2015) chama a atenção para o que denominou mediadores do luto, ou seja, os fatores que devem ser investigados: quem era a pessoa que morreu; qual era a natureza do vínculo; como ocorreu a morte; quais eram os antecedentes na vinculação; como era a personalidade do enlutado; quais são as variáveis sociais; se há fatores de estresse concomitantes. A cultura desempenha um papel importante como mediador do luto, de acordo com ele.

Worden (1993) também se interroga a respeito de um término para o luto. Uma vez que em suas tarefas existe a de encontrar uma vinculação com a pessoa falecida – desde que a realidade da perda seja aceita –, pode-se deduzir que considera possível a manutenção de vínculos contínuos. Porém, ele apresenta questionamentos importantes sobre fatores intervenientes, que podem levar os vínculos contínuos a gerar o luto complicado. Segundo o autor, há períodos do luto em que esses vínculos são menos adaptativos. Um estilo de apego, como o ansioso, pode também colaborar para a manutenção de lutos crônicos.

Para realizar a investigação de uma demanda de atenção e cuidado ao luto, meus questionamentos seguem esses apontamentos de Worden, que me possibilitam começar a traçar o caminho específico daquela pessoa em luto e convidá-la a percorrê-lo. Eles abrangem os terrenos de onde o luto se originou e por onde pode seguir. Mesmo que Worden não tenha sido o pesquisador mais produtivo entre seus contemporâneos, entendo que o recurso de pensar sobre as tarefas e ver como elas se realizam abre as portas para um processo de elaboração com o protagonismo do paciente, o que vem ao encontro de minha maneira de pensar e agir.

Os quatro componentes do luto

Bonanno e Kaltman (1999), por entenderem que havia um vácuo teórico nas evidências em favor das teorias que defendem o trabalho de luto, consideraram necessário propor outras maneiras de pensar o fenômeno e apresentaram a perspectiva do estresse cognitivo, sendo esse o primeiro componente. De acordo com esse modelo, é feita uma avaliação cognitiva do fato causador de estresse e, em seguida, são usadas estratégias de enfrentamento na tentativa de impedir seus efeitos. Essas estratégias operam tanto para evitar como para regular os efeitos da perda, para mudar tanto o significado atribuído a ela como as condições do meio e, assim, evitar ou controlar as consequências mais estressantes. Não se pressupõe, como nos argumentos a favor da elaboração do luto, que esse ou aquele estilo de enfrentamento seja mais benéfico. Um estilo de enfrentamento evitativo pode até ser o melhor, em alguns casos.

Considerando a teoria do apego, Bonanno e Kaltman (1999) afirmam que pode ocorrer uma reorganização no vínculo com o falecido, para que o enlutado possa enfrentar sua perda em lugar de gradualmente ir se desligando dele.

A perspectiva sociofuncional para a emoção também faz parte do modelo desenvolvido pelos autores, podendo ser aplicada ao luto quando se enfatiza o papel adaptativo da expressão emocional positiva e o papel desadaptativo da expressão emocional negativa. Bonanno, Goorin e Coifman (2008) retomam essa função da emoção ao distinguir tristeza de pesar, na tentativa de filtrar cuidadosamente as emoções e localizá-las ao longo do processo do luto.

A perspectiva do trauma, relacionado à causa da reação do luto, vê as emoções desencadeadas pelo luto como similares àquelas que ocorrem em resposta a um acontecimento significativo na vida. A questão está em como esses fatos desafiam as crenças que as pessoas têm sobre seu mundo.

Bonanno *et al.* (2007) consideram que as medidas de evitação deliberada do luto não podem ser comparadas às medidas de processamento deste, porque não são complementares. Tampouco são mensuráveis, porque sua função será determinada pelas condições de cada processo. É interessante notar que Bonanno e Kaltman (1999) e Bonanno (2009) se apoiam em alguns pressupostos da teoria do apego quando falam em reformular o vínculo com o falecido. No entanto, posicionam-se contrária e enfaticamente ao modelo de trabalho de luto por meio do enfrentamento, que foi básico no pensamento de Bowlby.

Por fim, vale destacar a importância dada às chamadas emoções positivas do luto, vistas em outras teorias como forma de negação deste, mas que, para Bonanno (2009), são necessárias – e até mesmo um caminho possível no processo de enfrentamento. Nessa perspectiva de valorizar as emoções positivas, Bonanno *et al.* (2007) reafirmam a importância de expressá-las em um processo de luto – por serem um fator protetivo e poderem levar a melhoras na vida diária –, alegando também que sobretudo as emoções que levam ao riso são associadas à melhora nas relações sociais, evocando respostas positivas nos demais.

A contribuição do pensamento de Bonanno está em trazer para a compreensão do luto a perspectiva sociofuncional, que considera o papel da emoção mesmo não entendendo que se trata de uma elaboração. Na minha experiência, recorro aos seus estudos sobre a emoção, sobre a distinção entre o pesar do luto e a tristeza, assim como sobre o cuidado em não patologizar o luto; como trabalho na perspectiva de sua elaboração, porém, não me prolongo na sua proposição clínica.

Construcionismo social

A experiência de ter seu mundo alterado substancialmente após uma perda apresenta ao enlutado a necessidade de recriá-lo, por meio dos significados que podem ser obtidos. Perguntas como "Por que eu?", "Como minha vida será daqui para a frente?" e "Quem sou eu depois dessa perda?" procuram dar novo significado à pessoa e à sua vida. O primeiro movimento é a tentativa de encontrar esse significado no terreno conhecido, que, porém, se mostra estéril de respostas para a nova situação. É nesse vazio que o construcionismo social ocupa lugar como recurso de enfrentamento ao luto.

Pela perspectiva do construcionismo social, Averill e Nunley (1993) buscaram distinguir o luto como emoção do luto como doença. Por compreenderem que se trata de uma emoção, baseiam-se nas premissas de que as emoções são subsistemas comportamentais complexos, que se expressam ou agem em dado contexto de valores e crenças culturalmente determinados. Essa ideia é sustentada pela conjugação do sistema psicológico com os sistemas biológico e social. Não há fundamento em entender o luto como doença, segundo eles, por tratar-se de uma expressão natural, que está submetida aos sistemas biológico e social. Mas por que essa distinção importa? A resposta está na origem do olhar para o significado do luto, anterior mesmo à ênfase colocada por Neimeyer, nos trabalhos de Nadeau (1998), quando fala sobre o luto na família; de Doka (2000), quando aborda o processo de adoecimento e perdas concomitantes; e até mesmo de Kübler-Ross e Kessler (2005), quando analisam o significado do luto. Trata-se do processo central na reconstrução de significado, segundo Neimeyer (2001).

A proposição básica do construcionismo é, então, a seguinte: se o luto deixa de ser vivido como uma reconstrução de significado, pode se transformar em doença. Daí a relevância de utilizar as ferramentas oferecidas por esse modelo para enfrentá-lo.

Neimeyer (2011) ressalta que, assim como os filósofos, linguistas e teólogos, também os psicólogos enfatizam o papel do *significado* na vida humana. Tanto os representantes do construtivismo clássico como os do contemporâneo (Kelly, 1991; Neimeyer, 2001 e 2006) voltam-se para o fluxo de acontecimentos da vida, a fim de organizá-los em episódios significativos, discernir neles os temas recorrentes que lhes dão significado pessoal e levar os enlutados a procurar validação nos relacionamentos com outras pessoas. Pela perspectiva da narrativa, o ser humano constrói uma história de vida que é indiscutivelmente própria, embora sem descartar o discurso advindo do lugar e do tempo.

Neimeyer (2001 e 2004) entende que a resultante desse processo é a autonarrativa, a qual define como uma estrutura cognitiva, afetiva e comportamental que organiza as micronarrativas da vida diária em uma macronarrativa que consolida o entendimento da pessoa acerca de si mesma, estabelece um conjunto de emoções e objetivos muito particulares a ela e guia suas ações no palco do mundo social.

Gillies e Neimeyer (2006) enfatizam o modelo do construcionismo social para a compreensão do luto quando vão além de identificar a construção de significado para essa experiência. A inserção, no contexto, do lugar e do tempo amplia a perspectiva da narrativa e, por consequência, leva a um posicionamento do profissional que trabalha com indivíduos ou comunidades em luto.

Essa compreensão requer o pensamento sistêmico sobre a interação do funcionamento psíquico com o ambiente, seu contexto histórico, a circunstância da morte, a dinâmica familiar, a relação com a pessoa perdida e os recursos prévios de enfrentamento do enlutado.

Stroebe e Schut (2001a) fazem referência ao recurso de construção de significado como uma base importante, na perspectiva construcionista, para a compreensão do processo de luto em suas particularidades. Ou seja, considerada a narrativa pessoal, explica-se por que cada processo de luto é particular. Nadeau (1998) adotava essa visão teórica sobretudo pela possibilidade de validar tanto o luto individual como o da família.

Neimeyer e Hooghe (2018) ressaltam, porém, que, mesmo sendo central no processo de luto a tentativa de reafirmar ou reconstruir os significados atingidos pela perda, nem todas as pessoas empreendem esse processo porque não irão procurar o que não tiver deixado de existir. Isso se aplica a perdas que tenham um significado compatível com a narrativa do enlutado e não exijam grandes desafios práticos ou relacionais, mesmo no caso do mundo presumido que dá sustentação à existência.

À semelhança das tarefas propostas por Worden (1993 e 2015), Neimeyer (2001 e 2012) entende que a reconstrução de significado envolve, no mínimo, duas tarefas: redefinição de si e redefinição de sua maneira de se engajar no mundo. São oferecidas estratégias que fortalecem o processo de construção ou reconstrução de significado, de construção da autonarrativa que possibilite integrar a perda à vida que se apresenta e, assim, continuar a viver sem que o luto se transforme em um transtorno mental.

Utilizo-me muito das técnicas propostas por Neimeyer (2012 e 2016), porque nelas encontro consistência interna e diálogo com conceitos fundamentais em meu trabalho com pessoas enlutadas. Refiro-me ao conceito de mundo presumido e da teoria das transições psicossociais (Parkes, 1998 e 2009), bem como ao modelo do processo dual do luto (Stroebe e Schut, 1999). Isso não significa que seja possível fazer, indistintamente, uma mescla dessas formas de pensar o luto. Entendo que sejam terrenos resultantes de pesquisa e de prática clínica que levam a um questionamento sobre uma condição específica da pessoa em luto; tais terrenos têm sua narrativa, mas podem ser percorridos com atenção ao específico.

Apresentei, neste capítulo, abordagens ou fundamentos teóricos que podem ser conhecidos ou aprofundados pelos profissionais que trabalham com pessoas ou comunidades em luto. Vale lembrar, no entanto, que as teorias mudam em resposta à compreensão dos fenômenos que enfocam e diante de novos olhares epistemológicos. É previsível que aquelas esmiuçadas aqui, numa futura edição, tragam novos fundamentos, assim como é previsível que surjam outros modelos teóricos nos próximos anos.

A escolha das teorias aqui apresentadas levou em conta as que oferecem fundamentos teóricos para minha compreensão do processo de luto e, em consequência, alavancam a busca de ferramentas que ofereçam possibilidades de intervenção fundamentada. Falarei mais sobre isso no Capítulo 5, tendo como enfoque o diálogo entre a teoria e o uso de técnicas para promover as ações terapêuticas fundamentadas.

3. OS LUTOS

Sendo o luto uma experiência que, embora apresente similaridades entre indivíduos ou grupos, terá sempre um cunho particular, a tentativa de padronizá-lo ou homogeneizá-lo não trará resultados favoráveis à sua compreensão. A cultura dá as regras, a herança biológica apresenta seus limites, o psiquismo sinaliza e simboliza, a cognição tenta explicar e a espiritualidade transcende essas barreiras na construção de um significado.

Antes de entrarmos em definições, porém, cabe aqui uma elaboração acerca dos termos em inglês mais utilizados no âmbito do luto. Uma vez que grande parte da literatura disponível está nesse idioma, há especificidades que precisam ser observadas quando utilizamos essa terminologia em português.

A descrição frequente para "luto" se refere ao termo *grief*, aplicado para as emoções reativas a uma perda, que em português pode ser traduzido como "pesar", "tristeza" e mesmo "luto", observando-se atentamente o contexto.

A palavra *bereavement* descreve a situação objetiva de haver perdido alguém significativo por morte. Requer a definição do que é significativo. Podemos traduzi-la também como "luto" ou, mais extensamente, "processo de luto". É muito associada a sofrimento intenso, daí a razão para as pesquisas sobre o tema buscarem entender e aliviar a dor de pessoas enlutadas, como afirmam Stroebe *et al.* (2008a).

A palavra *mourning*, ainda segundo Stroebe *et al.* (2008a), é mais utilizada por pesquisadores e profissionais que seguem o pensamento psicanalítico e descreve a reação emocional à perda, da mesma maneira que *grief*. De acordo com esse uso, porém, *mourning* se refere à exposição, à expressão do pesar (*grief*), moldada pelas crenças e práticas de uma sociedade ou de um grupo cultural.

Em 1917, Freud publicou *Trauer und melancolie*, traduzido para o inglês como *Mourning and melancholia* e para o português como *Luto e melancolia*. Na leitura atenta da tradução em língua inglesa, nota-se que a palavra *grief* não é usada ao longo do texto. Ela aparece apenas em uma nota de rodapé para esclarecer que *mourning* pode ser utilizada para designar tanto uma emoção (*grief*) como sua expressão (ver Freud, 1984, p. 251). Adotou-se, portanto, *mourning* como significado amplo para luto.

Na experiência de traduzir Colin Murray Parkes (1998 e 2009) para o português, tomei todo cuidado na escolha das palavras para apresentar seu pensamento com precisão. Ainda assim, o uso da palavra "luto" foi muitas vezes o mais adequado em relação ao contexto, sem desconsiderar nuances de significado.

Se é condição necessária que uma experiência de perda se inicie quando uma situação conhecida e significativa cessa, sendo esta um depositário de significados para o indivíduo e acerca de si mesmo, a definição de luto pode ser encontrada na conjugação dos pontos a seguir.

- Situação conhecida: a pessoa se vê refletida nela e encontra suas competências para enfrentar o viver. Existe um senso de pertencimento àquela situação.
- Situação conhecida e significativa: por ser significativa, distingue-se das demais. Ela pode ser desafiadora, reasseguradora, ameaçadora, pacificadora ou gerar estresse e sofrimento. Há um significado, porém, construído por quem vive a situação: implica pessoas que têm ou tiveram lugar de destaque em seu desenvolvimento, como pais, irmãos, parceiros, amigos e filhos.
- Cessação de uma situação conhecida e significativa: pode acontecer repentinamente; com graus crescentes de exposição à realidade do cessar, como se ele estivesse se aproximando; ou sem aviso, sem nenhum sinal. O cessar pode ser independente da pessoa que sofre seu impacto ou provocado por ela, quando o significado da situação não é mais o desejado, esperado ou suportado.
- Significados para o indivíduo sobre a situação e/ou sobre si: com as diversas possibilidades de construir significados, testá-los e mantê-los – ou não –, fica claro que o processo de luto é dinâmico, plural e comunicável. É permeável a novas impressões, assim como deixa impressões nos que dele se acercam.
- Experiência de perda: como avaliá-la sem considerar o entrelaçamento de significados, âmbitos de impacto, subjetividade, cultura, biografia de quem a vive e de seu contexto?

São variadas, portanto, as manifestações de luto, relacionadas a diferentes tipos de perda. Podemos falar das perdas da vida cotidiana, não menos importantes, que contam com recursos adaptativos da própria rede onde o enlutado se insere para ser enfrentadas. São transições psicossociais, como definidas por Parkes (1971, 1993, 1998 e 2009). Essas perdas por vezes geram um processo de luto, com maior ou menor reconhecimento, que pode ou não requerer apoio profissional e segue a definição acima.

Entre elas, encontram-se as perdas normativas, próprias do desenvolvimento humano, vividas também na perspectiva sociocultural – por exemplo, a do ninho vazio, situação na qual a família se encontra reduzida ao casal original (ou a um dos pais) em seu ambiente doméstico, sem a presença ou companhia dos filhos, pois estes saíram de casa por motivos que geraram uma crise de adaptação a uma nova realidade, levando ao desenvolvimento de novas competências.

As separações conjugais ou divórcios são situações de perda e rompimento amoroso, com repercussão na vida de todos os envolvidos, sejam os filhos, o casal, seus pais ou amigos mais próximos. Não é um luto por morte, embora se possa dizer que, simbolicamente, morreram sonhos e projetos, concepções sobre o parceiro que, durante certo tempo, haviam sido aceitáveis e, após alguma experiência definidora, tornaram-se intoleráveis. Deslealdade, traições, questões morais e éticas que se interpõem na relação do casal e incompatibilidade sociocultural também marcam a morte simbólica de um casal.

Em razão de uma doença ou acidente, a pessoa pode viver a perda de funções ou de partes de seu corpo. Como ocorre em outras perdas, impõe-se um processo de construção de significado positivo para aquela experiência, conforme constatado em uma pesquisa com indivíduos paraplégicos com lesão medular (Vasco e Franco, 2017).

As perdas relacionadas ao âmbito laboral, como aposentadoria, demissão e desemprego, ocasionam grande repercussão no mundo presumido do indivíduo, levando-o a repensar seus projetos tanto pessoais como profissionais, afetados por diminuição da autoestima, isolamento social e pressões financeiras.

Com essas considerações, apresentam-se neste capítulo alguns caminhos para o entendimento do processo de luto, a fim de trazer para o cenário os atores que o compõem, para que seu papel relativo seja compreendido com base nas considerações teóricas que os sustentam. Algumas manifestações com bases comuns, com indicadores que possibilitam sua identificação e manejo, também são apresentadas. Por isso, estão organizadas em tópicos, mesmo que, na complexidade de um processo de luto, experiências e percepções se interpenetrem e componham novos quadros. A leitura, portanto, será tanto mais profunda quanto mais for fluente e aberta para as intercomunicações entre os itens.

O luto é vivido em fases?

Segundo Weiss (2008), foi Charles Darwin quem primeiro falou em fases do luto, em sua obra *A expressão das emoções no homem e nos animais*, cuja primeira edição foi publicada em 1872. Para Weiss, fica clara essa proposição de Darwin quando descreve o sofrimento dos animais após a separação entre uma mãe e sua cria. Num primeiro momento, há uma expressão emocional convulsiva, que sobrecarrega o autocontrole; caso a separação seja mantida, o estado de ânimo persiste em uma das duas formas de sofrimento intenso: ansiedade ou desespero. Ou seja, Darwin descreve uma sequência previsível da reação à perda, à ruptura.

Freud (1917 [1915]/1984) fala do papel do teste de realidade, que, pela passagem do tempo, evidencia a perda e leva o ego à elaboração para liberar a libido do objeto perdido. Embora não fale estritamente em fases, Freud ressalta a necessidade de viver o processo, a fim de possibilitar sua elaboração ao longo do tempo. Bonanno (2009) questiona o processo de elaboração do luto como proposto por Freud, pois considera que para retirar a libido do objeto amado é necessário rever cada uma das memórias, das expectativas, dos pensamentos e da procura por aquele objeto. Com isso, instala-se um caminho neural que fortalece ainda mais as conexões com o falecido, em lugar de desvanecê-las. Kim e Jacobs (1993) já vinham desenvolvendo estudos acerca das alterações neuroendócrinas decorrentes de um luto que apontavam nessa direção. As pesquisas de O'Connor *et al.* (2008) e O'Connor (2013) dão suporte a tais considerações e fazem pensar nas afirmações de Cozolino (2010) a respeito da contribuição da neurociência para o estudo da construção e reconstrução do cérebro e da neurobiologia do apego. Cozolino atribui o fato de Freud não ter chegado a essa compreensão às limitações tecnológicas de sua época para realizar pesquisas.

Bowlby (1981) fala em fases do luto que se assemelham àquelas descritas por Darwin, o que não surpreende, uma vez que este se interessava, de uma perspectiva evolucionária, pelo comportamento animal, que lhe serviu de fundamento para a compreensão do processo de formação e rompimento de vínculos afetivos. Ao tratar de busca e procura, de desorganização e desespero, sua teoria foi praticamente hegemônica na compreensão e na descrição do fenômeno até o final do século 20.

Críticas à concepção de fases para a compreensão do enlutamento (Stroebe *et al.*, 2008a; Stroebe, Schut e Boerner, 2017) apontaram a falta de apoio empírico para validá-las, além de requerer mais inter-relação das várias expressões do luto, mais do que tradicionalmente se reconhece – como tristeza, choro e negação, que são vistos empiricamente. O risco está em fazer uma avaliação inadequada do processo e criar expectativas irreais, o que levaria as pessoas enlutadas a interpretar que deveriam seguir uma sequência que não corresponde à experiência.

O trabalho de Kübler-Ross (2009) disseminou largamente a ideia de fases para o processo de morrer, o que foi fundamentado em suas observações de pacientes à beira da morte. Cabe aqui mais uma vez o cuidado com o significado da palavra empregada por ela em inglês: *stages*, que faz sentido sendo traduzida para "etapa", mas também se aplica a "fase de uma doença". Seria essa uma maneira de entender o processo de morrer e do luto? Convém lembrar que Kübler-Ross era médica, portanto não causa surpresa que tenha aplicado o raciocínio de fases de uma doença para essa explicação. Em 1969, a autora entendia que o processo de morrer era uma experiência composta por emoções fortes, muito próprias àquela etapa, porém não específicas. As fases eram: negação, raiva, barganha, depressão e aceitação. Tratava-se de uma sequência de fácil memorização, que foi logo aceita e ainda é mantida, sem questionamentos, em ambientes de saúde e pesquisa. As pessoas à morte não são, portanto, compreendidas nas suas particularidades, porque essa concepção de fases do morrer é aplicada como regra. Desde a primeira edição em inglês, cada fase foi descrita em um capítulo separado, o que sugeria que elas eram distintas e sequenciais, até mesmo lineares. Stroebe, Schut e Boerner (2017) pontuam, porém, que uma leitura profunda desse trabalho poderia detectar flutuações entre as fases, variações individuais quanto à sua sequência cronológica e até mesmo sobreposição.

Posteriormente, a sequência foi descrita de forma assemelhada em relação às pessoas enlutadas e, embora contestada, ainda se manteve a descrição de fases separadas e sequenciais, como afirmado por Kübler-Ross e Kessler (2005). A concepção permaneceu bastante aceita, o que Christopher Hall (2014) justifica pelo fato de ela oferecer ao enlutado uma noção de ordem para explicar um processo complexo, além daquilo que ele chamou de "terra prometida emocional" (Hall, 2014, p. 8), por manter em vista o término do luto. Isso não é pouco para quem tem dúvidas como se sua dor terá fim e o que acontecerá no percurso até esse dia. Aí reside a grande aceitação da proposição de Kübler-Ross, tanto por parte dos profissionais da saúde que nela se amparam para explicar o que é o processo de luto às pessoas que o vivem como por parte dessas próprias pessoas, que encontram não só uma direção, mas uma linha de chegada.

Vale observar que as críticas também se baseiam em uma concepção de ciência que foi revista e, hoje, possibilita que o material colhido por Kübler-Ross seja validado e daí se construam e analisem categorias. Bonanno (2009) é enfático ao comentar que as ideias de Kübler-Ross foram inspiradas no trabalho já desenvolvido por Bowlby (1981), no que é apoiado por Stroebe, Schut e Boerner (2017). O problema dessa referência às fases é que elas constroem uma expectativa a respeito do que seria um processo normal de luto, um comportamento adequado para vivê-lo, o qual as pessoas se veem quase forçadas a cumprir, o que torna a trajetória ainda mais difícil.

A experiência clínica mostra que o cenário é diferente. A pessoa em luto que procura a psicoterapia chega ansiosa com sua dor e a necessidade de uma resposta que organize essa experiência caótica e, muitas vezes, vivida com bastante sofrimento. Ouvir do profissional que o caminho está escrito e, portanto, previsto pode aquietar sua angústia inicial, porém a sequência dos dias prova que ele parece ter desvios, atalhos, becos sem saída, vales e montanhas, que precisarão ser percorridos no passo individual e no ritmo que o processo permitir.

Essa foi exatamente a percepção que me levou a buscar novas formas de entender o processo, diferentemente do que havia aprendido inicialmente nos estudos sobre luto. Não era assim que as pessoas relatavam sua vivência. A angústia quando se entendiam divergentes de uma dita norma era imensa, dificultando esse processo.

Mesmo destacando a relevância do trabalho de Kübler-Ross para a compreensão do processo de morrer, para a postura de ouvir os pacientes e suas famílias e para mostrar às equipes de assistência médica a importância de lidar com a finitude, Stroebe, Schut e Boerner (2017) apresentam cinco pontos principais em sua crítica às fases descritas por ela:

- Falta de fundamentação teórica: os princípios que amparam a proposta não foram abordados, dando a ideia de que existe uma resposta-padrão ao luto.
- Confusão conceitual e significados equivocados para o luto e o enlutar-se: falta de definição sobre a existência ou não de estados afetivos ou processos cognitivos.
- Falta de evidência empírica: os enlutados vivem as reações apresentadas em algum período de seu processo, mas não há comprovação rigorosa de que o fazem naquela sequência.
- Existência de outros modelos para explicar o processo de luto com sustentação teórica e descrição detalhada.
- Consequências devastadoras do uso das fases: a interpretação equivocada do processo pode levar os enlutados a não se perceberem como de fato estão, apenas se preocupando se estão vivendo de acordo com as fases. Uma consequência é a falta de suporte adequado e específico ocasionado pela análise superficial do processo. O uso prescritivo de algo que é descritivo acarreta riscos de interpretação que podem ser muito danosos para os enlutados.

Bowlby (1981) e Parkes (2009) desenvolveram uma proposta de fases para a vivência do luto fundamentada na teoria do apego. Segundo Bowlby (1981), há espaço para flutuações individuais, uma vez que as fases não são rigidamente definidas e a pessoa enlutada pode oscilar entre elas. As quatro fases descritas foram:

- Entorpecimento, choque, que pode durar de poucas horas até uma semana e ser interrompido por explosões de intenso sofrimento e/ou raiva.
- Anseio e procura pela pessoa perdida, que pode permanecer por meses e até mesmo anos.

- Desorganização e desespero.
- Reorganização, em grau menor ou maior.

A teoria do apego explica o movimento das fases, fundamento que foi crucial para seu desenvolvimento. No entanto, mesmo considerando que são flexíveis e permitem a experiência individualizada, ainda resta a crítica de que não favoreçam o aprofundamento no que há de singular para aquela pessoa. Além disso, o enlutado não é visto como primordialmente atuante no processo.

Stroebe, Schut e Boerner (2017) destacam que o processo de luto é individual e não normativo. Requer a construção de um significado para a perda, seja da saúde, seja da vida conhecida, seja da morte. Não há tempo definido para que isso aconteça. Abrange domínios amplos da experiência humana, como físico, psicológico, cognitivo, espiritual e social. No luto por morte, destaca-se o rompimento de um vínculo significativo com pessoas, projetos, crenças e valores (Parkes, 2009), que são as perdas secundárias componentes do cenário.

O luto é vivido por meio de um processo de oscilação natural entre um movimento voltado para a perda e outro voltado para a restauração, o que possibilita ao enlutado vivenciar suas experiências cotidianas e também entrar em contato com a dor da perda. Assim Stroebe e Schut (1999) descreveram o luto no que denominaram processo dual. Este se dá, de maneiras semelhantes, tanto no luto antecipatório (que ocorre ao longo da doença) como no luto após a morte (Konigsberg, 2011; Stroebe e Schut, 2015).

Sobre vínculos contínuos

O questionamento da compreensão do luto em fases trouxe uma visão que se propõe a explicar o processo para além desse enquadramento, sobretudo colocando em perspectiva a ideia de encerramento e desligamento do objeto amado. Trata-se da visão sobre *vínculos contínuos*, como descrevem Silverman e Klass (1996), Field (2008) e Steffen e Klass (2018). Os vínculos contínuos são parte de um processo de luto que possibilita a permanência de uma relação com a pessoa falecida, porém não da mesma forma como antes da morte. A condição necessária é que o enlutado esteja consciente de que a morte se deu e de que ele pode reconstruir seu vínculo de maneira que não impeça sua adaptação à perda. Ou seja, é indispensável levar em conta que o fator crítico para que o vínculo contínuo seja entendido como adaptativo ou não é o grau em que o enlutado expressa o reconhecimento e a incorporação da morte em sua vida subsequente à perda, como dizem Field e Filanosky (2010) e Kosminsky (2018).

Silverman e Klass (1996) discorrem sobre as visões mais tradicionais a respeito do luto que advogam que o enlutado deve se desligar do falecido e seguir com sua vida. De acordo com tais visões, o vínculo continuado com o falecido seria um luto não resolvido, até mesmo um sintoma de patologia. Seria, ainda, parte de uma negação da realidade da morte, uma resistência, destinada ao fracasso, à aceitação de que a morte é real e permanente e de que, portanto, o vínculo deve ser abandonado. Para indicar quanto, a partir de Freud (1917 [1915]/1984), a definição de processamento saudável do luto se apoiou na concepção de um desligamento do morto, Silverman e Klass (1996) seguem com o histórico dos estudos sobre luto. Bowlby (1978b e 1981) falava da necessidade desse desligamento; Parkes (1998) seguiu nessa direção por um bom período em suas pesquisas e, focalizando especificamente viúvas que mantinham uma relação simbólica com o marido morto, entendia que a busca do falecido se configurava como inútil.

Moos e Moos (1996) concentraram-se na relação triádica entre a pessoa viúva, a pessoa falecida e o parceiro em um novo relacionamento, sobretudo após casamentos de longa duração. O foco está na permanência da ligação com o falecido, na afirmação de que, em um novo casamento, a pessoa viúva leva consigo a experiência de situações que foram prazerosas na união anterior e tende a reproduzi-las no novo. Não se trata de uma experiência de aprendizagem, e sim, segundo os pesquisadores, da identificação de cinco aspectos que tendem a ser a ponte de interação simbólica na viuvez: intimidade, cuidado, sentimento de família, compromisso e apoio à identidade recíproca. Esses aspectos expressam uma maneira de se relacionar com o falecido que não é incompatível com um novo relacionamento amoroso. De acordo com os autores, os vínculos humanos são mantidos e estabelecidos em níveis tão profundos que a morte física não os desfaz. No novo casamento, a influência do falecido será negativa se o viúvo ou a viúva moldar o novo vínculo a partir da medida do anterior ou idealizar aquele que morreu.

Kosminsky (2018) também se refere a Bowlby (1981) para abordar, pela perspectiva da teoria do apego, como são construídas as conexões e as consequências do rompimento. Segundo a autora, um fator crucial para entender se um vínculo contínuo é adaptativo está na sua qualidade. Um apego seguro é a plataforma da qual a pessoa obtém a segurança e o conforto vindos daqueles que ama. É natural, portanto, que de um vínculo seguro se obtenha uma memória favorável e que ele perdure após a morte sem que isso signifique um processo de luto complicado. Por outro lado, o estilo de apego desorganizado oferece condições para grande sofrimento quando ocorre a morte de uma pessoa significativa, com pouca possibilidade de construir significados para pensamentos, emoções e comportamentos, ou seja, falta ao enlutado a habilidade para a mentalização. Como a pessoa com apego desorganizado provavelmente foi negligenciada ou abusada na infância, o sofrimento por uma morte lhe parece algo incapaz de ser enfrentado. A terapia possibilita-lhe afrouxar o vínculo para diminuir a dor. Trata-se, portanto, de estabelecer uma distância segura em relação ao falecido. Com esses cuidados, o vínculo que permanecer pode se tornar até mesmo um fator organizador.

Silva (2014) realizou a validação da versão portuguesa do *Continuing Bonds Scale-16* com pais enlutados. Esse instrumento visa avaliar em que extensão a manutenção do vínculo do enlutado com o falecido é fator de impedimento para a elaboração do luto. Field e Filanosky (2010) realizaram uma versão com 16 itens organizados em duas subescalas – "Tipos internalizados de manutenção do vínculo" e "Tipos externalizados e ilusórios de manutenção do vínculo". A primeira delas é constituída por dez tópicos que abordam a ligação permanente com o falecido, envolvendo a presença deste como modelo e base segura. A segunda subescala é constituída por seis pontos, que se reportam a experiências ilusórias e alucinatórias, indicativas de perda não resolvida.

O estudo de Silva (2014), realizado com pais enlutados, obteve resultados positivos quanto à validação feita pelo percurso metodológico regular e as questões psicométricas obtiveram resultados satisfatórios. Assim, o instrumento mostrou-se adequado para essa mensuração, considerando que uma particularidade encontrada na população de pais enlutados é o fato de eles considerarem natural que o vínculo se mantenha com o filho morto por meio de formas de expressão como fotos, cerimônias em datas especiais etc.

Atenta a uma questão presente na contemporaneidade, Irwin (2018) abordou o vínculo contínuo construído nas relações estabelecidas nas redes sociais, mais especificamente no Facebook. A partir da afirmação de Klass e Walter (2001) de que as pessoas que participam de rituais tradicionais sentem dificuldade de relacionar o aspecto sagrado e simbólico desses eventos com suas interpretações pessoais, a autora identificou que as postagens no Facebook se mostram um lugar público adequado para a expressão de emoções, podendo inclusive se tornar um ritual e possibilitar a construção de uma rede de apoio social. Assim, torna-se possível manter o vínculo com o falecido, pois o enlutado não só encontra local para expressão do vínculo como vê que este é aceito e reconhecido. Os avanços tecnológicos oferecem espaços virtuais para a preservação da memória, naquilo que Kasket (2018) chamou de "o novo normal" na definição do processo de luto.

Os vínculos contínuos, entendidos como integrantes de um processo de luto, até mesmo por possibilitarem a construção de significados, não podem ser considerados uma reação anormal, como se ignorassem a realidade da morte. Ao contrário, eles exigiram do enlutado que aceitasse a morte de alguém e buscasse maneiras para construir a memória dessa pessoa. Com isso, tal vínculo encontra um lugar na biografia do enlutado para ser ocupado pelo falecido, um lugar único, próprio daquela relação e, portanto, com significado particular.

Luto antecipatório

O luto antecipatório é entendido como aquele que se inicia a partir do momento em que a pessoa recebe um diagnóstico médico que trará uma mudança para sua vida – seja em suas atividades habituais, seja em seus projetos, em seu *status* socioeconômico ou em suas relações –, levando a transformações significativas em sua identidade e percepção de controle. É um processo dinâmico, singular e não linear, com reações encontradas também no luto pós-morte, como choque, negação, desorganização, desespero e reorganização (Doka, 2000; Franco, 2008, 2009, 2014 e 2016a).

No luto antecipatório ocorre, ainda, o processo dual, como descrito por Stroebe e Schut (1999), pela oscilação entre um movimento em direção à perda e outro em direção à restauração, com ambivalência de sentimentos: a esperança de cura junto com a percepção de que esta não é possível.

Na definição apropriada de um termo, convém chamar a atenção para seu significado, para que seja corretamente referido. Quando falo em luto antecipatório (*anticipatory grief*), refiro-me a um processo que, como vimos, tem início no diagnóstico e acompanha o paciente, sua família e, algumas vezes, a equipe que os assiste. Não é a mesma coisa que "luto antecipado" (*anticipated grief*), portanto, que descreve um acontecimento ocorrido antes do tempo próprio, ou seja, precoce, prévio.

Para Clukey (2008), o luto antecipatório, sobretudo quando vivenciado em um contexto de cuidados paliativos, envolve um conjunto dinâmico de processos que permitem a ocorrência de transições emocionais e cognitivas em resposta a uma perda esperada. Essa é uma necessidade inescapável para que ocorra a adaptação à nova realidade. Esses processos são: tomar consciência da morte iminente; possibilitar que, por meio do cuidar, o familiar encontre maneiras de dar conforto ao ente querido que está morrendo; estar presente, estar junto fisicamente e testemunhar decisões; encontrar significado para perdas do dia a dia; viver a transição como um processo gradual, presente também nas mudanças na relação com a pessoa que está morrendo.

Após revisão da literatura sobre o tema, Kreuz e Tinoco (2016) avaliaram que a experiência do idoso também representa a vivência de um luto antecipatório. O processo de envelhecimento possibilita a consciência de perda de funções, o reposicionamento de planos e as experiências de crescimento. Ele é vivido de maneira diferente pelos seus familiares, pois os significados são específicos a cada experiência.

O conceito de luto antecipatório, conforme descrito por Rando (2000), foi originalmente interpretado como uma despedida prévia da pessoa que está prestes a morrer, ou seja, tinha como foco a morte. Após passar por revisões advindas da prática, consolidou-se como uma perspectiva de transição e, até mesmo, de construção de novas possibilidades de se relacionar com a vida e a morte, não se esquivando de pensar sobre elas e atribuindo-lhes significado. Rando (2000) ressalta, portanto, que o luto antecipatório permite absorver a realidade da perda gradualmente, ao longo do tempo, tentar resolver questões pendentes com o paciente, expressar sentimentos, perdoar e ser perdoado, iniciar mudanças de concepção sobre vida e identidade e fazer planos para o futuro de maneira que isso não seja sentido como traição ao enfermo. A autora chama a atenção, ainda, para o fato de atualmente ser possível contar com amplas possibilidades de tratamento, com maior disseminação do assunto, programas na mídia e publicações sobre a morte para leigos, o que tornou o processo menos controverso; dessa forma, ele pode ser discutido ao longo da doença e fora dos muros das academias de ciência.

Sendo assim, por que a interpretação de que o luto antecipatório tem como foco a morte?

Lindemann (1944) mencionou a distinção entre o luto agudo, que é consequência de fatores repentinos e inesperados – por exemplo, o incêndio em uma balada –, e aquele que se inicia quando um soldado é enviado para a guerra, deixando a família diante do grande risco de sua morte e da realidade de uma separação. Talvez daí tenha vindo essa perspectiva do luto antecipatório com vistas à morte e não ao processo de morrer. Não se pode esquecer também de que, com o advento dos cuidados paliativos, a atenção foi colocada no processo de adoecimento e não exclusivamente no período próximo à morte.

Connor (2000) pondera sobre o uso da palavra "antecipatório": ela pode sugerir algo que ainda não aconteceu – neste caso, a morte; no entanto, aplica-se a algo que aconteceu ou está acontecendo, como a percepção de alterações na saúde, de limitações no uso de certas partes do corpo, de redução ou cessação da atividade sexual e de mudanças na imagem corporal. É necessário, porém, que essas mudanças sejam admitidas cognitivamente para que o luto antecipatório ocorra. Sua negação incorre em riscos para o desenvolvimento do luto complicado, como pesquisadores identificaram.

É importante dizer, entretanto, o que o luto antecipatório *não* é. Não se trata, por exemplo, de um processo que possibilita aos enlutados se reconciliar com as questões subsequentes à morte. Levando em conta a metáfora de que, durante esse processo, a vida posterior seria ensaiada e vislumbrada, permitindo uma preparação, Rando (2000) enfatiza que o ensaio não é o fato real. No entanto, nesse ensaio, a pessoa pode ter tempo para ver o que o futuro lhe apresentará, o que torna possível a reorganização psicossocial e o planejamento, aspectos inerentes ao luto antecipatório.

Continuando nessa linha de argumentação, Rando (2000) aponta três concepções equivocadas a respeito do luto antecipatório. A primeira fala do foco na perda pela morte, considerando que esta é a perda maior e que o fato de o luto ser antecipatório sugere que ele se dá apenas com a morte e não com as perdas que foram e estão sendo vividas. A segunda aborda a ideia de que o luto prevê necessariamente um desligamento emocional daquele que morre, ignorando que, no processo, essa despedida será gradual, a par com as mudanças naturais no mundo presumido. A terceira, por sua vez, afirma que o luto que ocorre antes da morte é igual àquele que ocorre depois dela, em caráter e substância.

Toyama e Honda (2016) pesquisaram cuidadores familiares de pacientes em fase final de vida, com foco no luto antecipatório, e fizeram uso da narrativa com o objetivo de entender como o fato de conversar com eles poderia influenciar o processo. Identificaram, assim, que esses familiares tinham dois papéis durante o processo de final de vida, o de familiar e o de cuidador, e percebiam-se presos a eles como em uma armadilha. O uso da narrativa ajudou-os na transição do papel de cuidadores para o de familiares enlutados ainda no período de luto antecipatório.

Luto antecipatório em cuidados paliativos

A partir das três últimas décadas do século 20, com o fortalecimento dos cuidados paliativos, o luto antecipatório tornou-se, evidentemente, parte dessa modalidade, requerendo conhecimentos técnicos para um atendimento de qualidade aos envolvidos. Cuidados paliativos são entendidos como a atenção voltada para a qualidade de vida das pessoas, em paralelo aos cuidados curativos, voltados para a doença de base. Ao longo da doença, a relação entre os cuidados curativos e os cuidados paliativos é inversamente proporcional.

O trabalho seminal de Saunders (1990), a respeito da experiência desenvolvida no St. Christopher's Hospice, em Londres (Clark, 2001), apresenta os fundamentos, as necessidades e as possibilidades dessa proposta, que é seguida até hoje, com as devidas adaptações de acordo com as condições socioeconômicas, culturais e científicas ao redor do mundo. Os cuidados paliativos são oferecidos para a unidade de cuidados, compreendida pelo paciente e por sua família (as pessoas que ele considerar sua família), uma vez que tal unidade é afetada no seu todo e também no âmbito particular (Puchalski, 2004; Clukey, 2008; Barbosa, 2010; Doka, 2011; Braz, 2013; Franco, 2014, 2016a e 2018). Trata-se de um processo complexo, devido à emergência de situações difíceis que envolvem relações intensas construídas na história dos personagens, entre os quais se inclui a equipe de profissionais de saúde que dão assistência especializada.

Larson (2000) chama a atenção para o lugar ocupado pelos cuidadores, sejam eles profissionais ou voluntários, a partir da relação estabelecida com o paciente e sua família. Por estabelecerem um vínculo, eles também vivem um luto antecipatório, mas correm o risco de não tê-lo reconhecido, uma vez que é esperado deles que estejam preparados para lidar com essa situação.

A abordagem dos cuidados paliativos pela vivência do luto antecipatório que se expressa ao longo da doença coincide, assim, com a proposta desses cuidados. Alinha-se também com a ideia de que ambos não têm foco exclusivo na morte. Na vivência do luto antecipatório, encontram-se reações relacionadas a cuidados paliativos, como a construção de significado associado à doença (Doka, 2000) e à perda (Neimeyer, 2006), a negação no luto antecipatório (Connor, 2000), o papel dos cuidadores, sejam profissionais ou voluntários (Larson, 2000), e a importância de traduzir o conhecimento em uma prática eficaz (Freeman, 2015).

Doka (2000) aponta a perda vivida, durante o luto antecipatório, no âmbito espiritual, quando a pessoa não encontra mais o significado que respondia às suas inquietações. É a dor espiritual, que acompanha a doença ao longo da busca de significado para o que está sendo vivido.

O autor organiza a experiência da dor espiritual no luto antecipatório em fases, com significados diferentes ao longo da doença. A *primeira fase* é a do pré--diagnóstico, o período entre a identificação do sintoma e a busca de cuidados médicos. A possibilidade de uma doença está sempre presente, sendo ilustrada pela informação e pela percepção que a pessoa tem sobre ela, seus temores e modos de enfrentamento. A *segunda fase*, marcada pelo diagnóstico, é a aguda, notadamente um momento de crise. É um encontro com a possibilidade da morte, que gera perguntas como "por que eu?", "por que agora?". Dessas questões surge a conexão entre passado (estilo de vida, escolhas), presente (qualidade da vida atual, existência de crises) e futuro (mudanças esperadas, relação com o tempo). A *terceira* é a fase crônica, que traz a experiência do tratamento, do modo de enfrentamento e das demandas da vida cotidiana, quando se busca encontrar significado para o sofrimento, a incerteza, o isolamento social. Viver com sofrimento na sociedade contemporânea põe por terra as crenças vigentes sobre ter sucesso e dominar a fraqueza. Na *quarta fase e final*, próxima da morte, a finalidade específica do tratamento deixa de ser a cura e volta-se quase exclusivamente para a qualidade de vida no tempo que há para ser vivido. Questões sobre ter uma boa morte, dentro das concepções vigentes na cultura do indivíduo, colocam-se lado a lado com o constante e adaptável processo de construção de significado.

Poder construir um significado para a doença e para as mudanças e perdas dela decorrentes parece ser a possibilidade mais construtiva do luto antecipatório.

Doka (2000), Gillies e Neimeyer (2006) e Neimeyer (2011) concordam a esse respeito e avançam na perspectiva de facilitar a comunicação para a família, mesmo que ela esteja obstaculizada por crises anteriores à doença.

Quando se avalia a experiência do luto antecipatório, uma questão se coloca: ele pode ser fator de risco ou de proteção para o luto complicado após a morte? Complementando: como esse período é percebido por pacientes e sua família? Uma resposta reflexiva é que o ser humano é vincular, se constitui ao longo da vida, ou seja, dispõe-se a vincular-se significativamente a outrem. Assim, é possível encontrar as raízes do luto antecipatório no vínculo existente até mesmo antes do diagnóstico (Franco, 2018). Um elemento importante a se considerar, nesse sentido, é se a qualidade do vínculo entre o paciente e as pessoas que lhe são significativas é um fator de risco ou de proteção. O luto antecipatório será sempre um período de crise, uma vez que as situações enfrentadas não são aquelas habituais e requerem um esforço de adaptação constante.

Outra questão a se considerar é a qualidade do cuidado oferecido ao paciente e sua família. A assistência pouco qualificada, sintomas mal controlados, limitações funcionais e, sobretudo, a vivência desse período em que o luto não teve um significado construído levam a questionamentos sobre suicídio assistido ou antecipação da morte, como apontam Delalibera *et al.* (2015a e 2015b) e Nanni, Biancosino e Grassi (2014). Tais questionamentos estão intimamente relacionados às incertezas e reflexões existenciais e espirituais que se apresentam em períodos de final de vida e podem levar à desesperança, à perda de significado e à perda da dignidade, por exemplo (Franco, 2016a). Portanto, para o familiar que acompanhou o processo de finitude de um ente querido e testemunhou seu sofrimento devido à assistência de baixa qualidade, o luto antecipatório será um fator complicador para o luto pós-morte.

O profissional atuante em cuidados paliativos tem grande peso na prevenção do luto complicado. Em publicação anterior, em coautoria com Mariana Sarkis Braz (Braz e Franco, 2017), identificamos que esses profissionais têm carência de estudar morte e luto em sua formação, com prejuízos expressos na atenção aos processos de luto da unidade de cuidados (paciente e família). Portanto, é recomendado que tais temas sejam introduzidos na formação especializada desses profissionais, para que tenham de fato uma ação preventiva ao luto complicado.

Pereira (2014) estudou a experiência do luto antecipatório de familiares de pacientes que receberam cuidados paliativos e identificou que, entre eles, a atenção recebida durante o período de doença e na proximidade da morte foi fator de proteção para o luto. Nesse sentido, também foi importante para os familiares se despedirem das equipes de cuidados, com as quais haviam estabelecido vínculo significativo.

Delalibera *et al.* (2015b), por sua vez, identificaram que os familiares sofriam grande sobrecarga quando na função de cuidadores, sobretudo na proximidade da morte, correndo o risco de apresentar transtornos após a partida do ente querido e demandando maior atenção das equipes. Novamente, a função de proteção do luto antecipatório se apresenta. Em outro estudo (Delalibera, Barbosa e Leal, 2018), foram pesquisados cuidadores familiares de pessoas com doença avançada, com o objetivo de avaliar as circunstâncias e as consequências de oferecer-lhes cuidados e de prepará-los para a perda. O luto antecipatório esteve presente ao longo desse processo. Mesmo que a maioria da amostra estivesse consciente da proximidade da morte, a diferença se expressou entre aqueles que estavam menos preparados e manifestaram sintomas de experiência dissociativa e aqueles com menos apoio social. A vivência do luto antecipatório, desde que este seja entendido como inerente ao processo de final de vida, pode propiciar esse preparo.

Flach *et al.* (2012) pesquisaram a experiência de luto antecipatório vivida por familiares de crianças internadas em unidades de cuidados paliativos pediátricos, considerando as perdas vividas desde o diagnóstico, e ressaltam o papel da equipe em apoiar momentos difíceis relativos à elaboração de perdas e às despedidas. Ou seja, a equipe se compõe também como uma rede de apoio integral, não restrita à sua área de competência técnica.

Focalizando a experiência de famílias com filhos pequenos ou adolescentes em cuidados paliativos, Misko *et al.* (2015) verificaram que o fato de algumas se sentirem mais atuantes no processo foi um facilitador em relação ao luto. Portanto, uma recomendação importante para as equipes de cuidados paliativos é que sejam sensíveis às demandas daqueles que vivem o luto antecipatório.

Considerando que a comunicação tem papel relevante na relação entre o paciente, sua família (ou rede de apoio) e a equipe que os assiste, identificar os recursos disponíveis que permitem que ela funcione adequadamente é essencial no período de luto antecipatório. Utilizando a etnografia virtual e a análise narrativa, Frizzo *et al.* (2017) pesquisaram o uso do Facebook durante situações de hospitalização, adoecimento e morte e identificaram que ele contribuiu para facilitar a comunicação com familiares e amigos; diminuir a solidão e o isolamento; fortalecer laços de amizade. A plataforma pode ser reconhecida como espaço para a constituição de uma rede de apoio e comunicação, e não só como fonte de lazer e entretenimento. Trata-se, assim, de um recurso atual para ser utilizado no período de luto antecipatório, como facilitador de expressão de emoções e de comunicação entre os familiares, o paciente e a equipe que os assiste.

Todo esse percurso teórico e as experiências relatadas, portanto, mostram que os cuidados paliativos, em relação ao luto antecipatório, permitem a vivência do adoecimento com seus momentos críticos naturais, com as perdas decorrentes da doença e a necessária flexibilidade da família. É uma possibilidade para a prevenção de luto complicado após a morte, na medida em que traz para o cenário o confronto entre a vida que pede continuidade e a que se aproxima do fim.

O luto antecipatório está presente também nas decisões de final de vida, impactando os envolvidos no processo, que são ao mesmo tempo coadjuvantes e protagonistas. A pessoa pode tomar decisões com autonomia sempre que estiver informada e consciente, além de assistida por médicos que a auxiliem quanto às dúvidas que poderão surgir. Dadalto, Tupinambás e Greco (2013) e Dadalto (2015) apontaram questões basais para o processo decisório que levam em conta a legislação brasileira e o significado das decisões pela subjetividade da pessoa, assim como a posição do médico ao não seguir o registro protocolar independentemente da subjetividade do paciente.

Dadalto (2015) explica a distinção entre dois tipos de documento: o mandato duradouro, pelo qual o paciente nomeia um ou mais procuradores a ser consultados pelos médicos caso esteja incapacitado de decidir sobre o tratamento; e o testamento vital, pelo qual a pessoa capaz manifesta seus desejos no que diz respeito à suspensão de tratamento, a fim de que possam embasar as decisões caso ela se encontre em estado terminal, estado vegetativo persistente ou com uma doença crônica incurável, impossibilitada de manifestar livre e conscientemente sua vontade.

Nesse campo da expressão das vontades do paciente, encontram-se pontos a ser considerados quando o assunto é o luto antecipatório. Tanto na escolha de quem participa do processo decisório como na avaliação das capacidades do paciente para exercer autonomia decisória – questões difíceis que se somam a conflitos familiares preexistentes –, a área de tensão é suficientemente grande para impedir que o luto antecipatório desempenhe o papel de prevenir o luto complicado (Kreuz e Tinoco, 2016; Kreuz, 2016).

Giacomin, Santos e Firmo (2013) interessaram-se em conhecer a vivência de idosos diante da própria finitude pela perspectiva do luto antecipatório, percebido na interação entre a velhice, os processos de saúde e doença e a incapacidade. Para os autores, compreender essa questão é crucial para um cuidado humanizado e integral ao idoso e sua família. Com esse objetivo, identificaram aspectos que têm impacto no cuidado oferecido a esse público, como a percepção de que dar trabalho é pior do que morrer, e perceberam que a idade tem relação positiva com a consciência da própria finitude – quanto mais velha a pessoa, maior sua noção do fim.

Vê-se, assim, por meio de tais descrições, que o luto antecipatório é verdadeiramente um luto e, portanto, deve ser entendido como integrante de um processo de adoecimento, não exclusivamente com foco na morte, mas nas perdas. Como outras formas de luto, implica construção de significado para uma vivência e passa por filtros mediadores: a cultura, a sociedade, a religião e a espiritualidade.

Luto não reconhecido

O conceito de luto não reconhecido foi elaborado por Doka (1989, 2002, 2008 e 2013) para não só a dar visibilidade a essa condição específica como possibilitar que se ampliasse a compreensão do fenômeno do luto em geral. De acordo com sua definição, luto não reconhecido é aquele que não pode ser expresso e vivenciado abertamente, por censura da sociedade ou do próprio enlutado, quando o vínculo rompido não é validado ou quando o enlutado não é entendido como tal.

Neimeyer e Jordan (2002) descrevem o não reconhecimento de um luto como uma quebra ou falha na empatia: para que este seja reconhecido, não é necessário que outra pessoa tenha a mesma experiência do enlutado. A falha na empatia acarreta, portanto, a necessidade de uma nova linguagem, de maneira que o enlutado se faça entender e seja entendido a partir de si mesmo, sem preconceito. Casella-to (2015) segue nessa linha ao afirmar que o ser humano não reconhece ou não admite como verdadeiro um luto quando ignora sua existência, pela ambiguidade do fenômeno ou por defesa diante da emoção que ele provoca.

Entendo que a fratura na empatia expressa pelo luto não reconhecido pode ser explicada pela pressa com que as relações são construídas (se assim pode ser dito) e interrompidas no mundo contemporâneo. Bauman (1998 e 2004) descreve o que chama de modernidade líquida, o momento histórico atual, em que as instituições, as ideias e as relações estabelecidas entre as pessoas se transformam de maneira muito rápida e imprevisível. Não há tempo para construir intimidade nas relações. Portanto, na cultura do desvincular-se fácil e rapidamente, do esquecimento, da não construção de uma memória, o não reconhecimento de um luto está muito próximo da não validação de relações dedicadas que possibilitem tanto a empatia como a intimidade, esta última requerendo tempo e tolerância para ser construída. Posso mesmo pensar que o luto não reconhecido surge como um sintoma da pós-modernidade.

O interesse de Doka (2013) pelo tema surgiu de seu trabalho com mulheres divorciadas que foram expostas à experiência da morte do ex-marido. Uma vez que, para a sociedade e para si mesmas, o luto do divórcio já deveria ter sido elaborado, elas se viram sem poder dar nome e forma à experiência que viviam, julgada como inadequada e inapropriada. A partir daí, outras manifestações de luto não reconhecido foram descritas, favorecendo a importância de sua nomeação pela experiência do enlutado, e não pelas normas da cultura ou da sociedade.

Um aspecto precisa ser destacado na compreensão do luto não reconhecido: a partir de uma leitura baseada na teoria do apego, identifico que o não reconhecimento do luto e as consequentes demandas impostas ao enlutado colocam-no em risco de desenvolver luto complicado, sobretudo se seu estilo de apego for inseguro (Franco, 2015b). A vulnerabilidade está em não se apropriar da experiência e não se erguer diante do não reconhecimento. Dessa forma, o próprio enlutado não valida seu luto, por não se perceber merecedor dessa consideração – alimentando, com isso, as percepções alheias a si mesmo e um círculo vicioso de não reconhecimento.

Entre os lutos não reconhecidos estão a perda gestacional ou perinatal (Tinoco, 2015; Black *et al.*, 2016), o luto no ambiente de trabalho (Marras, 2016), a perda de um animal de estimação ou de companhia (Oliveira e Franco, 2015), a aposentadoria (Souza e Maciel Jr., 2015), o desaparecimento de um filho (Oliveira, 2015), o luto do profissional de saúde (Maso *et al.*, 2013; Liberato, 2015; Bousso, 2015) e o do religioso (Câmara, 2017), o luto por suicídio (Fukumitsu, 2013a e 2013b; Silva, 2015) e aquele pela perda de um(a) amigo(a) (Smith, 2002).

Portanto, são amplas as áreas nas quais o luto não reconhecido se apresenta. Na tentativa de compreensão do fenômeno, não se pode desconsiderar a confluência de valores preestabelecidos que explicam a quebra na empatia, mas sem excluir o contexto sociocultural que estabelece esses valores. Recorro mais uma vez a Bauman (1998 e 2008), quando ele afirma que a sociedade, na pressa de não se comprometer com aquilo que requer dedicação e tempo, utiliza estereótipos para explicar suas dores e seus amores. Assim, fica fácil e contemporâneo julgar que aquilo que não coincide comigo não é bom, é reprovável. Na pressa, as pessoas não se detêm para criar intimidade e desenvolver empatia. Alguns dos lutos não reconhecidos serão abordados a seguir.

No Brasil, a legislação trabalhista determina um período de licença para o enlutado. A Consolidação das Leis do Trabalho (CLT), em seu Decreto-Lei n. 229, de 1967, estabelece no artigo 473 que o empregado que trabalhar com registro em carteira profissional pode se afastar do trabalho sem prejuízo no salário por dois dias consecutivos depois da morte de alguém da família: "Cônjuge, ascendente, descendente, irmão ou pessoa que, declarada em sua carteira de trabalho e na Previdência Social, viva sob sua dependência econômica".

O tempo de afastamento do trabalho pode variar de acordo com a convenção coletiva da categoria profissional ou, ainda, com regras estabelecidas pela própria instituição privada. Aos servidores públicos são assegurados oito dias corridos de licença pelo falecimento de cônjuge, filhos, pai, mãe e irmãos. Aos professores de escola pública são assegurados nove dias corridos.

Na lei brasileira, o direito ao pesar sempre esteve vinculado à consanguinidade, sem levar em conta outros membros da família, como primos e tios, ou outras formas de vinculação, como amigos muito próximos ou parceiros hétero ou homossexuais com quem não se tenha oficializado a união estável ou o casamento civil. As alterações na legislação trabalhista de 2017 não se ocuparam dessa questão, ignorando as mudanças na realidade brasileira; as tentativas que chegaram a acontecer, por meio de projetos de lei, foram rejeitadas.

Marras (2016) pesquisou esse tema na realidade brasileira e constatou quanto uma vivência saudável e empática do luto no ambiente de trabalho está submetida a condições de exceção. Flexibilidade do sistema, empatia e generosidade são atributos do empregador que não deixa de cumprir a lei, porém entende que ela precisa estar alinhada com as demandas das pessoas em períodos especiais da vida – por exemplo, o luto, assim definido e vivenciado pelo próprio enlutado.

A perda de um(a) amigo(a) também está entre os lutos não reconhecidos. Smith (2002) entende que a definição de amigo(a) passa por questões sociais, culturais e de gênero. As maneiras de validar uma amizade se inscrevem na biografia da pessoa e dessa própria relação. Consequentemente, mesmo que os amigos pertençam a um mesmo círculo, que tenham identidades construídas pela afiliação a grupos específicos (esporte, escola, trabalho), há particularidades na amizade que só são encontradas em uma relação segura e íntima. No entanto, como as relações de amizade não são consanguíneas, não são consideradas pela sociedade as mais importantes, o amigo enlutado se vê na condição de não ter seu luto reconhecido.

Tomasi (2012) aponta como o luto individualizado e solitário, em grande medida característico do mundo contemporâneo, obteve espaço e se manifestou no ambiente virtual, entre brasileiros, por meio de comunidades e perfis pessoais do Orkut. Trata-se de descobrir um grupo que possibilite não apenas espaço para interlocução como também o encontro com seus pares naquele luto.

Recentemente, uma nova categoria de amizade tem ocupado lugar de importância na vida de muitos indivíduos: são os amigos virtuais, das redes sociais, com quem a pessoa passa parte de seu tempo interagindo e, inclusive, cria uma intimidade afetiva. Há também os parceiros de jogos *on-line* e até mesmo aqueles que iniciam relacionamentos amorosos pela internet e se conhecem pessoalmente apenas depois. Pela definição de luto não reconhecido, a perda de qualquer uma dessas pessoas é assim entendida. São relações que adquirem algum significado e se mantêm sem para isso precisar da presença física. A comunidade virtual oferece meios para que o luto seja validado, como rituais e a possibilidade de expressar condolências nos grupos ou memoriais *on-line*. Portanto, a falta de familiaridade com as comunidades virtuais, a ideia preconcebida acerca do que seria uma verdadeira comunidade, os estereótipos sobre as pessoas que se vinculam virtualmente e a incompreensão das relações que se desenvolvem nesse âmbito contribuem para que aqueles que não participam dele promovam situações de não reconhecimento do luto, consequentemente dando pouco ou nenhum suporte aos que o vivem nesse contexto (Hensley, 2012).

Bousso *et al.* (2014) pesquisaram a virtualidade como meio de enfrentamento do luto e indicaram que se trata de um recurso importante, oferecendo possibilidades de elaboração compatíveis com aquelas das expressões presenciais. Para que isso ocorra, no entanto, a relação virtual precisa ser reconhecida.

No caso de luto pela morte de um animal, Beck e Katcher (1996) e Quackenbush e Graveline (1988) são enfáticos ao declarar que a sociedade não oferece apoio para o sofrimento dos adultos em relação a esse tipo de perda. Segundo Stroebe, Schut e Stroebe (2007), o luto pela morte de uma pessoa é um processo individual e público, e os rituais de despedida trazem suporte social e público e geralmente ajudam nesse processo. No caso da morte de um animal, a ausência de rituais e a falta de reconhecimento da perda podem desencadear um luto complicado (Ross e Baron-Sorensen, 2007).

Oliveira e Franco (2015) analisaram a perda de um animal de estimação na perspectiva do processo dual do luto e concluíram que o não reconhecimento também parte do tutor, que reluta em se vincular a outro animal pelo medo de uma nova perda para a qual não haverá reconhecimento, como sua experiência lhe mostrou.

Stewart, Thrush e Paulus (1989) identificaram manifestações psicossomáticas de tutores que precisam decidir pela eutanásia do animal de companhia ou estimação em caso de doença grave. Essa não é uma decisão fácil: tem efeitos no luto, que poderá ser agravado pelo sentimento de culpa (Hart, 2000). Nesse momento, o cliente necessita de apoio para viver seu luto sem risco de desenvolver luto complicado (Oliveira, 2013), também por meio de contato empático, como Quackenbush e Graveline (1988) recomendam, com pessoas que compreendam seu sofrimento e com as quais possam falar mais livremente sobre sua dor.

Para Field (2008), o vínculo contínuo mantido com o animal será exclusivamente interno, sem necessidade de expressão. Esse é um apontamento importante, uma vez que o enlutado sente-se pressionado para se desfazer dos pertences do bichinho ou mesmo para substituí-lo, sem que seja considerado seu significado para ele e a necessidade de elaboração das memórias, como se faz em caso de morte de seres humanos significativos. Também a construção de significado na perda de um animal de estimação tem peso no processo de luto. Como afirmam Carmack e Packman (2011), a crença ou não do enlutado de que reencontrará seu animal após a própria morte dá o tom ao processo, como facilitador ou complicador.

Outra forma de luto não reconhecido é aquela relacionada a uma perda gestacional. Santos (2015) destacou esse aspecto e mostrou que envolve riscos para o relacionamento conjugal, uma vez que está ligado a diferentes significados e expectativas do casal. Paris, Montigny e Pelloso (2017), cientes desse aspecto, realizaram a adaptação transcultural e observaram as evidências de validação da *perinatal grief scale* (escala do luto perinatal).

Resumindo, o luto não reconhecido reflete uma quebra de empatia facilmente encontrada no mundo ocidental contemporâneo, com sua celeridade para fazer e desfazer relações, colocando em questão se estamos falando de vínculos ou de outra forma de se relacionar. Se eu não reconheço o empenho necessário para validar um vínculo, quando ele for rompido não reconhecerei seu significado. O individualismo impede a empatia e permite o pré-julgamento a partir de uma posição pessoal – também suscetível ao peso da cultura –, fazendo que crianças, idosos, parceiros homossexuais, bebês não nascidos, animais de estimação ou de companhia, profissionais da saúde, amigos virtuais, socorristas e religiosos encontrem-se em uma categoria não integrada à legitimidade de um vínculo.

O enlutado, coadjuvante nesse cenário, repercute e perpetua o não reconhecimento, buscando se integrar ao que lhe parece o formato mais ajustado para viver aquela experiência. O que ele não sabe, porém, é que esse ajustamento o deforma mais do que o ajusta, complicando seu autoconhecimento e restringindo suas possibilidades de enfrentamento.

Luto coletivo

Embora o luto seja uma experiência particular, não pode ser apartado de sua inserção cultural, histórica e familiar. A partir do final do século 20, com a rede mundial de computadores e a celeridade das comunicações, essa experiência ganhou ainda mais visibilidade. Não se trata apenas da morte de uma figura pública, com o impacto natural sobre indivíduos e comunidades, como visto, por exemplo, em 1994, com a morte de Ayrton Senna, em 1997, com a morte da princesa Diana, do Reino Unido, ou mais recentemente, em 2020, com a morte do ator Chadwick Boseman, notabilizado pelo seu papel no filme *Pantera Negra*. Passado o primeiro impacto, as pessoas podem se perguntar o porquê de terem lamentado tão profundamente a morte de alguém com quem não tinham uma relação de reciprocidade. Aquela figura pública representa algo a mais?

Walter (2008) desenvolve uma linha de pensamento para explicar como o luto foi vivido privadamente no mundo ocidental do século 19 até o início do século 20. Baseia-se na ideia de que, a partir do século 19, os casamentos e as famílias passaram a ser, em sua maioria, construídos pelo amor, e não mais pelo interesse na manutenção da propriedade e do domínio patriarcal. Como havia o estabelecimento de um vínculo, sua ruptura levou à necessidade de valorizar a vivência de luto e sua expressão. No século 20, essas relações únicas e marcadas pelo amor começaram a falar mais alto e, com o apoio da psicologia para explicá--las e valorizá-las, possibilitaram que as pessoas vivessem seu luto pelo tempo e do modo que lhes fosse necessário, muito mais do que pelas imposições das convenções sociais.

Klass e Walter (2001) identificam mecanismos socioculturais que colaboram para a manutenção da memória dos mortos no âmbito do coletivo e do público. São os rituais, os monumentos públicos e as cerimônias, por exemplo. Há dias dedicados à memória dos mortos, sobretudo nos países da Ásia, como o Japão, que veneram seus ancestrais, e nos países com predominância da Igreja Católica Romana, como se vê na celebração do Dia dos Mortos, no México. Há celebrações públicas para marcar a morte daqueles que tiveram papel preponderante ou significativo em dado momento ou período de uma nação, como o Dia de Lembrança ao Holocausto e as homenagens aos mortos em guerras ou batalhas. São cerimônias públicas às quais comparecem pessoas com diferentes graus de relação com os mortos lembrados. Muitas delas nem os conheceram, mas comparecem em razão dos laços que têm com a coletividade ou daquilo que a cerimônia simboliza.

As cerimônias fúnebres podem ser transmitidas pela TV e até mesmo assistidas a distância, pela internet. Podem ser vistas como um espetáculo ou como uma experiência de comunidade, guardando características pessoais daquele que está sendo velado, mesmo sendo uma figura pública, uma celebridade ou alguém emblemático.

Peruzzo *et al.* (2007), ao pesquisar a internet como recurso de expressão e elaboração do luto por adolescentes e jovens adultos, mostram que essa expressão pública atende a duas necessidades importantes: encontrar os seus pares, com quem o compartilhamento seja facilitado pelos pontos em comum, e deixar registrado por um meio de fácil manuseio o vínculo com o falecido, construindo assim uma nova forma de ritual fúnebre. Rosenblatt (1993) aponta a diferença entre os dois âmbitos, privado e público, na vivência do luto, mas ressalta que o que é comum à espécie humana tende a se tornar evidente em tempos de crise, fortalecendo a importância da reunião com os que comungam de sentimentos semelhantes no luto público.

Em 2020, particularmente em razão da pandemia de Covid-19, fui solicitada a abordar em *lives* a realidade dos lutos coletivos e dos lutos públicos. Também pude esclarecer que há significados do luto individual que não encontram ressonância na vivência de um luto coletivo, mais breve (Walter, 2008). Este último não deixa de ser importante, principalmente se houver um claro sentimento de pertencimento àquela coletividade. Dar suporte à realização de rituais coletivos – por exemplo, que tragam um significado comum – é tarefa de quem se propõe a trabalhar com pessoas enlutadas, sobretudo nas situações com dimensões extraordinárias como as de uma pandemia.

O luto do profissional da saúde

Uma compreensão desse luto está estreitamente ligada ao luto não reconhecido. O fracasso da empatia (Neimeyer e Jordan, 2002) traz a este o risco de se transformar em luto complicado. No caso dos profissionais da saúde, esse risco é acentuado.

Bousso (2015) destaca o luto não reconhecido vivido pelo profissional da enfermagem, cuja identidade tradicionalmente se constrói pela dedicação total ao ofício de cuidar, traduzindo sua prática como uma ação que vai além do domínio profissional. Por isso é importante entender esse indivíduo como quem vive um luto ou um pesar secundário.

Black *et al.* (2016) organizaram um importante trabalho que congregou experiências de enfermeiros e outros profissionais de saúde no trato de pacientes bebês. Suas considerações coincidem com as de Bousso (2015) e chamam a atenção das organizações hospitalares para que deem atenção ao que pode inclusive ser entendido como um adoecimento laboral.

Liberato (2015) destaca o luto não reconhecido de psicólogos, provocado pela expectativa exagerada de que executem seu ofício com total isenção de ânimo em relação àqueles de quem cuidam. Como nas demais situações de luto não reconhecido, podem-se esperar consequências danosas à saúde desses profissionais, razão pela qual medidas de autocuidado se impõem, além da conscientização dos gestores, no caso de não ser uma prática autônoma.

Com o surgimento da pandemia de Covid-19, não se pode esquecer de que os profissionais da saúde que atuam na linha de frente – sejam das equipes de cuidados intensivos, sejam daquelas de cuidados paliativos – enfrentam dificuldades extremas de executar suas funções, além do estresse pelo risco que correm no seu dia a dia.

Wallace *et al.* (2020) apontam que, em razão do luto não reconhecido, os profissionais da saúde responsáveis pela linha de frente durante a pandemia de Covid-19 apresentam elevado risco de *burnout*, sofrimento moral (quando são impedidos pelos gestores de fazer o que sabem e consideram necessário), estresse traumático secundário e luto complicado, este não enfrentado em razão da pressão de trabalho. Os autores recomendam, então, como medidas preventivas, algumas estratégias de autocuidado – por exemplo, fazer pequenos intervalos e se desconectar da área geradora de tensão, confiar em seu preparo e em sua capacidade para a função exercida, amparar-se em informações confiáveis sobre os recursos e serviços para os quais pode fazer encaminhamentos e contar com suporte dos pares e supervisão adequada.

Portanto, é possível entender que as situações críticas de trabalho em que se encontram os profissionais de saúde na linha de frente os colocam em grave risco de luto complicado, por tangenciarem a experiência do luto não reconhecido e do trauma. Cabe lembrar o imperativo ético do autocuidado e entender de quem é a responsabilidade por ele, pois, quando não observado, leva o profissional a erros na prática.

Luto na família

O luto é vivido tanto de modo individual como no âmbito familiar, dialogicamente. Uma perda afeta a todos de modo sistêmico, mesmo que não exista uma delimitação clara sobre o que é individual e o que pertence à família. Altera-se, portanto, seu funcionamento e sua dinâmica; por estarem em um sistema integrado de relações, os membros serão obrigados a se reorganizar em outro padrão. Os papéis familiares serão realocados, as expressões emocionais não serão as mesmas de outras situações, os planos familiares necessariamente terão de ser revistos.

Os desafios que se apresentam para a família ao enfrentar um luto passam pelo grau de tolerância à dor e ao sofrimento de cada um e de todos, podendo levar a decisões intempestivas e irrefletidas na tentativa de amenizar esse estado emocional e retomar o controle da vida nos moldes conhecidos, que não existem mais. Os níveis de abertura para a comunicação e de coesão entre os membros da família são fatores que se distinguem na compreensão de seus mecanismos para enfrentar as crises.

Walsh e McGoldrick (1995) focalizam a importância dos processos familiares para uma adaptação saudável ou disfuncional a uma perda. Mesmo na visão sistêmica que norteia as autoras, ainda há espaço para a conjugação de outros fatores no processo de luto vivido por uma família, como diferentes inserções culturais, resiliência familiar e individual e crises concomitantes. Por fim, elas chamam a atenção para a importância de os membros da família aceitarem as emoções intensas e flutuantes que podem emergir, ressaltando o papel do terapeuta para lhes dar continência nesses momentos.

Também pela perspectiva sistêmica, Kissane e Bloch (2003) entendem que a família é uma estrutura social complexa, não facilmente definível. São pessoas que moldam seu senso de identidade por meio de uma relação de compromisso. Kissane (2014) acrescenta que, embora seus membros possam diferir emocionalmente diante de uma morte, a família como um todo dá o tom no estilo de resposta de seus integrantes. Ou seja: o luto é um assunto de família.

Jeffreys (2011) segue nessa linha, definindo família como unidade intencional e biológica. Portanto, grupos de solteiros, casais homoafetivos, comunidades religiosas e vizinhos de longa data que tenham desenvolvido uma rede socioafetiva altamente conectada podem ser considerados uma família. Colegas de trabalho de muito tempo também desempenham o papel de família estendida ou de suporte. O impacto de uma perda é amplo, indo muito além, portanto, do círculo mais íntimo.

Nadeau (1998 e 2008) entende o trabalho com famílias enlutadas considerando o processo de construção de significado, que guarda as condições de particularidade e de contexto para a compreensão. Esse significado sofre as variações de outras pessoas da família, do tempo-lugar daquela morte, da cultura que explica razões que nem sempre dialogam com os significados dos afetados mais próximos. Uma morte na família expõe os significados que estão vinculados a representações cognitivas da realidade e leva a um reposicionamento de planos, em razão das perdas secundárias; o mundo presumido não é mais o mesmo, o futuro também acabou. Na maior parte das famílias, a resiliência natural atende às exigências naturais de um luto, como afirma Kissane (2014).

Alguns fatores influenciam a vivência do luto pela família (Jeffreys, 2011):

- *A fase de desenvolvimento do ciclo de vida da família*: em cada momento, os objetivos se transformam; uma família com filhos pequenos tem necessidades bem diferentes de outra cujos filhos já saíram de casa ou que tenha de cuidar dos netos. No que concerne às pessoas de idade, particularmente, há o risco de suicídio pelo fato de perderem os companheiros da mesma geração pelo isolamento social, que pode ser causado não apenas porque o parceiro morreu ou os filhos saíram de casa, mas também pela perda de funções (visão, audição, mobilidade) e da independência (Kreuz e Franco, 2016 e 2017).
- *Valores e sistemas de crenças da família*: originários da herança sociocultural da família, bem como das tradições criadas por ela, afetam atitudes em relação à morte e ao morrer, os rituais para morte e luto e os padrões de comunicação nessa situação.
- *Papel da pessoa falecida (ou gravemente enferma) na família*: seja qual for o papel que ocupe (provedor, patriarca, matriarca, aquele que reúne as pessoas,

que prepara o almoço do domingo, que entende de carro, de computador, de bebês ou de finanças), as expectativas a ela associadas mudam e/ou se perdem com sua morte.

- *Natureza da morte*: mortes súbitas, violentas e inesperadas podem ter peso como risco para o luto complicado. Os membros da família não tiveram chance de se despedir nem de pensar na vida sem aquela pessoa, podendo se sentir culpadas por estar vivas e por dar prosseguimento à vida. Aqueles que tiverem testemunhado uma morte violenta poderão apresentar reações pós-traumáticas.

Doenças cujo processo manteve os membros da família envolvidos durante muito tempo por vezes drenam suas energias, deixando-os sem motivação para se voltar a outros aspectos da vida. Após a morte do paciente, os familiares que viveram situações de exaustão e desespero durante a doença costumam sentir-se culpados por possíveis reações agressivas ou hostis que tenham tido.

A morte por suicídio abre um leque de emoções que vão de raiva a tristeza, culpa, vergonha, pesar. O sentimento de culpa poderá eventualmente ser colocado diante do teste da realidade, a fim de que seu significado ganhe outro contorno. Para que isso seja possível, mesmo como recurso de enfrentamento com resiliência, o enlutado necessita se sentir suficientemente confiante diante de quem o apoia e, então, admitir sua impotência. Esta se contrapõe à fantasia de onipotência, presente na construção de significado. Como em outras situações extremas, nem a onipotência nem a impotência atuam beneficamente na construção de significado para uma morte por suicídio.

O luto por suicídio expõe o próprio enlutado ao mesmo risco e tem grandes chances de se desenvolver como traumático ou complicado (Jordan e McIntosh, 2011). Botega (2015) e Scavacini (2018) chamam a atenção para a necessidade de medidas de posvenção de suicídio, em razão do risco que esse tipo de morte representa.

Mortes em razão de homicídio – por exemplo, aquelas causadas por motoristas alcoolizados ou que, de alguma outra forma, impliquem penetrar nos meandros da justiça – expõem a família a todo o sofrimento desencadeado pelo processo legal e jurídico, que mantém a ferida aberta a cada novo passo na direção de sua cicatrização, sempre demorada.

O luto não reconhecido, seja qual for sua causa, também oferece risco para o luto na família, pela possibilidade quase certa de haver diferentes visões e significados para a perda e, consequentemente, dissonâncias em sua significação e elaboração.

Outros fatores precisam ser considerados quando se avalia o risco de uma família apresentar luto complicado. Lichtenthal e Sweeney (2014) especificam o que consideram fatores de risco, porém ressalvam que as pesquisas sobre essa questão têm sido metodologicamente insatisfatórias, não apresentando exatidão no que concerne à definição de risco e à previsibilidade. Alguns fatores de risco, como as variáveis demográficas, são considerados marcadores fixos, que não podem ser mudados. Além disso, eles se relacionam de variadas maneiras, sobrepõem-se, são independentes e mediadores uns em relação aos outros. Na identificação de famílias em risco, as autoras ressaltam que a maneira como os fatores se conjugam torna-se ainda mais intrincada se levarmos em conta que os fatores de risco de cada membro da família interagem intrapsiquicamente e também no âmbito interpessoal. Lichtenthal e Sweeney (2014) destacam a importância de identificar esses fatores para o luto complicado a fim de subsidiarem a proposta de uma definição adequada da intervenção.

Os aspectos abordados neste capítulo dirigem a atenção para a necessidade de conhecimento amplo sobre os processos de intermediação na construção de um luto, iniciando-se com a qualidade do vínculo estabelecido entre o enlutado e seu ente querido. Respeitando as diferentes correntes de compreensão do fenômeno, resta ainda o cuidado de compreender o que é o luto complicado para, com base nesse entendimento, elaborar as necessidades de intervenção.

Entendo que a prática no atendimento a diferentes tipos de luto exige do profissional não só o conhecimento sobre a descrição daquela experiência, mas, e mais importante, a sensibilidade para entender o contexto específico em que tal luto é vivido, o que lhe permitirá adotar o procedimento de cuidado que seja dirigido à demanda e ofereça maiores possibilidades de bons resultados. Essa é a boa prática em luto, aquela que conjuga o fundamento teórico com a necessidade trazida pelo indivíduo ou pela comunidade, mas que é intermediada pela sensibilidade de quem oferece os cuidados.

4. MEDIADORES PARA A SIGNIFICAÇÃO DO LUTO: CULTURA, SOCIEDADE, ESPIRITUALIDADE E RELIGIÃO

Buscar uniformidade no significado e na experiência de morte e luto, não só no caso brasileiro, incorreria perder uma larga riqueza multicultural, expressa por valores, crenças e práticas. Vivemos tempos de pluralismo cultural – os movimentos migratórios têm impacto amplo, afetam e são afetados –, e negar essa mutualidade acrescentaria sofrimento a uma experiência que, em si, se tornou fonte de muitas demandas de adaptação, nem sempre satisfeitas. A família contemporânea retrata nitidamente esse pluralismo, tanto na sua forma como no seu significado. A rapidez das comunicações, que colabora para levar a mudanças de comportamento e, com mais lentidão, de valores, não pode ser negada. Ela é, inclusive, peça importante nesse tabuleiro que constrói comunidades nas quais os indivíduos se reconhecem: a vida digital, a ampla realidade de relações construídas e mantidas na virtualidade, permite às pessoas se conectarem com outras tribos humanas, outros grupos de pessoas que constroem sua comunalidade com base em preceitos e crenças próprios.

Vivemos também tempos de pluralismo religioso no Brasil. Originalmente, isso se explicava pelas diferentes etnias que compuseram a população brasileira, mas, a partir do final do século 20, com a ampliação das fronteiras permeáveis devido ao uso cada vez mais disseminado da rede mundial de computadores, bem como à crescente mobilidade territorial, novas culturas e suas manifestações passaram a se fazer presentes em solo brasileiro. Essa diversidade encontra-se hoje instalada no cotidiano das pessoas, como apontam Jacob *et al.* (2003) e Gomes (2006). Mudanças psicossocioculturais – mais uma vez, por exemplo, as recentes configurações familiares – também se apresentam como terreno favorável a uma nova compreensão das religiões e de seu papel na vida diária (Duarte *et al.*, 2006).

Em face desses mediadores de significado – a cultura, a sociedade, a religião e a espiritualidade –, temos uma construção com variados fundamentos definidos, os quais são dinâmicos em suas intersecções e plasticamente mutáveis pela experiência. Inequivocamente, ao estudar o luto, essas quatro dimensões estarão presentes, o que nos coloca diante da pergunta: somos capazes de identificar o luto no outro, mesmo quando ele é tão diferente de nós e seu processo é tão distinto do nosso?

Seguem-se outras perguntas: a empatia nos permite reconhecer quando uma pessoa enlutada esconde o luto por medo do julgamento da sociedade? Quanto do luto não reconhecido se explica por essa vergonha associada ao tipo de morte? E pela revisão que os enlutados desenvolvem com tanta frequência sobre o que poderiam ter feito para evitar a morte?

As raízes culturais da morte, que se expressam na vivência do luto, lembram a importância não apenas da empatia, mas de uma atitude complacente que se estenda para incluir o cuidado aos significados culturalmente construídos. Pode-se dizer, então, que um luto teve início até mesmo antes de as pessoas se vincularem, pois ele foi construído historicamente pela herança cultural que dá significado às relações, às práticas espirituais ou religiosas e à compreensão do mundo.

Por essas razões, a necessidade de considerar tais mediadores na construção de significados para a morte e o luto é central na proposta e será desenvolvida neste capítulo. Paralelamente, destaca-se a preocupação de não aceitar posturas etnocêntricas na compreensão do luto. Como Rosenblatt (2008) aponta, libertar-se do etnocentrismo é crucial para qualquer ciência que se proponha a estudá-lo; a psicologia, a sociologia e a tanatologia, por exemplo, não podem sustentar suas crenças, princípios, categorias e processos em uma única visão que se entenda como hegemônica por ter tradição nesses estudos.

A busca de consenso de significados não pode prescindir do papel da religião e da espiritualidade como agentes no enfrentamento do processo de luto de quem nelas se apoia. Ou não. Seja uma forma autônoma de enfrentar uma perda, seja uma insatisfação com as propostas e significados das religiões estabelecidas, ou mesmo a soma dessas duas razões, o fato é que esse caminho percorrido pelas sendas da religião ou da espiritualidade oferece meios para reconquistar a relação com o que não é explicado pela ciência, mas se impõe na vivência de uma perda.

A religião, em sua proposta de ligar o ser humano ao divino, faz uso de crenças, doutrinas, dogmas, símbolos, práticas, tradições. Possibilita que significados sejam construídos, transmitidos, confirmados, contestados. Oferece rituais que, quando praticados, proporcionam aos que creem os sensos de pertencimento e de previsibilidade tão necessários na organização após uma ruptura no conhecido, seguro e assegurador. Temas como morte e luto, pela sua importância para o ser humano, encontram na religião suporte para ser desenvolvidos, esclarecidos, questionados, contestados.

Na visão de Freud (1996b), as religiões são ensinamentos e afirmações sobre fatos e condições da realidade externa ou interna que dizem algo que o ser humano não descobre por si mesmo. São ilusões e realizações dos mais antigos, fortes e prementes desejos da humanidade. A impressão aterrorizante de desamparo na infância despertou a necessidade de proteção, proporcionada pelo pai. O reconhecimento de que esse desamparo perdura ao longo da vida tornou necessário ancorar a existência a um pai mais poderoso. As ilusões não precisam ser necessariamente falsas, pode-se chamar uma crença de ilusão quando a realização do desejo constitui fator notável em sua motivação, desprezando assim suas relações com a realidade. Os seres humanos dão o nome de "Deus" a alguma vaga abstração que criaram para si mesmos, que os ampara em sua impotência diante do universo: "[...] os homens são completamente incapazes de passar sem a consolação da ilusão religiosa [...] sem ela, não poderiam suportar as dificuldades da vida e as crueldades da realidade" (Freud, 1996b, p. 57). "[...] a religião seria a neurose obsessiva universal da humanidade [...]" (*ibidem*, p. 52).

Na relação profissional com a pessoa ou a comunidade em luto que vivencia o questionamento de sua religião ou de sua espiritualidade, ressalte-se a importância de não desafiá-la nem oferecer significados prontos, menos ainda lugares-comuns. Para entender essa pessoa, deve-se compreender seu sistema de crenças, o que considera importante na vivência do luto, sem forçar direções ou ritmos alheios a ela em um processo que é tão particular.

A cultura e a sociedade construindo as feições de um luto

Quando alguém morre, um conjunto de comportamentos se manifesta. Ações precisam ser executadas: há providências legais a ser tomadas, comunicações a ser feitas, rituais a ser encomendados e pagos. Os indicadores da adequação dessas ações estão fortemente enraizados nos costumes e significados da cultura onde ocorreu a morte ou à qual pertence o grupo afetado por ela. O que está asseverado pela tradição e confirma o papel organizador dos rituais reflete significados favorecidos pela cultura, pois esta fornece uma moldura para que os afetados pela perda se organizem em modelos conhecidos, sem menosprezar o valor da personalização dos rituais. A religião também se mostra presente na prática de rituais que já têm sentido e tradição.

O luto é vivido em contornos transmitidos pela cultura e pela religião, que podem ou não estar alinhados com as necessidades amplas do enlutado nos aspectos emocionais, físicos, cognitivos, espirituais. Mesmo que a religião seja negada, não se deve ignorar sua presença na vivência e no significado de uma perda e do luto dela decorrente.

Os rituais, como dizem Bowlby (1981) e Imber-Black (1991), são constituídos de símbolos, metáforas e ações. Servem a muitas funções: expressam valores da cultura; marcam a perda de um membro daquela comunidade ou família; afirmam a vida vivida; facilitam a expressão do pesar em formas coerentes com os valores daquela cultura; falam simbolicamente dos significados da morte; indicam uma direção para construir o significado de uma perda. Ao mesmo tempo, mostram aos vivos que há uma continuidade no viver.

Essas funções se aplicam a todas as culturas, desde que respeitados os valores e significados de cada uma. No entanto, elas se perdem se forem desprovidas de significado particular, específico à pessoa falecida ou à sua comunidade. Se não houver essa caracterização individualizada, o ritual será apenas o cumprimento de uma tarefa, perdendo até mesmo suas propriedades restauradoras.

Conhecer o peso que a cultura, a sociedade, a religião e a espiritualidade têm no processo de morrer, na morte e no luto é condição básica e indispensável para dedicar-se ao estudo do tema. A diversidade é um fator que amplia o campo de significados quando é entendida antes de ser julgada. A compreensão da diversidade expressa no luto está em suas visões e significados. Este capítulo focalizará inicialmente o papel da cultura como mediadora de significados para a morte e para o luto, tendo a sociedade como coadjuvante. Posteriormente, será apresentado o papel da religião e o da espiritualidade.

A experiência do luto – considerada segundo as definições de diferentes pensadores e pesquisadores (Freud, 1917 [1915]/1984; Bowlby, 1981 e 1994; Parkes, 1998 e 2009; Rosenblatt, 2010) e aquela especificamente desenvolvida neste livro[4] – coloca-nos diante de dimensões de ampla reflexão, uma vez que o mundo contemporâneo é muito diverso daquele onde surgiram os primeiros estudos sobre o tema. Sabemos que cada cultura tem sua compreensão particular sobre a morte, embora o uníssono diga que se trata de uma transição, de uma mudança. O comportamento diante dessa transição de grande envergadura e a forma como os enlutados a vivem variam entre as culturas (DaMatta, 1997; Parkes, Laungani e Young, 1997). Bowlby (1981) já dizia, desde seus primeiros trabalhos a respeito do luto resultante de uma morte, que não se devem desconsiderar as diferenças culturais, com risco de padronização reducionista de um fenômeno de natureza complexa.

Cacciatore e DeFrain (2015) oferecem um modelo para a compreensão da cultura, entendida como mais ampla do que a etnicidade, a religião praticada ou a região de residência. Utilizando a perspectiva dos blocos de construção da cultura, colocam luz nos blocos de identidade que nos fazem humanos. O primeiro deles,

---

4. Luto é um processo de construção de significados em decorrência do rompimento de um vínculo.

o fundamento, é o da *cultura biológica,* baseada nos genes e na ancestralidade. Sobre ele se assenta o da *cultura de família*, determinada pela família de origem e pela cultura de onde a pessoa reside. Dinamicamente, esse segundo bloco pode sofrer mudanças ao longo da vida de uma pessoa, dependendo da mobilidade e das normas sociais. Sofre influência de região geográfica, linguagem, religião, condição socioeconômica, crenças e valores. O terceiro bloco, também dinâmico, é o da *cultura de escolha*, relacionado à identidade que escolhemos, aos grupos significativos a que pertencemos, geralmente na infância e adolescência, podendo mudar ao longo da vida. O quarto é o da *cultura experiencial*, que se baseia em experiências não resultantes de escolhas, que se colocam na vida dos indivíduos e podem ser passadas de geração para geração.

Essa conceituação, que considera a cultura um sistema vivo, permeável, é pertinente a este livro porque aborda o processo de construção de uma cultura, naquilo que é fixo e naquilo que é mutável, naquilo que se constrói no âmbito da família e naquilo que o faz na inserção em grupos amplos. Essa plasticidade da cultura responde a muitas das indagações atuais, provocadas pela permeabilidade das comunicações eletrônicas ou mesmo pela família globalizada.

Não se pode deixar de mencionar Becker (1991), em cujas palavras se encontra uma posição humana central na relação com a morte. Esta evidencia o terror maior, que coloca por terra qualquer posição heroica. Mesmo que se recorra aos significados propostos pelas religiões, o que dizer da morte do outro, que tanto representa para nossa identidade e nossa capacidade de nos vincularmos a alguém? Para Bowlby (1981 e 1994), a morte do outro, essa quebra definitiva de um vínculo tal como foi construído, requer uma ampla revisão das compreensões mais fundamentais que o ser humano pode ter de si, do outro e do mundo.

Grainger (1998) destaca o que considera uma tendência universal: atribuímos um significado desproporcional a mortes comparativamente menores do que a nossa porque elas nos fazem lembrar da fragilidade da vida. Medo da vida e medo da morte se conectam, então, à medida que o sentido da vida se fortalece e esta se apresenta menos perigosa, como se passássemos por um campo minado e sobrevivêssemos, podendo encarar o pensamento sobre nossa morte e a certeza de que ela virá. Assim, quando o ser humano se ocupa de negar a própria morte, distancia-se da vida em sua possibilidade ampla. A vida fica restrita a um espaço reduzido de sobrevivência, que se encontra, sobretudo, na sociedade ocidental.

Harris (2010), ecoando e ampliando a posição de Grainger, aborda a vergonha que a sociedade ocidental contemporânea sente da morte, entendida como uma ferida narcísica. Já que os valores sociais estão em fatores como produtividade, sucesso, crescimento econômico, consumo e individualidade, o valor do indivíduo está na acumulação de riqueza material, em sua habilidade para controlar resultados e no exercício do poder pessoal. Para tanto, a meta máxima é obter sucesso, visto pela lente das expectativas sociais, que desvalorizam a experiência pessoal e favorecem medidas de produtividade. Nesse contexto, situações que expõem aquilo que a sociedade define como fraqueza – por exemplo, pobreza, dependência, incapacidade de controlar a vida – são consideradas vergonhosas.

Nessa linha de pensamento, qual é a personagem onipresente ligada ao fracasso? A morte. Por ser inequívoca, universal e inegável, ela afronta quem aposta no sucesso e a considera símbolo de fracasso não apenas pessoal, mas dos valores que nortearam suas escolhas. Trata-se de uma ferida narcísica pessoal, social e cultural.

É possível entender os esforços para tornar a morte aceitável, desde que domada. Incluem-se aí os movimentos para discutir a propagação de estilos de vida que prometam longevidade, por exemplo, assim como a incapacidade da medicina moderna de curar todas as doenças e a constatação da ineficácia ou futilidade de se prolongar a vida a qualquer custo.

Corr e Corr (2007) evidenciam os motivos pelos quais o profissional que trabalha com morte e luto precisa ter uma postura que respeite as diferenças culturais, lado a lado com o conhecimento das culturas presentes em seu próprio cotidiano. Para esses autores, o destaque vai para a comunicação na e com a família, em e com grupos distintos, de culturas diversas; tomada de decisão em diferentes famílias e em grupos maiores; questões relativas aos cuidados devidos ou oferecidos à pessoa próxima de morrer; desconfiança de membros de dada cultura em relação ao sistema social mais amplo, às instituições e aos profissionais de saúde.

Balk e Corr (2001), estudando adolescentes enlutados nos Estados Unidos, chamam a atenção para a necessidade de empregar o olhar do pluralismo cultural, para que as pesquisas não se restrinjam à população de classe média, branca, cristã – que na atualidade não é mais hegemônica nem representativa da população de adolescentes naquele país. A preocupação dos autores se justifica pela sabida necessidade de integração grupal do adolescente, como degrau para a construção de sua identidade. Nota-se nos Estados Unidos a presença de afro-americanos, asiáticos e hispânicos que são permeáveis às influências locais, até mesmo por necessidade de uma resposta adaptativa para a integração, mas que podem se isolar em suas comunidades étnicas e/ou culturais de origem, impossibilitando a resolução de conflitos entre semelhantes e empobrecendo as oportunidades de desenvolvimento para além dos limites da cultura.

Ainda no âmbito escolar, porém considerando a perspectiva educacional, Kovács (2010) aponta que, entre crianças e adolescentes, o tema da morte é evitado, colaborando para tornar ainda mais paradoxal sua compreensão. Por outro lado, o assunto é fácil e constantemente exposto nos meios de comunicação aos quais eles têm acesso.

Rodrigues (2013), pelo olhar da história das religiões, destacou ainda quanto o lugar daquelas de matriz cristã foi vasto na compreensão da morte. Ao estudar a forte associação entre esta e a cristandade no mundo ocidental, verificou que as práticas e os ritos funerários tiveram o peso da religião por séculos, sendo o medo da morte usado como um instrumento de ação do Estado. Após a separação Igreja-Estado, mudam o significado e lugar dos mortos, e o medo destes não atua mais como instrumento de pressão sobre as pessoas. É interessante observar como o medo da morte e dos mortos pode ser construído ou manipulado pelo Estado.

Com foco no luto das famílias, McGoldrick *et al.* (1991) apontam para a importância de um profundo respeito pela sua herança cultural e do estímulo para que elas realizem os rituais significativos de sua cultura. Tal proposição se alinha com a de Imber-Black (1991) acerca da função restauradora dos rituais. Esses autores recomendam ao profissional que trabalha com pessoas em situação de luto que se informe sobre os ritos prescritos para lidar com a morte e com o corpo morto. Também é importante conhecer as crenças daquele grupo sobre o que acontece após a morte e o que se considera apropriado para exprimir emoções. Deve-se levar em conta se há regras de gênero para lidar com a morte e para a vivência do luto e se há tipos de morte estigmatizados. Essas informações, além de demonstrarem respeito pela cultura em questão, propiciam segurança ao lidar com morte e luto em qualquer cultura, pois aproximam o profissional da realidade com a qual está lidando sem ser preciso trazer seus próprios entendimentos culturalmente determinados para ilustrar o fenômeno. Kissane (2014) destaca que os rituais oferecem conforto às famílias no enfrentamento da morte porque configuram uma estrutura por meio da qual as emoções são compartilhadas. Destaca ainda que, no mundo contemporâneo, com sua característica secular que constantemente altera o uso dos rituais, é crucial que seja reconhecida a sua importância na vida familiar.

O que dizer, então, do impedimento da realização de rituais em função das restrições sanitárias decorrentes da pandemia de Covid-19? Racionalmente, sabemos a justificativa para que sejam impedidos ou restritos, mas a sensação de falha ao honrar nossos mortos, a impossibilidade do encontro afetivo de pessoas que compartilham uma dor, uma história, dificultam o processo de luto. Tive oportunidade de colaborar em uma publicação sobre o problema (Cogo *et al.*, 2020), destacando as possíveis consequências da vivência do luto nessa situação. Não poder contar com um importante fator protetivo que é o respeito a uma tradição cultural, social e religiosa, bem como se perceber excluído de uma ação que dá a necessária experiência de pertencimento é um indicador de risco para luto complicado, a par com outras vivências que têm sido encontradas no luto sob a pandemia do coronavírus.

Doka e Martin (2010) consideram a natureza da cultura um agente modelador dos comportamentos esperados. Embora existam aspectos materiais que identifiquem dada cultura, a sutileza dos imateriais guarda uma importância muito grande: a maneira de pensar, acreditar, comportar-se e relacionar-se define verdadeiramente uma cultura. Ao não viver seu luto da maneira como a cultura entende ser adequado, o indivíduo corre o risco de que seu processo não seja reconhecido ou validado. Em consequência, poderá não receber o suporte de que necessita e vir a enfrentar um luto complicado. No que diz respeito às diferenças de gênero, o risco está não apenas no não reconhecimento do luto, mas também na naturalização de um estado de coisas – homens são diferentes de mulheres – que não possibilite questionamento e mudanças.

Destaque-se aqui o importante processo de mudança na dinâmica e no funcionamento da família pós-moderna, sobretudo no mundo ocidental, que possibilitou ao homem um lugar com definições amplas e flexíveis como parceiro e pai, como bem destacam Moreira, Petrini e Barbosa (2010). O pai no novo milênio (a partir de 2000) tem um lugar de fala que não é mais marcado pelo temor e pelo respeito incontestável, e sim pelo protagonismo de uma construção de identidade responsiva às demandas próprias das configurações familiares contemporâneas, não cabendo mais a distinção entre manifestações de luto tipicamente atribuídas aos homens.

Rosenblatt (2008 e 2010) destaca a importância de considerar que tudo que é estudado e dito sobre o luto insere-se nas perspectivas culturais. Entendendo cultura como uma construção social, que inclui linguagem, crenças, práticas, padrões sociais, história e identidade, seria mesmo ingênuo pensar que existe uniformidade nos significados atribuídos à morte e à experiência do luto. Assim, tudo que tem sido estudado e praticado sobre o tema passa pelo viés da cultura de origem dos pesquisadores – a ocidental –, levando a definições de morte como boa ou ruim circunscritas a essa visão.

Aqueles que são influenciados pelas tradições religiosas ocidentais lembram-se dos mitos ou crenças que relacionam crime e castigo, falha e punição, como Prometeu e Pandora ou Lúcifer e o Paraíso, como lembra Grainger (1998). Por essa perspectiva, entendem-se o medo da morte, o julgamento e a visão crítica a respeito de alguém que tenha tido o que se considera uma morte ruim, assim como os significados atribuídos à morte pela lente da vergonha, resultante de falhas na compreensão de sua natureza essencial (Rosenblatt, 2010). Não causa surpresa observar os reflexos da vergonha no processo de luto. É nítida, portanto, a ligação entre a cultura e o significado de alguns tipos de morte – por exemplo, aquela por suicídio. Existem diferenças culturais no reconhecimento ou não de um luto (Doka, 2008).

Mesmo quando se recorre a pesquisadores de diferentes partes do mundo, articulando-se pensamentos e práticas com fundamentos diversos, é necessário considerar a perspectiva cultural que os embasa para que as ações sejam culturalmente sensíveis. Esse cuidado se acentua ainda mais nas pesquisas brasileiras, que devem fazer o difícil trabalho de relacionar as características de uma herança cultural própria à perspectiva dos pesquisadores precedentes, na grande maioria não brasileiros.

No livro *A casa e a rua: espaço, cidadania, mulher e morte no Brasil*, publicado em 1985, o antropólogo brasileiro Roberto DaMatta diz que o brasileiro não fala da morte, mas fala dos seus mortos. Promovidos a uma condição intermediária entre os vivos e os santos, cabe-lhes a tarefa de interceder junto a estes pelas necessidades dos vivos. Por esse motivo, na crença popular, é necessário que os rituais da cultura sejam realizados a contento, com seus símbolos e comportamentos, e que sejam satisfatórios para os mortos, para que eles não se zanguem e não se esqueçam da sua condição especial de interceder pelos vivos. DaMatta diferencia as culturas industrializadas (grandes cidades, maior exposição a estímulos não habituais) das tradicionais (meio rural, menos exposto ao diferente). Nestas últimas, a rede de apoio se manifesta de maneira presencial, afetiva e prática, ao passo que nas culturas industrializadas espera-se o movimento de ir em frente, mover-se para o futuro, não se apoiar em lembranças, em histórias vividas. Após essa publicação, muita coisa aconteceu no Brasil e no mundo, inclusive a construção de comunidades virtuais. A análise se mantém atual, porém guardadas algumas especificidades de subculturas.

O lugar da religião e da espiritualidade

Quando ampliamos o foco para introduzir o papel da religião e da espiritualidade na construção de significados para a morte e o luto e consideramos também seu lugar como recurso de enfrentamento, o pluralismo dos mediadores abordados neste capítulo se amplia consideravelmente. Parkes (2009) aponta a religião e a espiritualidade como recursos no enfrentamento do luto, associadas a um melhor ajustamento após a perda, contribuindo para o processo de construção de significado. Se a fé é parte da vida do enlutado, este deve expressá-la da maneira que lhe parecer apropriada. A comunidade religiosa proporciona uma grande contribuição nesse processo, favorecendo a integração social que muito colabora para o enfrentamento voltado à restauração.

Temos, então, a soma de alguns fatores a favor da religião como recurso no enfrentamento de um luto: a crença que possibilita a construção ou a adoção de um significado; a existência de rituais que dão ao enlutado previsibilidade e ferramentas para lidar com sua condição; a experiência de pertencimento a uma igreja ou a um grupo religioso, que, ao possibilitar a integração social, tece fios resistentes na tela da rede de apoio.

Para Pargament (1997) e Pargament *et al.* (1998), a religião é o caminho sagrado na busca do sentido da vida. Oferece compreensão sobre o mundo e sobre nós mesmos e entendimento quando se enfrentam perdas e sofrimento. Nessa busca, as vivências de intenso pesar se beneficiam das crenças do indivíduo sobre aquilo que está além do tangível e do que é objetivamente explicado.

Ao refletir sobre como uma perda desafia o mundo presumido espiritual, Doka (2002) entende a espiritualidade como um conceito de difícil definição e distinto da religião, por ser mais amplo. A espiritualidade se expressa naquilo que torna o indivíduo único, naquilo que ele pensa, deseja e escolhe, possibilitando-lhe atribuir significado ao seu mundo e à sua vida. Dessa busca de significado emergem filosofia, ética, conhecimento e religião. A combinação que cada um faz desses aspectos é a essência de sua espiritualidade. A religião pode ocupar uma parte desse conjunto, até mesmo uma grande parte, mas não é o mesmo que espiritualidade.

No entanto, Doka (2002) considera que nem toda perda representa um desafio à espiritualidade, pois pode envolver e ser congruente com um sistema de crenças ou respostas já construídas na vida da pessoa. Nas situações em que a perda leva a uma reconstrução do mundo presumido, podem-se encontrar quatro caminhos. O primeiro é aquele no qual a pessoa vive um período de intensa introspeção, do qual sai reafirmando suas crenças anteriores. Estas sustentam, reconfirmam e criam significados. O segundo é aquele no qual o enlutado entende que seu sistema de crenças não é apropriado para a situação, mas não consegue encontrar outro que o substitua adequadamente. Ou seja, ele deixa de acreditar em algo que dava significado à sua vida, perda que pode ser uma das experiências mais dolorosas da vivência de um luto. O terceiro é o que leva o enlutado a repensar e redefinir ampla e profundamente sua espiritualidade. Nessa busca, ele pode se aproximar ou se distanciar de outras crenças e significados. Por fim, o quarto permite que a pessoa modifique ou aprofunde seu sistema de crenças e significados anterior, sem precisar abandoná-lo. Ela pode, por exemplo, rever a crença na onipotência divina e incluir o mistério no contexto das perguntas sem resposta.

Doka (2011) entende que as práticas espirituais, como oração e meditação, têm seu papel no tratamento das enfermidades, ressaltando também a importância da oração de intercessão, por simbolizar um laço de cuidados. Alinhada a ele,

Liberato (2013) aborda os conceitos de sagrado e espiritualidade na dimensão espiritual presente no encontro terapêutico, relevante sobretudo no cuidado que não permite a banalização da experiência humana, por não desprezar a dimensão sagrada da vida. A compaixão, a gentileza, a amorosidade e a espiritualidade podem alicerçar novas formas de alívio do sofrimento humano. Essa é a essência do cuidar, conclui a autora.

A construção de significados representa uma ferramenta importante para o contato com o aspecto transcendente de uma morte e do luto consequente a ela. Para Neimeyer (2001), entretanto, há poucos estudos a respeito de quais são esses significados e de como eles podem atuar como facilitadores ou dificultadores para uma elaboração do luto.

Park e Halifax (2011) entendem o papel da religião e da espiritualidade na adaptação a uma perda, uma vez que ambas – ou pelo menos uma delas – são subjacentes a uma visão sobre a vida, oferecendo-lhe um sistema de significados: boa, cruel, justa, coerente, controlável etc. Ambas atualizam, também, muitos recursos importantes na compreensão e no enfrentamento da morte e do luto, entre eles o apoio dos líderes religiosos, a prescrição de certos comportamentos, o pertencimento a um grupo. Por outro lado, mais do que mitigar a dor de uma perda, a religião pode ser o meio para uma reconstrução de significado ou para uma experiência de transformação espiritual.

Rodrigues (2005), ao estudar a secularização da morte no Rio de Janeiro nos séculos 18 e 19, observou quanto as mudanças de significado e práticas relacionadas à morte estiveram a par com as mudanças na sociedade carioca e, por extensão, na brasileira. Assim, trouxe para a realidade histórica do Brasil o conhecimento sobre o papel da religião católica nas crenças e práticas e sua permeabilidade a outras influências, notadamente da Europa, desde a vinda da corte portuguesa até a proclamação da República, passando pela abolição da escravidão. Essa é uma contribuição importante para ser considerada em um processo de luto, uma vez que a população brasileira católica se apoia no que a religião diz e é sensível aos seus significados. Uma pesquisa realizada sobre os séculos 18 e 19 repercute ainda nas crenças e práticas do século 21 em razão da força que elas têm no processo de construção de significado para um luto.

Parente (2017) pesquisou a influência do *coping* religioso-espiritual na qualidade de vida de pais e/ou mães que perderam um(a) filho(a) por causas externas, como homicídio, acidentes e violência[5]. Os resultados obtidos indicaram

---

5. O *coping* religioso-espiritual é um conceito desenvolvido por Pargament (1997) e Pargament *et al.* (1998) e se refere ao uso de crenças e comportamentos religiosos e/ou espirituais para facilitar a resolução de problemas e prevenir ou aliviar consequências emocionais negativas de situações de vida estressantes.

que o *coping* religioso-espiritual positivo se destacou entre os participantes, por meio de voluntariado e/ou da atuação em instituições sociais (como abrigos para crianças e idosos), evidenciando benefícios ligados à construção de significado e sentido de vida. No estudo, os significados para a impotência diante da violência levaram os participantes a se interrogar sobre a efetividade de um enfrentamento religioso positivo.

A fim de entender como a relação entre morte, luto e memória pode proporcionar meios de compreensão de aspectos socioculturais e históricos, Morais (2014) identificou que as práticas religiosas estão relacionadas com menor risco de transtornos ansiosos – por exemplo, fobias (medo da morte, de avião, de insetos), estresse e dores crônicas. Essa análise corrobora o pensamento de Moreira-Almeida (2008) e Lucchetti e Lucchetti (2014), que ressaltam o papel protetivo de crenças e práticas religiosas no enfrentamento da morte e na vivência do luto.

Para compreender o vínculo entre a religião, a morte e o luto, também outras relações são importantes, como aquela entre religião e saúde, segundo Koenig, McCullough e Larson (2001). Koenig e Büssing (2010) elaboraram um instrumento para mensurar a religiosidade, *The Duke University Religion Index* (Durel). Vale destacar que os autores estudaram a religiosidade, entendida como a relação entre a crença e uma prática como fonte de significado. Moreira-Almeida *et al.* (2008) elaborou a versão em português dessa mesma escala. Koenig (2012) apresenta ainda uma perspectiva que relaciona medicina, religião e saúde, com implicações para a pesquisa e a prática clínica. Puchalski (2004) aproxima esse conhecimento sobre as religiões e a morte das decisões referentes a pessoas que estejam próximas da morte, destacando seu papel conciliador para a compreensão desse momento. Com isso, amplia a perspectiva de entendimento para as considerações de Koenig (2012) acerca do significado da religião dos profissionais da saúde, sobretudo aqueles que trabalham com pessoas próximas da morte.

Barbosa e Leão (2012) objetivaram investigar o papel da religião no processo de construção do luto, sem foco em uma específica. Os resultados obtidos demonstraram que a religião, mesmo sendo um dos recursos utilizados na elaboração do luto, muitas vezes mostrou-se insuficiente diante da morte. Fatores como a capacidade psíquica do enlutado para elaborar a perda e o tipo de parentesco que ele tinha com a pessoa falecida pareceram ser mais determinantes. Levanta-se a questão sobre outros fatores intervenientes, como desenvolvidos nesta obra.

O entendimento de Koenig (2012) sobre religião e espiritualidade abrange e resume o dos autores acima. Para ele, ambas remetem à busca de sentido na vida, sendo que a primeira o faz dentro de padrões institucionalizados e a segunda, com base no uso de trajetórias individuais e íntimas.

Mesmo antes de serem particularizados por uma pessoa, família ou comunidade, os significados de um luto já estão contidos na própria experiência da morte. Nesse sentido, tais mediadores exercem imensa força e influência, e, ainda que estas não sejam identificadas pela pessoa afetada pela perda, não podem ser ignoradas pelo pesquisador e pelo profissional (seja qual for sua área de atuação). Inclusive porque eles não podem desconsiderar suas questões pessoais sobre o assunto, a fim de conseguirem estar com o enlutado sem levar para esse encontro seu viés de percepção e seus valores construídos na própria experiência de vida.

Portanto, seja pela proposta de Cacciatore e DeFrain (2015) na descrição da construção dos âmbitos da cultura, seja pela voz de Koenig (2012) chamando a atenção para a relação entre saúde e religião, seja pela marcante postura de Rosenblatt (1993, 2008 e 2013) ao reafirmar a importância do diferencial cultural para a compreensão e a vivência de um luto, entendo como inadmissível que um pesquisador se embrenhe em estudos sobre luto e que um clínico atue em sua prática sem ter obtido uma sólida construção de conhecimento sobre os mediadores aqui expostos. Acrescento a necessidade de que tanto o pesquisador como o clínico tenham clareza de suas questões de significado sobre morte e luto, mesmo que sem resolução, mesmo que com conflitos; quando não as desconhecem, conseguem se colocar no lugar daquele que se aproxima do fenômeno e reconhecer suas reverberações nele, porém com o cuidado ético de ter claras as fronteiras entre o que é seu e o que é do outro.

5. AÇÕES TERAPÊUTICAS PARA SITUAÇÕES DE LUTO

Ao iniciar este capítulo, antes de abordar qualquer ação terapêutica para situações de luto, é inevitável tratar da diferença fulcral que se estabeleceu com a experiência de cuidar de pessoas enlutadas após o início da pandemia desencadeada pela Covid-19. O cenário da atenção ao luto por parte de psicólogos, assistentes sociais, enfermeiros e outros profissionais mudou totalmente a partir do início de 2020. Assim, muito do que será apresentado aqui encontra-se em condição de exceção, como entendo ser, até que seja normatizado como regra, o que poderá acontecer somente quando estiverem garantidos a preservação da saúde e o controle de riscos para todos os envolvidos. Essa condição abrange todas as experiências de atenção ao luto construídas pela prática presencial. Não se trata de invalidar sua aplicabilidade, mas de buscar adaptações possíveis que não desprezem o que foi fundamentado na pesquisa e revisto na prática. A exceção se dá também nas formas de atenção ao luto que se apresentaram, de forma a atender a uma demanda numericamente expressiva, levando à construção de outras formas de cuidado ou à adaptação daquelas já conhecidas e praticadas de maneira diversa da decorrente da pandemia.

Foi necessário um aprendizado de comunicação que não colocasse em risco pressupostos para a boa prática do cuidar. Garantir sigilo poderia se tornar muito difícil, caso a pessoa não tivesse condições de habitação que lhe permitissem ficar isolada dos demais moradores. A regularidade dos atendimentos poderia ficar comprometida, uma vez que dependia de domínio da tecnologia, posse de equipamentos de qualidade que permitissem a comunicação e familiaridade com os meios utilizados. Questões foram colocadas no início dessa grande transformação: como atender famílias? Como atender crianças? O conceito de urgência e emergência precisou ser revisto para se adaptar às demandas das internações hospitalares, da falta de notícias, da impossibilidade de se despedir e viver os rituais fúnebres da cultura. O que era mais urgente do que transmitir uma notícia de agravamento ou morte a um familiar? O que esperar de terapêutico de uma ação realizada por um(a) profissional da saúde que estivesse também em luto? Bebês nasceram saudáveis e foram imediatamente separados da mãe, diagnosticada com Covid-19. As crianças ficaram em casa, afastadas dos avós, que, na nossa cultura, em muitas famílias desempenham um papel importante na dinâmica doméstica, como responsáveis por cuidar dos netos para possibilitar que os pais destes trabalhem e tragam o sustento da casa.

O ensino do cuidar também precisou ser refeito, vencendo, muitas vezes, preconceitos acerca dos recursos tecnológicos para o aprendizado de funções que contassem com a dinâmica dos afetos presentes na relação. Tivemos de aprender a validar aspectos da comunicação que anteriormente não tinham tal dimensão – por exemplo, refazer o contrato terapêutico, que necessita que a pessoa se posicione sempre com a câmera aberta e de maneira que seu rosto, no mínimo, seja visto. A privacidade também esteve em foco, tanto a da pessoa enlutada como a do terapeuta: quanto precisa ser sabido e informado, assim como o necessário para a experiência ser de fato terapêutica.

O fato é que essas e outras perguntas foram enfrentadas atentamente e respondidas. Uma experiência que desenvolvi relaciona-se à expectativa de fazer atendimentos que estivessem em meu controle total. Naturalmente, foi uma expectativa nascida da minha insegurança por lidar com uma situação nova e desafiadora. Quando me permiti admitir que nem na situação conhecida, na qual adquiri longa experiência, tenho esse controle, entendi que tinha condições de oferecer um cuidado de humano para humano, que ia muito além do domínio da técnica.

Portanto, escrever este capítulo sobre ações terapêuticas teve um antes e um depois. Foi necessário refazê-lo para acomodar as inquietações advindas da experiência de viver sob a mão pesada de uma pandemia e suas restrições, seus números assustadores e, às vezes, a brutal experiência de impotência diante da necessidade de viver um chamado novo ainda não descrito, mas construído dia após dia.

O necessário para que seja terapêutico

O apoio oferecido por amigos, familiares, vizinhos ou membros de uma igreja ou associação à qual o enlutado pertença pode ser terapêutico e tem seu valor no enfrentamento do luto. São ações compostas por afeto, respeito, consideração, amizade. Não são sistematizadas com foco na melhora da condição e compõem o que chamamos de rede de apoio. Portanto, mesmo reconhecendo sua importância, neste capítulo o foco não está nelas diretamente, embora sejam chamadas a ocupar seu lugar quando forem abordadas as possibilidades mais amplas de suporte ao enlutado.

Embora eu fale pela experiência como psicóloga, reconheço e respeito as ações terapêuticas ofertadas por profissionais de outras áreas com o objetivo de oferecer cuidados de qualidade e sistematizados para pessoas, famílias ou comunidades que enfrentam lutos. Portanto, as ações terapêuticas abordadas estão restritas àquelas oferecidas por profissionais, independentemente de sua formação básica, desde que ofereçam cuidados e sejam fundamentadas em práticas sistematizadas e validadas.

No acolhimento de uma perda, admito que, para propor uma ação terapêutica específica à demanda, é necessário compreender a pluralidade dos afetados, as dimensões implicadas e as articulações sistêmicas que vão além de uma relação entre causas e consequências. Incluo, ainda, três aspectos indispensáveis: ética, conhecimento teórico e autoconhecimento. Os dois primeiros se impõem seja qual for o campo de atuação do profissional, aliados ao respeito pelas especificidades da área. O autoconhecimento é uma condição que mescla as duas anteriores, em benefício do profissional e daqueles que receberão seus cuidados.

O conhecimento teórico é obtido formalmente em cursos de graduação e pós-graduação *stricto sensu* em instituições de ensino superior, suplementados por cursos de pós-graduação *lato sensu* (aperfeiçoamento e especialização), cursos breves e focalizados, grupos de estudo, supervisão individual ou em grupo, discussões clínicas e participação em eventos científicos, como congressos, seminários e jornadas. O tempo necessário para essa formação não pode ser previsto, uma vez que o conhecimento é cumulativo e o profissional atento à sua formação deve se manter atualizado, além de produzir e comunicar conhecimento por meio de pesquisas e publicações.

A ética profissional baseada no principialismo, que surgiu nos Estados Unidos na década de 1980 (Beauchamp e Childress, 1994), baseia-se nos preceitos de não causar o mal, causar o bem, ser justo e equânime e garantir a autonomia da pessoa. Na área médica, esses princípios oferecem uma orientação prática e conceitual para situações concretas. No entanto, não se deve esquecer de que, na ponderação com os princípios, é necessário considerar também as implicações sociais e aquelas relativas às políticas públicas e à inserção cultural do indivíduo. Consequentemente, em uma decisão ética, a consideração pela pessoa requer sua relativização contextual, ou seja, lembrar-se de que se trata de um ser biográfico, com sua história de vida, valores, projetos, temores, amores.

Moratalla (2015) aponta princípios indispensáveis da ética médica europeia definidos em 1987, como o segredo profissional, o consentimento informado e a competência profissional. Quando se colocam lado a lado os avanços da ciência, presentes nas decisões que envolvem biotecnologia – por exemplo, fertilização *in vitro* ou medidas de prolongamento da vida –, não causa estranheza pensar que os aspectos éticos a ser considerados na contemporaneidade estejam presentes também no cuidado dedicado a pessoas, famílias ou comunidades em luto – não exclusivamente, portanto, na prática médica.

Gamino e Ritter (2009) são enfáticos ao dizer que o profissional deve desenvolver a habilidade de tolerar e lidar com os problemas do paciente relativos à morte, ao morrer e ao luto. Suas experiências de perda são colocadas ao lado de suas demais experiências de vida; são validadas, e não negadas. Os autores oferecem especificações no que se refere a trabalhar com essas questões. Ressaltam as competências cognitivas – aquelas relativas ao conhecimento adquirido por meios formais, desenvolvidas pelas habilidades evidenciadas na prática e ampliadas pelas experiências de aprendizagem supervisionada – como fundamentais. As competências cognitivas apoiam a competência emocional do profissional, composta por saúde mental, resiliência emocional, autocuidado, equilíbrio entre vida pessoal e profissional e apoio dos pares. Da conjugação das competências profissional e emocional, constrói-se a competência para trabalhar com a morte, o morrer e o luto. Os autores resumem sua proposta ressaltando a importância de apoiar-se no tripé estudo, supervisão e terapia pessoal. Chamam a atenção para o risco de o profissional, por meio de seu trabalho, ser um enlutado em busca de tratamento para seu luto. Essa é uma consciência importante para que ele possa fazer seu trabalho com a ética que a boa prática exige. Não o protege, no entanto, de sofrer uma perda enquanto trabalha ou de viver uma crise maior que possa colocar em risco seu discernimento para tomar decisões.

Cottone e Tarvydas (2016) integram a ética para a tomada de decisão em qualquer processo terapêutico, sendo ou não voltado para pessoas em luto. Isso levanta uma questão importante: a pessoa enlutada está em algum grau de vulnerabilidade? O melhor caminho para responder a essa pergunta está na compreensão do que é o luto. Uma boa sustentação teórica possibilita essa resposta, mas é inegável que precisa estar associada a uma prática que leve o profissional a construir as competências recomendadas por Gamino e Ritter (2009).

Mazzula e LiVecchi (2018) associam a ética dos terapeutas aos padrões esperados pela psicologia na prática dos psicoterapeutas. A ação terapêutica pode ser praticada por não profissionais (isso se aplica aos voluntários), desde que norteada pelos mesmos cuidados e considerações. No diálogo entre as ideias desses autores e as de Gamino e Ritter (2009), ressalta-se a importância dos conhecimentos advindos da ciência psicológica para a compreensão do fenômeno luto em suas dimensões relacionadas à saúde mental. Falar sobre cuidados éticos se impõe, seja qual for a área de atuação.

Sobre o autoconhecimento, o terceiro elemento indispensável para quem trabalha com situações e pessoas enlutadas, não há como ignorar que, em nossa biografia, vivemos perdas, e elas têm impacto e repercussão nos projetos e significados. Caso o terapeuta negue isso, corre o risco de desenvolver uma ação distorcida pelas necessidades de proteção da dor, por excessiva ansiedade em relação a situações de morte e luto, por generalizações a partir da experiência ou pelo esfriamento da capacidade empática. O autoconhecimento anda de mãos dadas com a ética no que tange aos cuidados para quem trabalha com pessoas ou comunidades em situação de luto.

Brownell (2015), voltando-se mais especificamente a psicólogos, fala sobre a competência espiritual que, independentemente de uma crença ou prática religiosa, facilita ao profissional observar os fenômenos que estão em seu foco, buscando significados que transcendam o materialmente observável. Vale observar que isso não implica que ele tenha uma crença concordante com aquela da pessoa em luto, com o risco de borrarem-se os limites entre o que é do profissional e o que é do enlutado.

Esses pontos são aqui destacados porque, para quem quer dedicar cuidados a pessoas ou comunidades em situação de luto, as necessidades de informação vão além da aquisição de conhecimento. Uma cogitação constante sobre quem é a pessoa ou comunidade que poderá se beneficiar de suas ações, conjugada à reflexão honesta sobre as competências de quem trabalha com esse foco, possibilita uma ação terapêutica eficiente e correta.

Como ressaltam Mazzula e LiVecchi (2018), há significativa diferença entre ter uma compreensão geral e ter as habilidades e a formação necessárias para executar uma ação terapêutica. No primeiro caso, o terapeuta conhece aspectos relevantes sobre um transtorno ou uma população, mas faltam-lhe a formação especializada, a supervisão, o treinamento e a experiência. Quem tem a formação necessária se preparou para trabalhar com determinada população ou um tema específico, acumulando conhecimento, experiência, treinamento e supervisão. No caso do luto, para uma ação terapêutica decorrente de dada condição dessa experiência ou que responda às necessidades trazidas pelos afetados, como se pode descrever o que fazer e como fazê-lo bem?

Na experiência de formar psicoterapeutas para trabalhar com luto, percebo sua dificuldade de se dar conta de que esses cuidados estão presentes diuturnamente em seu fazer, mesmo que não se apercebam disso. Entender que as competências necessárias para trabalhar com morte e luto implicam essa conjugação fluente entre aspectos cognitivos e emocionais é a base que sustenta decisões sobre avanços, necessidades e dificuldades no desenvolvimento profissional. Integrar o aspecto espiritual acrescenta segurança e amplia o escopo do respeito pelas diferenças entre o terapeuta e aquele que recebe seus cuidados. É muito interessante que, no início das supervisões clínicas, esses aspectos parecem dissociados, mas, à medida que o profissional segue com sua dedicação, é possível constatar o crescimento dessa integração quase de forma orgânica.

Além do autoconhecimento, quem quer trabalhar com pessoas que vivem um luto precisa conhecer muito bem o fenômeno, o que implica entender sua definição e as variações relativas às demandas de cuidado. Só assim poderá se decidir pela técnica a ser empregada e, mais importante, sobre suas competências para essa finalidade.

Todas as pessoas enlutadas se beneficiam de uma ação terapêutica?

A questão aqui colocada se refere à clarificação sobre o fenômeno do luto, com base em sua definição e variações, nem sempre sutis. Falo sobre saber se a pessoa enlutada reúne condições para viver um luto contando com os recursos disponíveis que encontra em terreno conhecido ou se ela receberá mais benefícios recorrendo a – ou aceitando – ações que não sejam de seu domínio habitual.

Seja qual for a definição de luto, ela implica um olhar para as facetas que o compõem e que se conjugam para responder à seguinte pergunta: trata-se de um processo normal, mesmo sendo doloroso, ou de um processo que requer, no mínimo, uma avaliação e posterior decisão acerca da necessidade ou não de atendimento profissional?

Justifico a razão para este início de capítulo com as questões elencadas. Busco apresentar uma linha de pensamento que permita a compreensão dos fatores presentes no cenário para fundamentar decisões clínicas que não sejam resultantes de variadas posições teóricas, sem nexo epistemológico entre elas. O pano de fundo é, inegavelmente, não se tratar de um fenômeno simples, que possa ser decifrado a partir de uma visão restritiva, ao mesmo tempo que pede amparo a outras que ampliem o conhecimento.

As definições do luto passam pela experiência de um rompimento, com impacto em diversas áreas. No entanto, nem sempre foi essa a compreensão, conforme vimos no Capítulo 1. Destaco ainda que Parkes (1998 e 2001) comunicou que o luto já foi visto como causa de morte na Inglaterra, no século 17. Suas primeiras definições no século 20 falavam em luto patológico, nomenclatura ainda presente em publicações tradicionais, sobretudo da psiquiatria.

A partir da definição de Bowlby (1981), que diz que o luto apresenta um conjunto de reações, como um processo natural e esperado diante do rompimento de uma relação significativa – que é, em linhas gerais, a definição que adoto –, observo considerações sobre o que ocorre quando esse processo natural não é encontrado.

Parkes (1998) e Rando (1993) afirmam que, quando as reações ao luto se dão de modo diverso do esperado ou estão ausentes, ele é considerado complicado. Parkes (1998) ressalta que é preciso muito cuidado para não se classificarem precocemente processos de luto como disfuncionais, por não seguirem estágios ou etapas que durante muito tempo foram tomados como inerentes ao seu processo, destacando que uma cuidadosa avaliação é necessária em todos os casos. Para isso, buscam-se critérios, baseados em definições do que é um luto complicado, dentro de um contexto e com dada população. Esperar consenso nessa definição significa simplificar o pensamento de diversos pesquisadores e profissionais que vêm se debruçando sobre o tema, a partir de seus embasamentos teóricos, resultado de práticas clínicas e propostas de mudança.

Casellato *et al.* (2009) ponderam sobre o impacto do luto complicado na prática clínica, ressaltando a importância de um diagnóstico preciso, mesmo levando em conta os diversos fatores nessa condição. Tal ligação entre o que a prática clínica aponta e o que a teoria ou a pesquisa oferecem como resposta percorre este início de capítulo. Para balizar esse assim chamado modo diverso do esperado, apontado por Parkes (1998) e Rando (1993), recorro às cinco dimensões das reações ao luto descritas por Stroebe, Hansson e Stroebe (1993a): intelectual, emocional, física, espiritual e social. O luto esperado, além de passar por essas dimensões de reação, também representa uma experiência particular, porém sempre contextualizada. Ou seja: são diversos os domínios nos quais se podem encontrar vulnerabilidades para dar significado a um luto ou meios de expressão para essa vivência. O esperado – dito normal, não complicado ou, ainda, descomplicado – indica o diverso do encontrado quanto a intensidade, qualidade e duração, conforme sinalizam Boelen e Van den Bout (2008) e Stroebe, Schut e Van den Bout (2013b), destacando que luto complicado e luto descomplicado são construtos diferentes. Ou seja: não se trata simplesmente de verso e reverso de uma experiência. Chamo ainda a atenção para o fato de que ele é vivido em um contexto social no qual não pode ser apartado da raiz cultural (Grainger, 1998; Rosenblatt, 1993, 2008 e 2013).

O que se vê na pós-modernidade, mais especificamente a partir das décadas finais do século 20, é que, diante da perda de um ente querido, a maioria das pessoas desenvolve um processo de luto normal, vivenciando seu pesar e as necessidades de resposta adaptativa, enquanto vive também seu processo de construção de significado acerca da perda e de si, de modo a retomar suas atividades de vida diária e se colocar na posição de quem viveu uma perda e a enfrentou, como afirmam Prigerson (2004) e Rando (2013). Stroebe, Schut e Stroebe (2007) foram mais específicos ao dizer que aqueles que apresentam luto complicado representam cerca de 10% dos enlutados, dependendo do seu subgrupo (morte por violência ou luto não reconhecido, por exemplo), da duração do luto e dos critérios para luto complicado. Outras pesquisas afirmam que de 10% a 20% da população enlutada apresenta dificuldade de viver esse processo de enfrentamento da perda (Boerner, Mancini e Bonanno, 2013; Boelen e Prigerson, 2007; Prigerson, Vanderwerker e Maciejewski, 2008). Fortalecendo essa posição, Johannesson *et al.* (2011) pesquisaram o luto prolongado especificamente com familiares que apresentassem luto traumático, comparando-os àqueles que haviam sido ou não expostos ao tsunami que atingiu o sudeste asiático em dezembro de 2004. Eles identificaram diferença significativa entre esses dois grupos, com maior incidência de luto prolongado naqueles que tiveram relação com o tsunami. Ou seja: tem peso pertencer a um grupo de risco para luto complicado.

Então, se apenas de 10% a 20% dos enlutados podem se beneficiar de cuidados para sua vivência de luto e, afunilando as características, apenas 10% em condições específicas, faz diferença encontrar fatores de risco que definam essa especificidade. Talvez esse não seja o único fator de risco, porém. Se levarmos em conta o aspecto que destaco como de grande relevância na compreensão de um processo de luto, ou seja, a inserção cultural, de acordo com Rosenblatt (2008 e 2013), resta a necessidade de estudos brasileiros que levem em conta esse aspecto quando visem identificar pessoas vivendo um luto complicado, do viés da nossa cultura.

Rando (2013) atualiza seu pensamento, em relação ao que afirmava em 1993, quando observa que uma definição de luto complicado passa por suas causas, formas, fatores de risco, comorbidade, elementos associados e necessidade de tratamento, que podem diferir extremamente entre indivíduos. Sua definição do que vem a ser o luto complicado é, portanto, mais ampla, uma vez que observa quatro áreas de apresentação da experiência: sintomas, síndromes, transtornos mentais ou físicos e morte. Portanto, o fato de a pessoa em luto retomar suas atividades de vida diária não significa que voltará à mesma condição que tinha anteriormente à perda, pelos tantos aspectos envolvidos no processo. Assim sendo, a autora considera que o luto complicado é tanto uma entidade diagnóstica distinta como um fenômeno clínico. Não mais simplesmente o inverso do que não é normal.

Retomar as atividades do cotidiano não significa voltar à mesma condição anterior à perda. A vida não é a mesma quando se vive um luto. O mundo presumido se transforma, os significados não fazem sentido como antes e uma reconstrução de identidade e de vida se impõe. Entendo, portanto, que este seja um ponto nodal na compreensão de um luto complicado quando se trabalha com a pessoa enlutada: a revisão de um mundo presumido depois de viver uma perda, o conhecido não mais norteando suas decisões e inserções. Sua referência de enfrentamento está em voltar a viver a vida que tinha. A ação terapêutica lhe oferece a possibilidade de viver de outra maneira, talvez até então não vislumbrada, desde que elabore a perda e se encoraje a viver o novo. Com esse objetivo em mente – explorar a vida que pode ser vivida após uma perda –, aquele que oferece cuidados à pessoa em luto recorre ao conhecimento técnico e à experiência para estar ao seu lado nesse percurso. Não podemos nos esquecer, porém, de que o percurso é específico daquele enlutado, e não de quem lhe oferece cuidados.

Perguntamos o que é um luto complicado buscando resposta para a questão de esse ser ou não um transtorno psiquiátrico e, em caso positivo, se os critérios apontados pelos pesquisadores oferecem caminhos para a intervenção. Com minha experiência sustentada pela teoria do apego, encontro resposta no que Mikulincer e Shaver (2013) oferecem ao relacioná-la ao processo de luto, buscando explicar como o estilo de apego inseguro está presente no que descrevem como padrões complicados de luto. Para a compreensão dessa perspectiva a respeito do luto complicado, apresento aqui, de maneira muito resumida, seus pontos principais. O estilo de apego inseguro ansioso faz que a pessoa recorra a estratégias de hiperativação, como intensas tentativas para obter apoio e amor, a par com falta de confiança nos resultados esperados e com raiva e desespero quando não os obtém. O indivíduo com estilo de apego inseguro evitativo tende a utilizar estratégias de desativação, evitando proximidade com as pessoas quando se sente ameaçado e nos relacionamentos; nega, ainda, sua vulnerabilidade e a necessidade de estar com os outros.

Bowlby (1978a) afirmou que a perda de uma figura de apego provoca intenso sofrimento e uma série de respostas previsíveis, às quais chamou de protesto, desespero e afastamento, principalmente por parte de crianças e adultos. O mesmo autor (1981) considerou que uma resolução positiva para um processo de luto implica reorganização, a qual envolve duas importantes tarefas: aceitar a morte da figura de apego, retomando as próprias atividades e vinculações, e manter alguma ligação com a pessoa falecida, integrando-a a essa nova realidade. Mikulincer e Shaver (2013) entendem que essa visão de Bowlby está alinhada às propostas de Stroebe e Schut (1999), no processo dual do luto, e de Rubin (1981), no modelo de duas vias para ele. Concordo quanto a essa proposição e, com base na compreensão propiciada pela teoria do apego, recorro ao modelo do processo dual para abrir o caminho de elaboração do luto em suas formas de expressão.

Uma vez entendidos os estilos de apego inseguro, posso passar à descrição de suas implicações para o luto complicado. Shaver e Fraley (2008) ligam o estilo de apego inseguro ansioso ao luto crônico, no qual a pessoa vivencia pensamentos constantes no falecido, anseia inconsolavelmente pela fonte perdida de proteção e apoio, não consegue aceitar a perda e tem dificuldade de estabelecer novos relacionamentos. As lembranças dolorosas são acessíveis, constantes e avassaladoras, de maneira que o enlutado não consegue lidar com elas efetivamente. Outra característica do luto crônico é a presença pungente de crenças negativas sobre si e o futuro.

No caso da pessoa com estilo de apego inseguro evitativo, o que se encontra, com frequência, diante de situações de estresse e sofrimento é o movimento de negação das necessidades de vinculação, supressão dos pensamentos e emoções relacionados ao vínculo e inibição da premência por busca de proximidade ou apoio. Diante da morte de um ente querido, o indivíduo tende a usar suas defesas de desativação para inibir a ansiedade e o desespero, diminuir a importância da perda e tentar eliminar pensamentos e lembranças relativos ao falecido. Isso é o que Bowlby (1978b) chamou de ausência de luto. Não significa que o processo não esteja ocorrendo, mas que se trata de uma reação defensiva para afastar a atenção de pensamentos e emoções dolorosos e dissociar-se das lembranças da figura que partiu – que, mesmo assim, continuam a ter influência sobre seus comportamentos e emoções, sem que ele tenha consciência dos efeitos.

Portanto, essa compreensão das formas de luto relacionadas ao estilo de apego inseguro possibilita descrevê-las como próprias de luto complicado, com outra conceituação, porém abordando o fenômeno em sua essência. Suas implicações estão presentes nas decisões sobre plano terapêutico e desdobramentos, de acordo com Bowlby (1989).

O processo dual do luto, como conceituado por Stroebe e Schut (1999), evidencia como esse movimento de alternância entre mover-se da perda para a restauração e desta para a perda, sucessivamente, é salutar e necessário, ao mesmo tempo que aponta quanto não se mover, ou seja, permanecer em um dos domínios, sem experimentar as mudanças necessárias para a construção de significado, estabelece a base para um luto complicado. Chama a atenção o fato de que o processo dual é dinâmico e possibilita a identificação de um movimento (ou sua ausência) como sinalizador de enfrentamento positivo (ou negativo) da perda. Dar-se conta da dor, da presença das lembranças e também dos compromissos da vida diária, que chamam para a retomada da vida, porém modificada naturalmente pela perda, é uma condição necessária para um luto normal ou saudável. Se o enlutado mergulhar nas lembranças, mantiver um vínculo estreito e imutável com o falecido, recusar-se a assumir ou retomar suas responsabilidades, mesmo que aumentadas com a perda, encontraremos, então, aquele que está paralisado na perda, sem fazer o movimento para a restauração da vida nem se perceber enfrentando a nova realidade. Se, por outro lado, a pessoa negar a dor, a perda e as mudanças dela advindas e fizer um esforço para viver como se o fato não tivesse acontecido, como se não houvesse saudade ou desejo de reencontro, estaremos diante de um luto complicado por esses fatores, como se a pessoa precisasse de encorajamento para vivê-lo.

Posso fazer uma relação do processo dual com os dois tipos de luto encontrados na pessoa com estilo de apego inseguro. Aquela com estilo de apego inseguro ansioso tenderá a se manter voltada para a perda, enquanto a de estilo de apego inseguro evitativo fará o movimento para a restauração. Essa é uma constatação importante para balizar decisões de intervenção terapêutica.

Nessa perspectiva de entendimento sobre o que é um luto, a ideia de superá-lo não se mostra saudável, pois ele não é um obstáculo na vida da pessoa, e sim uma experiência de tal grandeza que se pode ser considerada um processo até mesmo de crescimento pessoal, pela revisão de crenças e expectativas, além do autoconhecimento que se impõe naturalmente. Um luto requer elaboração, confronto com a realidade da perda, construir uma vida diferente da anterior, mas ainda assim a integrando à sua narrativa.

Aqueles que vivem um luto e não contam com uma base de apoio percebida como útil, que apresentam condições correspondentes a um luto complicado, prolongado, não reconhecido, cuja relação entre fatores de proteção e fatores de risco penda mais para os fatores de risco e apresentam uma narrativa que evidencie fragilidades nos recursos de enfrentamento podem se beneficiar mais de uma psicoterapia para luto quando comparados às que contam com recursos mais favoráveis, no equilíbrio dos fatores mencionados aqui. Quero chamar a atenção para a ideia de que a pessoa não precisa apresentar todos os elementos protetores para não requerer cuidados profissionais à sua experiência de luto. Entendo mais como um *continuum*, com indivíduos em pontos distintos, de um extremo a outro, concordando com Bonanno e Kaltman (1999) e Burke e Neimeyer (2013).

Luto complicado, luto prolongado e luto complexo persistente

De acordo com Delalibera, Coelho e Barbosa (2011) e Delalibera *et al.* (2012), o diagnóstico do luto complicado é importante, pois os indivíduos que nele se encaixam são mais propensos ao risco de consumo de álcool e tabaco, a distúrbios do sono, incapacidades funcionais, hipertensão, incidência de câncer, redução da qualidade de vida, doenças cardíacas, maior número de hospitalizações e elevados níveis de ideação suicida. Justifica-se, portanto, que seja buscado como definição e como expressão de uma vivência para que seja identificada a ação terapêutica indicada especificamente para a necessidade.

No entanto, a definição de luto complicado não é simples, sobretudo se somada às distinções possíveis em relação a outras formas de luto. Encontram-se algumas delas relacionadas à intensidade e à duração, a partir da teoria que fundamenta a compreensão do fenômeno, e até mesmo de observações advindas da prática clínica (Rando, 1993 e 2013). Burke e Neimeyer (2013) dizem que a experiência dolorosa específica do luto pode ser expressa num *continuum* que tem em um extremo a resiliência, de maneira que o equilíbrio psicológico é obtido rapidamente após a perda, em concordância com Bonanno e Kaltman (1999). O ponto médio seria aquele vivido pela maioria dos enlutados, com sofrimento moderado, choque, angústia, tristeza; com o tempo, são capazes de se adaptar à perda. No outro extremo do *continuum*, em sua expressão mais séria, encontra-se o luto complicado, com sofrimento específico do luto, reações emocionais desconcertantes, lembranças invasivas do falecido, sensação de vazio e falta de sentido, além de incapacidade para aceitar a perda.

Encontro duas principais correntes na busca de uma definição. Uma é liderada pela pesquisadora estadunidense Holly Prigerson, que entende que luto complicado não implica um diagnóstico de transtorno mental, ao contrário do luto prolongado, condição que deve estar no DSM-5 (Maciejewski e Prigerson, 2017; Prigerson e Maciejewski, 2006 e 2017; Lichtenthal, Cruess e Prigerson, 2004). A outra corrente (Stroebe *et al.*, 2008a; Stroebe, Schut e Van den Bout, 2013b) entende que a perspectiva de Prigerson é muito estreita em sua definição e considera que luto complicado é aquele que apresenta um desvio significativo da norma social, em relação à duração ou à intensidade dos sintomas gerais ou específicos do luto, assim como em relação ao nível de prejuízo em áreas importantes como a social e a laboral.

Procurando distinguir luto complicado de luto prolongado, Prigerson *et al.* (1995b) elencaram os critérios para diagnóstico do que chamaram de transtorno de luto prolongado. São eles:

- *O fato*: luto por perda de alguém significativo.
- *Sofrimento pela separação*: a pessoa sente muita falta do falecido (saudade, busca, sofrimento físico e emocional resultante do desejo frustrado desse encontro) diariamente ou em um nível que impeça suas atividades.
- *Sintomas cognitivos, emocionais e comportamentais*: o enlutado apresenta cinco ou mais dos sintomas a seguir, diariamente ou em um grau que impeça suas atividades:
  - » confusão sobre seu papel na vida, diminuição do senso de *self*, sensação de que uma parte de si morreu;
  - » dificuldade de aceitar a morte;
  - » evitação do que faz lembrar a realidade da morte;

» incapacidade de confiar nas pessoas;

» amargura ou raiva em relação à morte;

» dificuldade de seguir com a vida (fazer novos amigos, desenvolver interesses);

» ausência de emoção, entorpecimento;

» sensação de que a vida está sem sentido ou vazia;

» sensação de atordoamento, choque ou aturdimento.

- *Tempo decorrido*: o diagnóstico não deve ser feito antes de seis meses da data da morte.
- *Danos*: o transtorno causa danos significativos em aspectos importantes da vida da pessoa, como responsabilidades que não consegue mais executar bem.
- *Relação com outros transtornos mentais*: o transtorno não é incluído nos diagnósticos de depressão, transtorno de ansiedade generalizada ou transtorno pós-traumático.

A função desses indicadores é mostrar ao clínico o caminho a seguir na tentativa de compreender a experiência de quem vive um luto e recorre à sua experiência. Eles não devem ser entendidos como partes de um protocolo a ser seguido sem considerações a respeito de inserção cultural, por exemplo.

Lichtenthal, Cruess e Prigerson (2004) descrevem o luto prolongado como aquele que indica resultados médicos e psicológicos graves, mais do que os da depressão, do transtorno de estresse pós-traumático e da ansiedade. Ou seja: entendem que se trata de um quadro específico, independentemente desses últimos. Prigerson, Vanderwerker e Maciejewski (2008) defendem enfaticamente que o luto prolongado identifica, sim, uma condição psíquica que requer ajuda profissional, diferentemente de luto complicado. Mann e Freed (2007) interessaram-se por conhecer o papel da tristeza no luto; para eles, ela de fato auxilia o processo, pela possibilidade de enfrentamento e significado. Entretanto, eles estavam interessados também em conhecer seus mecanismos psicológicos e neurobiológicos para saber se estes poderiam conduzir à depressão em situações de tristeza prolongada. Os autores diferenciam a tristeza – consequente a uma perda – da depressão, que pode até mesmo ocorrer em razão de uma perda, já ter histórico anterior a esta ou ser quadro alheio inespecífico a ela.

Com preocupação semelhante, Bonanno, Goorin e Coifman (2008) destacam a diferença entre o pesar próprio de um luto e a tristeza, bem como entre esta e a depressão. Consideram que são termos conceitual e fenomenologicamente similares, o que leva ao risco de serem usados indistintamente. Essa distinção é o ponto crucial a ser estabelecido quando se trata de investigar a vivência do luto de alguém e sua necessidade, ou não, de suporte profissional. A tristeza é emoção inerente a um processo de luto e deve ser considerada necessária como recurso adaptativo, porém sem desconsiderar que, em dadas situações, ela pode se transformar em pesar e, daí, em depressão.

Boelen e Prigerson (2007) estudaram adultos enlutados pelo viés do transtorno de luto prolongado, depressão e ansiedade, visando identificar pontos de tangência e divergência e o impacto de cada um na qualidade de vida dessas pessoas. Seus achados apontam para o risco de instalação de um quadro psiquiátrico decorrente do luto, desde que os dois aspectos – depressão e ansiedade – manifestem-se, sobretudo se antes da perda. Estudos paralelos ampliaram a questão e se ocuparam de distinguir o luto complicado do descomplicado (Boelen *et al.*, 2007) como construtos teóricos diferentes, porém sem obter clareza nessa distinção.

Prigerson, Vanderwerker e Maciejewski (2008) descrevem duas trajetórias possíveis para um processo de luto: ele pode encaminhar-se para um padrão de aceitação ou levar à instalação do transtorno do luto prolongado (TGP). Os autores entendem que o luto é um evento natural no ciclo vital, que afetará a todos, e asseguram que aproximadamente 80% das pessoas enlutadas chegam a aceitar a perda ao longo do tempo. Quanto à qualidade da relação do enlutado com o morto, consideram que, quanto mais próxima esta tenha sido com a pessoa que morreu, mais doloroso, complexo e prolongado será o processo de despedida. Holland *et al.* (2009), por sua vez, apontaram os cuidados necessários para a compreensão do luto e o que o diferencia do luto prolongado. Embora o fator tempo esteja presente na ideia de ser prolongado, a intensidade das reações também tem papel nessa diferença, segundo esses pesquisadores.

Posteriormente à publicação do DSM-5, em 2013, com a inclusão do transtorno de luto complexo persistente como um quadro ainda sem *status* de condição clínica relacionada a luto, por necessitar de mais pesquisas que lhe deem fundamentação, Stroebe, Schut e Boerner (2017) questionam quanto o processo de perda requer atenção médica, enquanto o pesar relacionado a ela, como eles o entendem, não necessita dessa atenção. Outro ponto que se destacou no DSM-5 foi que, no diagnóstico de depressão, o luto deixou de ser considerado critério de exclusão.

Considerando que o DSM anda a par com a *Classificação estatística internacional de doenças e problemas relacionados com a saúde* (CID), atualmente na décima revisão (CID-10), Stroebe, Schut e Boerner (2017) acrescentam que, nos estudos preliminares para a publicação da décima primeira revisão (CID-11)[6], o luto está

---

6. Lançada pela Organização Mundial da Saúde (OMS) em 18 de junho de 2018 para a adoção dos Estados-membros em maio de 2019 (durante a Assembleia Mundial da Saúde), entrará em vigor em 1º de janeiro de 2022. Essa versão é uma pré-visualização e permitirá aos países planejar seu uso, preparar traduções e treinar profissionais de saúde.

relacionado a problemas associados a ausência, perda ou morte de pessoas, sobretudo familiares. O luto complicado é introduzido como uma categoria do luto prolongado, tendo duração prevista de seis meses para seu diagnóstico; menor, portanto, do que o transtorno de luto complexo persistente, como no DSM-5, com duração prevista de 12 meses. Isso significa que o DSM-5 introduz um quadro clínico, o transtorno de luto complexo persistente, com a ressalva de que é necessário ser mais pesquisado, e que, no mesmo instrumento, luto deixa de ser considerado critério de exclusão no diagnóstico de depressão. A definição de luto complicado passa pela descrição do luto prolongado, conforme abordado por Prigerson *et al.* (2009).

Na minha prática clínica, considerando todo o estudo que faço acerca do luto em suas diferentes expressões e contornos, busco essa fundamentação para tomar decisões, porém não me aprisiono a uma categoria em um manual diagnóstico. É evidente que não adoto uma postura errática ou desordenada, uma vez que sei das consequências de uma decisão equivocada. Tampouco desconsidero os estudos feitos com rigor para chegar a uma descrição do fenômeno. Pelo contrário, eu os respeito e a eles recorro para me posicionar, porém vejo que o pensamento clínico me permite contrastar posições e buscar fundamentos teóricos que sustentem minhas decisões.

Sobre efeitos e resultados

Por meio de revisão da literatura, Currier, Neimeyer e Berman (2008) preocuparam-se em avaliar a eficácia das intervenções oferecidas a pessoas enlutadas. Analisaram aspectos da eficácia absoluta das intervenções imediatamente após sua realização e nas avaliações de acompanhamento, assim como vários dos moderadores de resultado (clínicos e teóricos) e mudanças ao longo do tempo, tanto com quem recebeu o cuidado como com o grupo-controle. Os resultados indicaram que intervenções feitas em seguida à perda apresentaram alguns efeitos, mas não foi constatado benefício na avaliação de acompanhamento. No entanto, as intervenções feitas com enlutados que tinham clara dificuldade de se adaptar à perda apresentaram resultados favoravelmente comparados à psicoterapia para outras dificuldades, demonstrando a importância de uma abordagem específica para a população em questão.

Boelen e Van den Bout (2008) ocuparam-se também de, uma vez diagnosticado o luto complicado, identificar a melhor abordagem terapêutica, entre terapia cognitivo-comportamental e terapia de apoio (sem meta dirigida). Seus resultados indicaram a necessidade de mais pesquisas, mas preliminarmente apontam para a existência de outras variáveis para a escolha da técnica, como gênero e fatores de risco, incluindo o tipo de morte. Ou seja, é necessário um refinamento do pensamento clínico dirigido à formulação do problema de pesquisa a ser investigado.

Neimeyer organizou ainda duas publicações sobre terapia do luto: uma com destaque para práticas criativas; outra, para avaliação e intervenção (Neimeyer, 2012 e 2016). Em ambas, encontram-se técnicas as mais diversas: o uso de recursos para compreender o processo de forma codificada e sistematizada (Milman, Neimeyer e Gillies, 2016); uma perspectiva desenvolvimental (Neimeyer e Cacciatore, 2016); os cuidados para o luto do cuidador (Prashant, 2012); os recursos corporais (Chan e Leung, 2012). Em concordância com o formato das publicações, as experiências são apresentadas resumidamente, mas sem prejuízo de sua fundamentação e da crítica sobre a aplicação. A diversidade das técnicas não significa que a simples leitura capacite o profissional para aplicá-las. Não há técnica que seja utilizável se não estiver teoricamente fundamentada e eticamente sustentada. Discuti o trabalho de Chan e Leung (2012), especificamente, no Capítulo 3 deste livro, porque entendi sua relevância por trazer uma experiência vinda da Ásia, envolvendo uma ação terapêutica corporal e que claramente apresenta as recomendações e as restrições sobre sua aplicação.

O que esses achados nos indicam? Inicialmente, quero destacar que não há fatores únicos que tenham peso absoluto para concluir que esta ou aquela ação seja benéfica ou produza efeitos inquestionáveis. Neste livro, fica clara a importância de ter no luto uma experiência complexa que pode também ser simples, cabendo a imposição para seu conhecimento cuidadoso. O período decorrido entre a morte do ente querido e o início da intervenção terapêutica tem peso relativo, porque, enquanto o tempo passa, a pessoa em luto vive outras questões, atende com maior ou menor facilidade às suas demandas da vida diária, conta com uma rede de apoio suficiente ou não, enfim, passa por todos os aspectos que entram na vivência daquele luto.

Nas ações terapêuticas para o luto, cabe também o recurso a abordagens não tradicionais, porém cuidadosamente fundamentadas, e sua originalidade se valida ao ousar experimentar e avaliar os efeitos. Cito, por exemplo, a terapia corporal, que, mesmo não sendo utilizada em casos de luto, pode ser usada também nesse contexto, com validação oficial pela academia (Lima e Bouqvar, 2014; Pandolfi, 2018). Kosminsky e McDevitt (2012) e Silva (2019) utilizam a dessensibilização e o reprocessamento por movimentos oculares (*eye movement desensitization and reprocessing* – EMDR), sendo o luto um campo recente e ainda pouco explorado para essa técnica. Menezes (2017) adotou a linguagem cinematográfica ao trabalhar com um grupo de pessoas enlutadas, a fim de ampliar os recursos de comunicação entre o grupo e deste com o terapeuta. Eram exibidos trechos de filmes cuidadosamente escolhidos, com o objetivo de tocar em pontos sensíveis trazidos pelo grupo e facilitar o acesso à vivência do luto.

Como defendo, aprender uma técnica não se restringe a ler a respeito e começar a aplicá-la com apoio exclusivo no resultado imediato de sua execução, sem considerar as necessidades epistemológicas que deram sustentação a ela, o preparo supervisionado para fazer uso dela e um rigoroso pensamento crítico acerca do assunto. Consequentemente, apresenta-se a questão sobre o uso determinado pela técnica ou pelo técnico (o profissional). A pessoa em luto talvez não se preocupe em saber se sua experiência está descrita em algum manual. Os profissionais podem não ter parâmetros para avaliar suas ações e competências, especificamente voltadas para o cuidado ao enlutado.

Jordan e Neimeyer (2003) afirmam que a maioria dos profissionais considera seu trabalho eficiente, necessário e benéfico para pessoas em luto, percebendo a si mesmos como competentes para isso. No entanto, tais percepções nem sempre são corroboradas por quem recebe os cuidados. Consequentemente, os autores recomendam que os profissionais da área, tanto clínicos como pesquisadores, direcionem seus esforços para responder quando e para quem a terapia é verdadeiramente uma ajuda.

Boelen *et al.* (2007) pesquisaram os efeitos da terapia cognitivo-comportamental e da terapia de apoio em pessoas diagnosticadas com luto complicado. A primeira se mostrou mais eficaz, principalmente quando associada à técnica de exposição, também utilizada na pesquisa. A terapia de apoio, por sua vez, não apresentou bons resultados para pessoas em luto complicado. Concluo que a técnica requer uma conjugação eficiente com o tipo de luto vivenciado.

Butler e Northcut (2013) também compararam técnicas para o tratamento de pessoas com luto complicado após constatarem que havia apenas estudos separados com abordagens psicodinâmicas e cognitivo-comportamentais. Ao utilizar as duas técnicas conjuntamente, obtiveram resultados favoráveis sobretudo em casos de sentimento de culpa, luto inibido e ajustamento às demandas da vida após uma perda. A explicação para isso reside na constatação de que, nas condições mencionadas, o enlutado se beneficia da flexibilização na adaptação à vida quando vive um luto.

Atendimentos em grupo para pessoas enlutadas não precisam ser realizados por profissionais da psicologia. Grupos de autoajuda, conduzidos por enlutados sem suporte de um profissional da área, por vezes são benéficos. Porém, Lieberman (1993) já chamava a atenção para a necessidade de se observarem cuidados éticos em tais atendimentos, revendo seus métodos e pressupostos: há riscos quando o grupo de autoajuda assume uma direção autoritária, que se torna um impeditivo para a verdadeira troca que está na essência dessa atividade.

Minha experiência permite ressaltar que ações em grupos para enlutados que estejam moldadas ideologicamente podem apresentar entraves à liberdade de experimentação das mudanças em um processo de luto. Se o trabalho oferecido estiver relacionado a alguma religião ou outra forma de afiliação que implique ao enlutado a aceitação de tais premissas, encontro riscos de insucesso, além de infração do código de ética profissional, como também Gomes (2019) constatou em sua pesquisa.

A questão basal quando se pensa na modalidade de terapia que deve ser oferecida à pessoa em luto é se se trata de domínio da técnica ou de experiência pessoal com perdas e lutos. O que de fato ajuda quem precisa de auxílio no enfrentamento de suas perdas?

Talvez a história dos estudos sobre luto possa elucidar essas perguntas. Em 1995, publiquei uma tese de doutorado fundamentada na proposta de que haveria uma situação que sinalizaria a resolução do luto, o que tampouco se aceita integralmente (Stroebe, Schut e Boerner, 2017). Klass, Silverman e Nickman (1996) defendem que os vínculos contínuos não implicam uma vivência não saudável de um luto. Moos e Moos (1996) fizeram uso dessa visão ao falar da experiência da viuvez: é possível que a pessoa enlutada se case novamente sem que o vínculo com o cônjuge falecido se torne desprovido de significado. Nesse caso, constrói-se uma tríade, o que implica a necessidade de a nova relação suportar conviver com uma história já vivida.

Investigando se o vínculo contínuo é ou não fator de risco para o luto complicado, Field e Filanosky (2010) consideram possível que o enlutado mantenha vínculos afetivos com o falecido, desde que isso não signifique a negação da morte. Irwin (2018) atualiza esse entendimento ao levar em conta a função das redes sociais como o *locus* de relação, homenagem e expressão sobre e para os falecidos. A abordagem de Kasket (2018) é semelhante: em uma sociedade na qual o analógico pode ser substituído pelo digital, em seu significado e função, um vínculo com uma figura significativa, com quem o enlutado manteve uma relação cheia de experiências e significados, não termina com a morte. Stroebe e Schut (1999) contribuíram para esse entendimento quando apresentaram o modelo do processo dual para o luto, por meio do qual entendem que, não sendo este um processo linear, voltado para um momento de finalização, com a abertura para novos vínculos o enlutado pode oscilar entre a perda e a restauração, possibilitando assim a construção de significados para o acontecimento e localizando em sua biografia um espaço para manter o ente querido falecido.

Com esse percurso em mente, é possível pensar em como trabalhar para que a pessoa ou comunidade em luto assuma o protagonismo dessa vivência. O profissional, por sua vez, desempenha o papel de promotor e facilitador de saúde, fazendo uso dos atributos elencados no início deste capítulo. A fundamentação teórica permite-lhe que se coloque com segurança diante do uso de uma técnica, mas sem se esquecer de que ele também vive suas questões sobre morte e luto. Daí a necessidade de amparo ético – a par com o técnico, como apontado anteriormente.

Ações terapêuticas intermediadas pela tecnologia

Nas últimas décadas, a internet obteve reconhecimento no cuidado da pessoa em luto não apenas pela sua disseminação, mas também pela validação das experiências publicadas em periódicos científicos de credibilidade. Hensley (2012) identificou que as comunidades construídas e mantidas na internet se revelaram um importante meio de suporte para aqueles que vivem um luto não reconhecido, uma vez que nelas é possível estabelecer conexões significativas por meio de identificação ou semelhança. O sentimento de pertencer a determinada comunidade amplia o contato empático, que pode acontecer mesmo não sendo uma relação presencial.

McEwen e Scheaffer (2013) chamam a atenção para o valor terapêutico do espaço virtual, pela possibilidade que apresenta ao enlutado de construir a memória do ente querido falecido e de seu vínculo com ele. Mesmo tendo sido feita antes da pandemia de Covid-19, essa pesquisa tem particular relevância para a compreensão do luto em seu contexto: devido às restrições sanitárias pelo coronavírus, os rituais fúnebres foram reduzidos ou até mesmo impedidos. Como alternativa, as famílias passaram a recorrer aos recursos tecnológicos.

Bousso *et al.* (2014) identificaram o Facebook como um novo espaço para a manifestação de uma perda significativa e, consequentemente, a obtenção de uma rede de apoio e a ressignificação do processo de luto. É possível encontrar opções de ações terapêuticas de fácil acesso por meio da rede social mediante iniciativa pessoal, ou seja, sem passar por uma avaliação diagnóstica. Ao pesquisarem o processo de adoecimento e morte de um cônjuge, Frizzo *et al.* (2017) observaram que a internet pode ser um lugar seguro para a expressão de pesar e luto. Considerando esses dois estudos, entende-se que o recurso às redes sociais pode ser benéfico para enlutados, independentemente da faixa etária.

Pesquisando páginas com caráter memorialístico encontradas no Facebook, Irwin (2018) identificou que elas podem contribuir para a proposta de Klass, Silverman e Nickman (1996) sobre vínculos contínuos. Kasket (2018) afirma que o espaço cibernético tornou-se o novo lugar onde as memórias são guardadas e compartilhadas.

Em 2020, em consequência da necessidade de isolamento social devido à pandemia de Covid-19, os atendimentos psicológicos passaram a não ser mais presenciais, modalidade em que costumavam ser feitos e nos quais se baseiam pesquisas, relatos e reflexões sobre a prática clínica. Em vista do novo contexto, o Conselho Federal de Psicologia (CFP) publicou a resolução 04/2020, a respeito dos requisitos para os atendimentos *on-line*, ressaltando a necessidade de cadastro dos psicólogos no CFP para que pudessem atuar nessa condição.

Também com o surgimento da pandemia de Covid-19 e das consequentes medidas de isolamento, o Museu da Língua Portuguesa da Secretaria de Cultura e Economia Criativa do Estado de São Paulo, em parceria com o LELu, criou o projeto A Palavra no Agora. O objetivo é oferecer um espaço virtual para a expressão e ritualização da experiência da perda, uma vez que a impossibilidade de se despedir e viver os rituais representa um sério risco para a evolução de um luto normal[7].

São muitas as possibilidades de comunicação e expressão de um luto intermediadas pela tecnologia. Os efeitos de seu uso, como os de qualquer ferramenta, podem ser benéficos ou não, mas é inegável que se abriu uma porta para percursos há pouco tempo não imaginados, para a movimentação de uma experiência de perda que, antes, poderia ser adiada ou mesmo não reconhecida.

Atendimento a famílias em situação de luto

McCrae e Costa Jr. (1993) investigaram a resiliência na viuvez de homens e mulheres por meio de um estudo longitudinal com duração de dez anos e identificaram que, após um período de reações de intenso pesar, os viúvos voltavam ao nível original de bem-estar, comparável àquele de pessoas não enlutadas. Esse estudo faz pensar que o agente de transformação e o facilitador do processo foram o tempo, o que não foi comprovado. Não houve uma categorização da população estudada quanto ao tipo de morte e outras variáveis importantes para a identificação de fatores de risco e de proteção; além disso, o período de dez anos é muito longo para que fatores intervenientes específicos ao luto sejam observados, uma vez que o desenrolar da vida se encarrega de oferecer experiências com potencial restaurador, sem contar a fase do ciclo vital de cada um dos viúvos e viúvas.

Essa pesquisa é citada aqui para demonstrar a importância dos fatores de risco e de proteção no enfrentamento de um luto sempre que se considera determinado segmento populacional. Eles estão presentes no projeto terapêutico até mesmo

---

7. A página do projeto A Palavra no Agora é: <https://noagora.museudalinguaportuguesa.org.br/>.

como parceiros do terapeuta, como sinalizadores do andamento do processo, conjugando-se para a obtenção de resultados positivos.

O cuidado do luto de famílias chama a atenção pelo fato de que considerar tal processo nesse âmbito relacional específico é uma proposta relativamente nova no cenário das ações terapêuticas (Brown, 2001; Milberg *et al.*, 2008). Na experiência de uma perda, o modelo centrado no enlutado se manteve por muito tempo até que se evidenciasse a realidade da família como um sistema vivo, que também enfrentava perdas e era o primeiro provedor de suporte para o indivíduo em luto (Delalibera *et al.*, 2015a).

McGoldrick (1991) valoriza a observação das experiências familiares com o luto, argumentando que elas ressoam ao longo de gerações. Ao trabalhar com famílias e investigar as perdas ocorridas em gerações precedentes, é possível dar voz aos segredos guardados, relativizando a necessidade de serem mantidos no presente. Assim, a família enlutada pode identificar o que é próprio do luto em questão e entender o lugar das influências multigeracionais em seu processo de enfrentamento e de construção de significado. Alguns fatores facilitam essa elaboração pela família: estrutura familiar flexível, boa comunicação, conhecimento sobre a doença, sintomas e possibilidade de alívio e conforto, boa rede de apoio na família estendida e na comunidade (Franco, 2008).

Mais recentemente, com vistas a identificar famílias em risco de luto complicado, Lichtenthal e Sweeney (2014) também consideraram a ressonância do luto ao longo de gerações, reafirmando o que Coleman (1991) disse em sua especificidade de influência multigeracional mesmo em família de adictos, mas enfatizando as condições de funcionamento da própria família, como comunicação, hierarquia, funcionalidade e coesão. As autoras destacam que famílias em conflito – ao longo da doença ou após a morte de um de seus membros – beneficiam-se muito da terapia familiar para o luto, desde que sejam considerados seu modo de funcionamento e outras questões, como o papel do falecido no grupo. Ressaltam, ainda, que condições socioeconômicas têm peso na identificação do risco, bem como situações de vulnerabilidade social.

Portanto, considerando o exposto, compreendo que, para oferecer ações terapêuticas a famílias enlutadas, sobretudo por morte violenta e repentina, como assassinato e latrocínio, é imprescindível conhecer o seu funcionamento e as situações que as colocam em risco de adoecimento, mesmo antes da experiência de um luto. Na realidade brasileira deste século, com níveis crescentes de violência urbana e doméstica, a terapia familiar voltada aos enlutados pode necessitar dialogar com outros atores, como a justiça, o direito e a assistência social, compondo assim uma oferta de suporte e intervenção que possibilite a resiliência e ações de cidadania, ampliando o repertório de respostas adaptativas de todos os membros da família. O movimento que visa à integração dessas práticas vem sendo observado particularmente desde o final do século 20, por exemplo, com a criação do Centro de Referência e Apoio à Vítima (Cravi), órgão da Secretaria da Justiça e Cidadania do Estado de São Paulo, com ação integrada de três campos: psicologia, serviço social e direito.

Em outro contexto, o dos cuidados paliativos, Kissane e Hooghe (2001) ressaltam a importância de as famílias de pacientes terminais em risco de luto complicado fazerem terapia ao longo da experiência de luto antecipatório. Os autores consideram o *Family Relationship Index*, desenvolvido por Rudolf H. Moos e Bernice S. Moos em 1981, um instrumento sensível para essa finalidade, pois ele informa sobre coesão, expressão de emoções e pensamentos, assim como sobre formas de resolução de conflitos.

Kissane (2014) destaca os aspectos que influenciam a resposta ao tratamento por parte de uma família em luto: sua cultura, seus costumes e seus tabus; sua experiência diretamente relacionada com a morte – por exemplo, se esta foi antecipada, estigmatizada, inesperada, traumática; as tradições familiares que constroem um padrão de resposta multigeracional, seja ao oferecerem conforto e evitarem a dor, seja por provocarem distorções por meio de culpabilização, idealização, medo ou fatalismo; a existência de mecanismos de prolongamento, que mantêm as lembranças imutáveis ou imobilizadas; e sua rede de apoio, que efetivamente pode conectar ou alienar os membros da família.

Essa compreensão sugere a direção a ser tomada na terapia familiar, consistente com a proposta de Stroebe e Schut (1999) sobre a oscilação entre perda e restauração. Baseia-se também na teoria do apego (Bowlby, 1978a, 1978b e 1981), considera o conceito de mundo presumido e suas transformações após uma perda (Kauffman, 2002; Parkes, 1998 e 2009) e trabalha com grupos (Lieberman, 1993; Rynearson e Sinnema, 1999).

Kissane e Hooghe (2011) consideram os seguintes objetivos da terapia familiar para o luto:

- Reconhecer que doenças, perdas e mudanças causam as emoções humanas naturais para o luto, junto com um ponto de transição representado pela oportunidade de revisão, reconexão e reconfiguração.
- Explicitar os padrões relacionais da família, vistos nas suas conexões significativas (pontos fortes), que invariavelmente se equilibram com as diferenças de interesse, temperamento e desejo de se ajustar, diferenças essas que criam desacordo e tensão na vida familiar (vulnerabilidades).
- Fortalecer a aceitação das heranças e da identidade familiar – quem são e quem querem ser –, ao mesmo tempo esclarecendo os caminhos possíveis para o cuidado e o respeito mútuos, o reconhecimento de semelhanças e

diferenças (aceitação da realidade), a adoção de compromisso, a aceitação e a capacidade de perdoar, assim como a proximidade ou o distanciamento que ocorre com a continuidade de uma vida em relação (a escolha construtiva de um resultado). Uma vez que a família continua em relação mesmo após o encontro terapêutico, o que foi tratado nesse encontro passa pelo filtro da aceitação, por todos terem feito a escolha, o compromisso, por enfrentarem suas questões para obter um resultado positivo.

- Apoiar a família ao longo de um período de revisitar-se, reconectar-se, reconciliar-se e reconfigurar-se durante a vivência de um luto, adaptando-se à sua escolha de uma vida que passou por mudanças.

Hooghe e Migerode (2016) observam o passo delicado que é incluir a família num processo terapêutico inicialmente individual, seja porque o paciente não percebe receber o apoio familiar, seja por ser o emissário de sua família na procura de terapia. Por outro lado, destacam que há situações nas quais estar em terapia familiar ou ter outra pessoa da família presente nas sessões não possibilita o nível de privacidade necessário para alguém se beneficiar delas. Outro ponto a ser observado é a segurança teórica e técnica do terapeuta para trabalhar com grupos ampliados de pessoas. Dessa forma, os autores recomendam que já num primeiro contato o enlutado seja questionado sobre haver alguém que gostaria que viesse junto. Ressaltam que não se trata, porém, de terapia familiar, mas de uma expansão do sistema de suporte do indivíduo, podendo incluir ou não um membro ou mesmo a família assim considerada por ele.

Essa experiência é trazida para se considerar o que é definido como família e o que essa definição implica para a abordagem do terapeuta. O chamado sistema expandido descrito por Hooghe e Migerode (2016) apresenta, segundo eles, vantagens evidentes do ponto de vista sistêmico. A hesitação em aceitar a presença de uma pessoa significativa em um processo terapêutico deve ser levada em conta na compreensão do contexto relacional daquele processo de luto.

A partir do exposto, ressalto os aspectos a ser considerados em um primeiro contato em busca de terapia. Quem fez esse contato: a própria pessoa ou alguém que fala por ela? Como a demanda se apresenta? Quem deve ser chamado para estar na primeira entrevista? Considero a primeira entrevista uma extensão desse primeiro contato, pelas oportunidades que oferece de dar continuidade ou aprofundar informações necessárias para o delineamento do projeto terapêutico.

Na primeira entrevista, busco obter informações importantes por meio da observação atenta, que me permitirão entender o contexto para me decidir pela forma de intervenção. A percepção detalhada do problema pode requerer mais de uma entrevista e continuar a oferecer informações além daquelas explicitadas, pois o olhar atento do terapeuta observa os padrões de interação. Essa postura possibilita-me avaliar e distinguir a demanda, que pode surgir tanto de perdas recentes como de outras mais antigas. É decorrência natural também identificar pontos cruciais do funcionamento familiar (comunicação, responsividade afetiva, coesão), ao mesmo tempo que apreendo o comportamento dos membros da família em diferentes situações (vida diária, compartilhamento de responsabilidades). É na condução de uma escuta ativa e, ao mesmo tempo, na busca de compreensão daquela narrativa que essas informações são obtidas, e não por meio de um questionário ou um roteiro de perguntas.

Recorro ao que recomendam Kissane e Bloch (2003) e Kissane (2014) quando destacam o papel do terapeuta como aquele que está junto da família, realiza uma avaliação relacional do funcionamento familiar, revê influências multigeracionais, explora valores e identidades familiares e mantém o foco realístico na terapia já a partir do primeiro contato. Essa postura visa obter melhoras na comunicação, prevenir a depressão e o transtorno de luto complicado e promover a reorganização familiar diante da realidade da perda. A realização conjunta do genograma é outro recurso importante para o conhecimento aprofundado de um grupo familiar e não deve ser considerada dispensável.

Concordo com Walsh e McGoldrick (1991) quando afirmam que o terapeuta que se propõe a trabalhar com famílias não pode abrir mão desses recursos para localizar a realidade daquela família, levando em conta:

- *O momento do ciclo vital*: em cada período desse ciclo, diferentes objetivos são afetados pela perda.
- *Os valores e o sistema de crenças familiares*: a herança sociocultural de valores e tradições é específica de cada família, bem como suas atitudes em relação à morte e ao morrer, seus rituais para a morte e o luto e seus padrões de comunicação sobre este.
- *O papel da pessoa falecida na família*: cada papel carrega um conjunto de expectativas que se perdem com a morte.
- *A natureza da morte*: testemunhar uma morte violenta, por exemplo, é fator de risco para o luto complicado, ao passo que mortes repentinas não permitem despedidas nem a construção de imagens mentais do futuro sem a pessoa falecida.
- *A idade da pessoa que morreu*: a morte de um idoso é considerada esperada, ao passo que a morte de uma criança ou adolescente é impensável e a de um bebê ainda na fase gestacional apresenta o luto pela perda da oportunidade de ser pai ou mãe.
- *A existência de um luto não reconhecido*: seja pelo sistema familiar, seja pelo contexto que o avalia.

- *Outros fatores que afetam o processo*: nível educacional, condição financeira, recursos espirituais e da comunidade, isolamento social.

Labate e Barros (2006) relatam a experiência de um atendimento domiciliar a uma pessoa enlutada e sua família. Ainda que não planejada, essa experiência possibilitou a abertura de um canal de comunicação entre o grupo, facilitando a ressignificação da perda a todos os membros e auxiliando na construção de uma nova configuração entre eles. Foi, sem dúvida, um ganho importante para a intervenção; porém, para ser efetivamente terapêutico, exigiu do profissional experiência tanto com atendimento a famílias como em situação domiciliar.

Embora tenha sua especificidade, a vivência de adoecer, quando ocorre juntamente com o processo de envelhecimento, compõe-se com o luto no contexto da família e nele precisa ser considerada, a fim de serem buscadas ações terapêuticas de envergadura e oferecidos cuidados pela família (Kreuz e Franco, 2016 e 2017). Embora natural, o processo de envelhecer afeta fortemente a todos, seja pela necessidade de adaptação que desencadeia, seja pelas profundas reações emocionais vivenciadas por todos os afetados. Chama-se a atenção, assim, para a importância de um olhar detalhado às famílias nas quais há uma relação de responsabilidade ou de cuidado com uma pessoa idosa, assim como para o próprio idoso, que corre o risco de ver suas demandas minimizadas. Tudo isso pode colidir com outras crises que a família enfrenta, ocasionando ao idoso grande sofrimento em seu adoecimento e consciência da finitude.

Na situação de pandemia de Covid-19, Eisma, Boelen e Lenferink (2020) propõem que se deva considerá-la um luto prolongado, embora apontem que é necessário haver clareza de um diagnóstico diferencial, sobretudo em relação à ansiedade e à depressão, para que a ação terapêutica não seja equivocada. Por sua vez, Wallace *et al.* (2020) envolvem paciente e família nessa vivência, incluindo nela o luto não reconhecido e o luto antecipatório. Assim, a proposição para a terapia familiar se aplica integralmente aos enlutados em razão do coronavírus, ressaltando-se, ainda, as diversas ocorrências de morte de muitas pessoas de uma mesma família em um curto tempo, o que dá à experiência contornos de uma crise e, portanto, demanda cuidados especificamente modelados para isso.

Luto antecipatório em cuidados paliativos

Como um desdobramento da atenção oferecida à família, encontra-se a experiência de viver um luto antecipatório a partir do diagnóstico de uma doença que ameaça a vida. Vale chamar a atenção para a definição de luto antecipatório, entendido como o processo que acompanha a doença, não sendo exclusivo do período próximo à morte (Franco, 2008, 2009, 2014, 2016a e 2018).

Rando (1986) vem há décadas abordando a importância de cuidar do luto antecipatório, tendo sido acompanhada por Doka (2000), Clukey (2008), Toyama e Honda (2016), entre outros pesquisadores e clínicos. A ênfase está em reconhecer a importância dessa experiência para o paciente e sua família, assim como seu papel na prevenção do luto complicado após a morte. O lugar do cuidador principal também deve ser destacado, por se tratar de alguém que coloca em risco sua saúde para se dedicar aos cuidados do paciente, como constatado por Pereira (2014), Delalibera *et al.* (2015b) e Delalibera, Barbosa e Leal (2018).

Connor (2000) ressalta que esse período de luto antecipatório apresenta muitos desafios, de forma que as ações propostas precisam priorizar mecanismos de defesa que impeçam um sofrimento que pode ser evitado. Kissane e Hooghe (2011) chamam a atenção para o lugar da família, sobretudo pela ênfase que colocam no papel preventivo do luto antecipatório durante os cuidados paliativos diante do luto complicado após a morte. Flach *et al.* (2012) focalizam a experiência de luto antecipatório em uma unidade de cuidados intensivos pediátricos. Esses pesquisadores ressaltam que todos esses públicos devem receber atenção.

Giacomin, Santos e Firmo (2013) têm como foco a experiência particular da pessoa idosa diante da proximidade da própria morte. Para tanto, utilizam o termo "luto antecipado", com o qual não concordo, uma vez que se refere ao acompanhamento do processo de uma doença, e não a trazer para o presente o momento da morte. No caso do idoso, são vividas muitas reflexões sobre a experiência de adoecer e a consequente mudança de identidade com novas necessidades. A família acompanha esse processo, mesmo sendo uma vivência tão particular do idoso, que questiona significados e o impacto que seu envelhecimento causa naqueles com os quais se relaciona.

Destaco, em relação ao luto antecipatório, a necessidade de se abrirem os canais de uma comunicação compassiva, que facilite a abordagem de temas difíceis, mesmo que o objetivo não seja solucionar todas as pendências familiares, mas eventualmente avançar em direção a situações mais doloridas. Nem sempre é fácil falar sobre diretivas antecipadas de vontade, nem sempre as famílias vivem sem segredos, portanto essa posição do terapeuta é de vital importância. A respeito das intervenções possíveis para o processo de luto antecipatório, destaco o apontamento de Parkes (2009, p. 287) sobre a importância de buscar "terapias que facilitem a expressão emocional naqueles indivíduos que não conseguem se enlutar e terapias que facilitem a restauração do mundo presumido em pessoas que não conseguem sair do processo de luto".

Importante é também o papel dos profissionais paliativistas na prevenção do luto complicado, pela atenção que dão à família e ao paciente (Braz, 2013; Braz e Franco, 2017). Propiciar o controle dos sintomas é essencial em cuidados paliativos, mas dar voz à unidade de cuidados também tem papel decisivo no processo. O olhar para a família do paciente requer desenvolvimento de atitudes favoráveis por parte da equipe, bem como seu preparo técnico (Larson, 2000).

Preocupados com os riscos de luto complicado, Hudson *et al.* (2012) publicaram diretrizes para a atenção às famílias em cuidados paliativos, apresentando orientações importantes e factíveis e, sobretudo, chamando a atenção para a necessidade de se dar voz a elas no processo da doença. Os autores destacam a importância de observar que o sofrimento se dá em diversos âmbitos – social, psicológico, espiritual, financeiro –, que devem ser considerados.

Com o surgimento da pandemia pela Covid-19, o lugar do cuidador familiar em cuidados paliativos assume posições extremamente desafiadoras (Kent, Ornstein e Dionne-Odon, 2020). Há doentes que não necessitam de internação, recaindo sobre o cuidador familiar o peso de uma responsabilidade não desejada. Diante da pandemia, os protocolos para situações de crise precisaram ser redefinidos e refinados, para que fossem consideradas não apenas questões relacionadas à maneira de os cuidadores familiares exercerem seu papel, mas também suas condições de saúde e bem-estar.

O primeiro desafio está nas consequências do afastamento social, que pode agravar as condições de saúde desse cuidador familiar e provocar nele sentimentos de solidão e medo pelo risco de prover cuidados inadequados. Sabemos que boa parte das famílias não tem acesso aos recursos tecnológicos que poderiam oferecer informação e tranquilizar o cuidador quanto aos riscos de contágio e acompanhamento da pessoa com Covid-19.

O segundo desafio está presente no gerenciamento financeiro da família. Se o cuidador familiar não puder exercer seu trabalho em casa, seja por qual for o motivo, terá de optar entre perder o emprego ou sair para trabalhar e se expor à contaminação. Em nenhuma dessas situações ele será protagonista de suas escolhas. Além disso, ao ficar em casa, pode lhe caber cuidar da higienização segundo os protocolos de segurança, ajudar com as atividades escolares dos filhos, fornecer cuidados aos demais membros da família e organizar o cotidiano de todos.

Por fim, o terceiro desafio para o cuidador familiar está em manter o equilíbrio entre as decisões a ser tomadas quanto às práticas sanitárias e suas necessidades de cuidados à saúde. Caso haja menor disponibilidade para os seus exames médicos de rotina, o cuidador poderá ficar temeroso de se expor a situações de risco e em dúvida sobre estar ou não se decidindo pelo melhor. Conte-se como fato a pressão sobre a saúde mental desse cuidador familiar, com reflexos na atenção ofertada à pessoa com Covid-19.

Quais são, então, as necessidades de suporte ao luto desse cuidador familiar? Não são diferentes daquelas de outras doenças acompanhadas pelos cuidados paliativos, mas há algumas especificidades a ser consideradas para que o luto antecipatório continue tendo seu papel de fator de proteção em relação ao luto complicado após a morte. A incerteza do desenrolar da doença pesa muito sobre o cuidador familiar, que tem dificuldade de estabelecer um mínimo de previsibilidade ou de fatores constantes. Como em outras situações de cuidados paliativos, o acompanhamento pela equipe ao longo da doença gera efeitos positivos (Franco, 2008; Kissane e Hooghe, 2011; Hudson *et al.*, 2012).

Wallace *et al.* (2020), ao abordarem a experiência do luto por Covid-19 em cuidados paliativos, falam, compreensivelmente, em luto antecipatório e em luto não reconhecido. Em qualquer uma dessas condições, o foco está na família, em vez de no indivíduo isoladamente; isso ocorre não apenas pela natureza desse luto, mas pelo impacto desorganizador da doença sobre as famílias. Os autores analisam a pandemia de acordo com seu impacto inicial, com o isolamento social, o aumento do número de mortes e o colapso do sistema de saúde, levando em conta também a mescla entre luto antecipatório e luto complicado, e apresentam propostas de ação terapêutica específica para o contexto.

Para o momento inicial da pandemia, cuidando do luto antecipatório, Wallace *et al.* (2020) recomendam que sejam colocadas em ação medidas que visem preparar pacientes e familiares para a possibilidade da morte, a fim de prevenir o luto complicado. Os autores ressaltam a importância da comunicação sobre as emoções, para validar, reconhecer e atender às respostas emocionais. Como muitas famílias têm dificuldade de expressá-las e nomeá-las, é importante que esse aspecto do luto antecipatório seja tocado com cuidado. Diante do avanço da pandemia e das medidas de isolamento social, Wallace *et al.* (2020) recomendam que as conversas sobre temas sensíveis e difíceis sejam iniciadas e mantidas, com o enfrentamento das emoções, do luto antecipatório, do pesar e do sofrimento que acompanham o paciente e a família. No caso de luto antecipatório, estar perto da unidade de cuidados facilita a comunicação paciente-família e família-equipe de assistência, possibilitando mediar um enfrentamento difícil que pode apresentar risco de luto complicado após a morte.

Assuntos relativos ao planejamento da vida da família após a morte do paciente também são recomendados, considerando o ciclo vital e questões financeiras. Nas conversas sobre as medidas antecipadas de cuidado, recomenda-se que sejam abordados os rituais e celebrações fúnebres desejados, assim como as práticas espirituais ou religiosas. Medidas de autocuidado para os familiares são recomendadas, pelo fato de eles se envolverem nos cuidados ao paciente e estarem expostos a situações geradoras de estresse, o que aponta para o risco de luto complicado. Essa recomendação é particularmente importante diante das medidas de biossegurança implantadas no Brasil a partir de março de 2020, com limitações ou restrições às práticas tradicionais dos rituais fúnebres, requerendo que se busquem alternativas para que os benefícios advindos de seu significado sejam alcançados, mesmo que não integralmente.

Embora com esse destaque final para o luto antecipatório e sua relação com as mortes decorrentes da Covid-19, quero chamar a atenção para a questão das diretivas antecipadas de vontade (Dadalto, Tupinambás e Greco, 2013; Dadalto, 2015), que não se aplicam unicamente a situações relacionadas à pandemia. Enfatizo a importância de os familiares e a pessoa adoecida conversarem sobre assuntos relacionados ao progresso da doença (seja qual for) sem que essa conversa (ou conversas) seja restrita a um agravamento ou à proximidade da morte. Ela se aplica a situações de estado vegetativo persistente ou de doenças crônicas incuráveis, que venham a impossibilitar a manifestação livre e consciente de sua vontade.

Essa é uma conversa para ser tida em família e com as pessoas significativas, mesmo que não exista doença no horizonte. Tendo experiência em acompanhar pessoas e seus familiares ao longo de uma doença (Franco, 2009 e 2014), encontro o temor de tocar em assuntos que ofereçam a essa unidade de cuidados o protagonismo que lhe cabe. O temor pode parecer injustificado, e é nesse terreno que o suporte profissional sensível e atento tem lugar. Será necessário tocar em temas-tabu, como decidir sobre ações quando o paciente não contar mais com autonomia de decisão, quem tem autoridade para falar em nome do paciente e outras situações delicadas. Tendo participado com famílias de reuniões desse tipo, em algum momento do processo de doença e dos cuidados paliativos, pude nelas observar conflitos, seja por rivalidade, seja por rigidez, seja por qualquer outro aspecto das condições presentes em uma família que enfrenta a crise desencadeada pelo adoecimento de um de seus membros. No cuidado oferecido ao luto antecipatório nessas circunstâncias, entram na composição das competências profissionais necessárias o conhecimento sobre terapia familiar e também sobre luto, conjugado ao cenário dos cuidados paliativos. Delalibera, Barbosa e Leal (2018) e Delalibera *et al.* (2015b) focalizaram esses pontos, chamando a atenção para a importância de a família ter um lugar de fala durante o processo de luto antecipatório, com vistas à prevenção do luto complicado após a morte.

Luto no ambiente de trabalho

Em uma sociedade que valoriza as relações profissionais pela linha da produtividade e não do afeto, o luto no ambiente de trabalho enquadra-se na experiência de luto não reconhecido. A legislação trabalhista brasileira é ativa em negar a importância desse luto (Marras, 2016), mas minha experiência em atendimentos a organizações que perderam colaboradores e reconheceram a importância da atenção aos demais, fossem colegas próximos ou não, aponta que o cenário está mudando positivamente.

Após a morte de um colega, pode-se contar com reações de luto por parte dos demais funcionários, sobretudo nos primeiros dias, quando se constatam a ausência e as mudanças dela decorrentes. A experiência recomenda que haja um tempo para o acolhimento dos colegas ou amigos mais próximos antes de se retomarem as atividades cotidianas. A morte de um colega de trabalho não é um fato cotidiano, e isso precisa ficar claro nas decisões que se seguem a ela, a respeito de quem substituirá o falecido, quem ocupará seu local de trabalho (mesa, computador, armário, área, departamento) e a a quem caberá a condução das suas responsabilidades, numa tentativa de volta ao normal.

Flux, Hassett e Callanan (2020) pesquisaram como os empregados veem o suporte no ambiente de trabalho após a morte de um colega, ressaltando que o mais importante é encontrar reconhecimento pelo luto e ações de resposta à realidade da morte. Esses são indicadores importantes para que os colegas enlutados tenham o apoio da empresa e não se sintam apenas um número. Pode-se deduzir que as ações informais são de grande valia e não precisam ter grande impacto ou custo – por exemplo, quando os gestores se mostram atentos e presentes.

A mudança do espaço físico para integrar a falta do colaborador ao funcionamento da empresa é exemplar para os demais quanto ao que será feito após sua morte. Serão esquecidos rapidamente? Haverá alguma cerimônia em sua memória? Seu luto será validado? A realização de um ritual pode abrir espaço para o compartilhamento de memórias que facilitem a retomada dos trabalhos. Esse ritual deve ser elaborado não como uma tarefa a ser executada por força do costume, mas com significados (Norton e Gino, 2014).

O que não deve ocorrer no enfrentamento do luto no ambiente de trabalho é, sobretudo, sua negação, seu não reconhecimento. A falta de memorialização e registro da existência daquele trabalhador, independentemente de seu cargo e sua posição hierárquica, representa o risco de uma ausência permanente e não simbolizada, com consequências para a saúde mental dos colegas mais próximos. Tornando-se um luto não reconhecido, sequencialmente passa a se colocar entre os fatores de risco para um luto complicado, com desdobramentos no cotidiano laboral, como absenteísmo, por exemplo. A prevenção desse luto está, entre outros fatores, em não negá-lo no ambiente de trabalho.

Chamo a atenção para que se busque identificar o significado da pessoa que faleceu, porque ele dá o tom nas ações de cuidado ao luto. A cultura própria da instituição valoriza esta ou aquela pessoa por sua personalidade, pelo registro que tem na cultura local. Aquele que causa admiração pela sua experiência, pelo trato com os demais recebe uma atenção que focaliza essas características. Por outro lado, alguém que deixa na memória uma figura ambígua deve ser lembrado com tons mais sutis.

Há possibilidades de memorialização que devem ser buscadas ou construídas para que se registre a passagem daquela pessoa na história da instituição. Elaborar e celebrar rituais é uma ação terapêutica importante, desde que se respeitem os valores da cultura local, seja ela uma indústria, um ambiente escolar, uma organização sem fins lucrativos, entre outras.

Tive oportunidade de levar cuidados a escolas que sofreram a perda de um educador. Em uma situação como essa, encontram-se no mínimo dois segmentos afetados: alunos e demais educadores. Em situações que provoquem intensa angústia, como a de uma morte por suicídio, as famílias devem ser incluídas. O fato de a escola solicitar a ação de uma psicóloga especializada em luto para atuar com essa experiência de perda é significativo por si indica o valor dado às questões de morte e luto. Afinal, a escola é um ambiente de crescimento, de transformação. É uma oportunidade de grande avanço no trato de questões que poderiam ser vistas como tabu, mas que, abordadas, perdem essa vitalidade e se transformam em crescimento. Simbolização, ritualização, dar voz a quem quiser falar, cuidar de enlutados invisíveis, como porteiros, pessoal da limpeza, todos esses lugares de vivência de luto foram considerados.

Mesmo no ambiente da universidade, quando ocorre morte de alunos, professores, funcionários, abrir esse espaço de atenção diz muito da postura daquela instituição de ensino.

A oferta de ações terapêuticas para o luto no ambiente de trabalho pode contar com a participação de colaboradores, quando o especialista em luto atua como consultor. É uma parceria até mesmo desejável, pois possibilita que a organização dê continuidade às ações necessárias, contando com a capilaridade devida para ampliação e permanência, de acordo com um projeto construído especialmente para aquela circunstância. Por exemplo, é possível contar com profissionais do Serviço Social para prover o acompanhamento à família do falecido, mediante treinamento focalizado e customizado para aquela cultura.

Entendo que o melhor resultado a ser obtido ao trabalhar o luto no ambiente de trabalho está em abordar o luto não reconhecido, abrir um espaço de escuta e compartilhamento, que vai muito além de obter resultados e de indicadores de produtividade. Sem dúvida, é uma proposta revolucionária em uma sociedade capitalista, pois vai muito além de olhar para a força de trabalho e chama para o cenário o elemento fundamental para a valorização do ser humano naquilo que ele tem de mais natural: vincular-se e dar significado aos seus vínculos.

O luto por suicídio

Jordan e McIntosh (2011) perguntam-se por que estudar pessoas enlutadas por suicídio. Além dos significados éticos, religiosos, psicológicos e sociais encontrados na vivência desses indivíduos, destaca-se o significado psicológico, a dolorosa vivência de quem perdeu dessa forma uma pessoa querida. Há grande risco de se desenvolver um luto traumático, em estreita relação com a maneira como a morte se deu: a exposição do enlutado à cena do suicídio, seu contexto sociocultural, entre outros fatores.

Segundo Katz, Bolton e Sareen (2016), os números relativos à incidência do suicídio são subestimados, o que é um problema para a saúde pública e as políticas de prevenção. Uma explicação para isso está nos sentimentos intensos de vergonha, culpa e até mesmo medo por parte dos enlutados, que não expõem a real situação. As pessoas enlutadas em razão do suicídio de alguém significativo podem buscar apoio espontaneamente, mas com frequência não o fazem, por viverem um sentimento de culpa que se manifesta em seu processo de entender o ocorrido e sua participação, seja por omissão, seja por alguma ação específica. Destaque-se aqui que se trata de uma interpretação do enlutado a respeito do processo que levou ao suicídio, nunca do julgamento daquele que oferecerá a ação terapêutica.

O suicídio é um ato que envolve questões individuais, com fatores constitucionais, ambientais, sociais e psicológicos, para o qual os fatos cronologicamente próximos são apenas desencadeantes. É inegavelmente multifatorial. O luto por suicídio, porém, leva a muitas explicações baseadas em preconceitos que não focalizam a atenção na experiência singular. O enlutado por suicídio vive o silêncio autoimposto pelo medo do julgamento e pela vergonha, por entender que falhou na prevenção ou nas ações diretas para evitar o ato suicida (Doka, org., 1996). Há explicações que não explicam, justificativas que não justificam.

Ressalte-se que se dá o nome de sobrevivente de suicídio à pessoa enlutada por esse motivo, e não àquela que tenha feito uma tentativa sem sucesso. É a pessoa que vivencia um nível elevado de sofrimento autopercebido nos âmbitos psicológico, físico e/ou social por um longo período após a perda de alguém significativo por suicídio. Essa definição, oferecida por Jordan e McIntosh (2011), tem peso porque delineia um diferencial entre as pessoas enlutadas por suicídio e aquelas enlutadas por outras causas. A pergunta que a definição gera é se as primeiras são afetadas mais profunda e negativamente do que as segundas. Consequentemente, na resposta se delineia a prática de cuidados a ser oferecida. Alguns pontos a ser considerados mostram que o grau de relação entre o suicida e o enlutado, a proximidade e a qualidade da relação entre eles e o tempo decorrido desde a morte são fatores importantes no luto por suicídio. Não são, porém, pontos únicos nem exclusivos.

Rosenblatt (2010) aponta o peso da vergonha (pela deterioração física ou mental, por perdas financeiras e outras causas correlatas) como causa de suicídio, o que impacta os sobreviventes em relação ao corolário de questionamentos sobre suas falhas em perceber e evitar o fato. Entre os fatores de risco para o luto por suicídio ser complicado, ressalto o fato de se somarem condições agravantes: baseia-se na experiência de perda de uma pessoa significativa; é uma morte violenta e repentina (mesmo que tenham existido antecedentes, como ideação ou, até, tentativas) e contra a própria vida, tendo esta um significado e um histórico específicos para aquela família e para outras pessoas com as quais havia um vínculo, mesmo que em outros contextos, como o laboral. Acrescente-se à particularidade dessa experiência de luto o não reconhecimento, que se dá muito mais pelo silêncio autoimposto pelo sobrevivente do que pelo julgamento da sociedade ou da cultura, ou seja, externo a ele.

O processo de construção de significado, facilitador e necessário para a vivência de luto, sofre percalços muito bem descritos por Boss (2006). A ambiguidade nas emoções, a roda-viva de perguntas sem respostas, a sensação de viver como em um labirinto com pistas falsas, que levam a não encontrar saída e a voltar para o mesmo ponto de partida: essa é a experiência que ouço de sobreviventes de suicídio e que Boss descreve como uma ambiguidade que pode impedir a construção de significado não apenas para a morte como para a existência do suicida na vida do sobrevivente.

O sobrevivente de suicídio não somente tenta enfrentar a morte de alguém significativo como vive esse processo em um contexto de vergonha, estigma, sentimento de culpa e confusão sobre a responsabilidade pela morte. Identificar o sobrevivente e avaliar sua experiência de luto nem sempre é possível pela métrica da proximidade formal da relação. Encontramos sobreviventes de suicídio entre aqueles que têm ou tiveram um vínculo com o falecido, independentemente da condição da relação. Também são sobreviventes de suicídio aquelas pessoas que sofrem muito com a morte de alguém por esse motivo, sem levar em conta a proximidade ou vínculo. Esse sofrimento pode ser percebido por outros, não exclusivamente pelo sobrevivente, ou identificado com base em medidas formais – por exemplo, uma consulta psiquiátrica. O sobrevivente vivencia e percebe um nível elevado de sofrimento psicológico, físico e/ou social por um período considerável depois de ter sido exposto ao suicídio de alguém. Qual é a duração desse tempo considerável? Novamente a métrica formal não nos ajuda a oferecer uma resposta, mas aponta aquilo que em dada cultura significa viver a vida como é esperado que ela seja vivida.

Esse é o cenário encontrado quando se oferecem ações terapêuticas aos sobreviventes de suicídio, que precisam ser moldadas especificamente para a demanda. Há pessoas idosas que enfrentam o suicídio de filhos adultos, cônjuges envolvidos em sentimento de culpa e medo do estigma associado a essa causa de morte, filhos adultos sobreviventes do suicídio dos pais, adultos sobreviventes do suicídio de um irmão ou irmã, crianças sobreviventes do suicídio de um dos pais, e todas essas pessoas se fazem perguntas recorrentes, como "por quê?", na busca de uma explicação. Tais campos devem ser percorridos com total atenção para aquilo que é próprio de cada experiência, porém sem desconsiderar o que as pesquisas nos mostram.

Mesmo que o próprio indivíduo enlutado por suicídio busque a psicoterapia, uma cuidadosa avaliação da condição da família, que leve em conta muitos dos indicadores mencionados na seção dedicada ao cuidado a ela, pode indicar a necessidade de atendimento familiar ou individual. Na proposta de Kissane (2014) e de Walsh e McGoldrick (1991), apresentada e comentada neste capítulo, com base em uma visão sistêmica para a atenção a famílias enlutadas, são oferecidos recursos úteis a fim de trabalhar com essa experiência. Com destaque para a proposição de Wright e Nagy (2002) sobre o suicídio ser o mais perturbador segredo familiar, encontra-se com muita frequência o peso do segredo sobre esse tipo de morte, assim como sobre os acontecimentos que a antecederam e as diferentes percepções ou interpretações atribuídas pelos membros da família entre si.

Na avaliação do sobrevivente de suicídio que vem em busca de psicoterapia, procuro identificar o impacto que essa morte teve sobre seu mundo presumido e as premissas que foram abaladas e até mesmo o desnortearam em sua identidade. Investigo a existência de choque e incredulidade, raiva contra o suicida (entendido como aquele que abandonou o sobrevivente), busca e saudades intensas deste. Essas são questões básicas a ser investigadas em uma situação de luto, mas há também aquelas específicas dos casos de perda violenta, repentina ou traumática, como sintomas de rememoração da morte, juntamente com tentativas de afastar essas memórias, sintomas de hipervigilância, transtornos de sono etc. Também investigo ideação suicida e até mesmo tentativas. O interesse está em buscar a existência de motivação para cessar a dor, usando o mesmo recurso do suicida, e de identificação com a dor que este tenha vivido para levá-lo ao ato. Como esse é um percurso que pode ser encontrado como uma elaboração do luto por suicídio, sem de fato representar um risco, faz-se necessária muita atenção para avaliar a conduta a ser seguida. Paralelamente, é necessário investigar outras condições psiquiátricas, sobretudo anteriores à perda, que tenham sido reativadas por ela. E, sem dúvida, identificar a rede de apoio existente e a percebida pelo sobrevivente, construindo com ele um plano para sobrevivência, caso ele se encontre em situação de risco de vida. Com esse fim, verificam-se suas conexões sociais e afetivas confiáveis e se tem acompanhamento psiquiátrico; em caso negativo, é indicado buscar esse acompanhamento (privado ou público, de urgência e emergência) e se manter próximo caso ocorra um chamado. Ressalto, porém, que tal disponibilidade só pode ser oferecida se ela verdadeiramente existir, porque o psicoterapeuta age como base segura para o sobrevivente e não deve ofertar um cuidado que não esteja em condições de realmente oferecer.

Particularmente, procuro trabalhar com atendimento familiar em casos de luto por suicídio, mesmo quando o primeiro contato é feito por apenas um membro da família. Por meio de uma escuta atenta que me permita desenvolver o pensamento clínico, ponderando as informações trazidas e as observações que posso fazer, aproximando-me da cultura particular daquela pessoa e daquela família, identifico a possibilidade de convidar todos os membros, se devo fazê-lo ou não e quando. Faço valer os conhecimentos sobre terapia familiar, especificando-os para o luto e o luto por suicídio. Por experiência, reconheço que será um processo terapêutico de longa duração, sendo necessário um tempo inicial para a construção de uma base segura na relação entre psicoterapeuta e família. O que é específico na psicoterapia familiar com sobreviventes de suicídio é a ocorrência de situações de alta intensidade emocional que tangenciam significados individuais que podem ser contrastantes ou mesmo divergentes, com grande potencial doloroso para todos.

Experiências de atendimento grupal são interessantes pelas possibilidades de reconstrução que oferecem, em um ambiente seguro e protegido de julgamentos. Como exemplo, posso citar o trabalho da psicóloga Karina Fukumitsu, do Instituto Sedes Sapientiae, e o da psicóloga Karen Scavacini, do Instituto Vita Alere, ambos em São Paulo, assim como o da psicóloga Daniela Reis e Silva, do Instituto Acalanto, em Vitória, Espírito Santo. Movimentos de conscientização, como o Setembro Amarelo, mesmo quando voltados à prevenção do suicídio, têm também um efeito terapêutico sobre o enlutado, que, ao se engajar em uma campanha com essa finalidade, pode se envolver no tratamento das próprias dores[8].

---

8. Em 1994, Dale e Darlene Emme, nos Estados Unidos, distribuíram fitas amarelas em uma campanha de conscientização sobre o suicídio depois que seu filho Mike, de 17 anos, suicidou-se dentro de um carro pintado dessa cor. Em 2003, a Organização Mundial da Saúde declarou o dia 10 de setembro o Dia Mundial da Prevenção do Suicídio, e a cor do carro de Mike foi a escolhida para representar o movimento.

Porém, por vezes essas campanhas têm um efeito reverso, uma vez que não contemplam casos individuais e os sobreviventes podem mesmo se ver alheios à sua proposta. Um efeito agravante, nesse sentido, ocorre porque o foco preponderante das campanhas é a prevenção do suicídio; isso acaba por atingir o sobrevivente, que sente que fracassou nesse objetivo.

Ressalto que, para que os profissionais de saúde mental, psicólogos e psiquiatras se dediquem aos cuidados a sobreviventes de suicídio, precisam estar conscientes de suas questões pessoais relacionadas a esse tipo de morte, mesmo que sejam críticas. A mobilização de emoções relacionadas a esse tipo de luto pode levar o profissional a ter uma visão nublada sobre a experiência de luto do sobrevivente, o que compromete a qualidade da sua ação terapêutica.

O luto resultante de grandes desastres

A OMS busca parâmetros para definir o que é um desastre, objetivando identificar a necessidade de resposta e, sobretudo, as medidas de prevenção. Dessa forma, oferece fundamentos consolidados pela experiência em situações de desastre com diferentes dimensões, propõe ações e está aberta ao diálogo com os países-membros para que sejam discutidas decisões baseadas no lema "pense global e aja localmente". Essa abertura se faz necessária porque hoje, no mundo em que vivemos, sabemos que as mudanças climáticas, por exemplo, têm efeitos globais, sendo até mesmo distantes geograficamente do ponto de origem. É o pensamento sistêmico explicando por que a consciência global é necessária, por exemplo, para enfrentar a pandemia de Covid-19 pensando tanto em restrições biossanitárias no meu bairro como em seu impacto na economia mundial.

Giel (1990), Freedy *et al.* (1994), Green (1996) e Hodgkinson e Stewart (1998) já pontuavam a importância de prover atenção e cuidados às pessoas afetadas por desastres, pelo olhar da saúde mental e da antropologia. Parkes e Prigerson (2010) focalizam o luto consequente a desastres no vértice de circunstâncias que aumentam o risco de luto complicado. Referem-se a ele como inesperado, violento, com perdas múltiplas, rompendo os sistemas familiares e sociais que são base segura. Focalizam também as memórias que se instalam na mente daqueles que trabalham em desastres, o mundo presumido rompido, as premissas que não mais garantem segurança para continuar a viver como antes. A experiência que obtive com atenção a pessoas e comunidades afetadas por desastres (Kristensen e Franco, 2011; Franco, org., 2015; Franco, 2017), treinando e coordenando equipes nessas ações, permite que eu concorde com essas afirmações e reflexões. Preparar psicólogos para oferecer essa atenção também evidencia quanto o conhecimento sobre luto é imprescindível, porém a ação prática requer mudanças significativas em relação às áreas de atuação tradicionais da psicologia, como na clínica e no hospital.

A importância do cuidado aos afetados por desastres tem crescido nas últimas décadas, devido ao aumento da incidência de situações críticas dimensionadas como desastres, catástrofes, emergências e crises humanitárias. A mensuração nem sempre é quantitativa, relacionada ao número de pessoas afetadas, feridas, mortas, desalojadas, desabrigadas, como atestam pesquisadores e profissionais experientes na questão (Stein, 2002; Melo e Santos, 2011; James e Gilliland, 2001), embora os números sejam sonoros e impactantes. É possível falar sobre crises que afetem profundamente o modo de viver das pessoas, requerendo um esforço adaptativo de tal ordem que se fazem necessários suporte externo àquela comunidade afetada e ações de reconstrução amplas e de longa duração.

É inegável o entendimento da pandemia da Covid-19, que tomou conta do mundo a partir do início de 2020, como um desastre. Ações específicas foram necessárias para responder às novas demandas (Mayland *et al.*, 2020; Wallace *et al.*, 2020; Boelen *et al.*, 2020; Schmidt *et al.*, 2020) e também para a prevenção, em seus diferentes níveis (Cogo *et al.*, 2020; Crepaldi *et al.*, 2020; Damásio, Noal e Freitas, 2020; Eisma, Boelen e Lenferink, 2020). O que fica dessas publicações é a necessidade de se adaptar utilizando os recursos conhecidos, mesmo sem saber por quanto tempo esse esforço será necessário. A experiência atual de atender em psicoterapia, organizar rodas de conversa e elaborar rituais em substituição aos próprios da cultura teve de ser atualizada para regular a sensibilidade pela necessidade e condições favoráveis ou restritivas para essas novas ações. A linha de base diz que, sim, a pandemia é um desastre, e o luto dela decorrente deve receber o mesmo tratamento dado a lutos decorrentes desses casos.

No cenário de um desastre, muitos são os lutos com consequências sobre a saúde mental dos afetados, sejam eles atingidos por um ato terrorista, um acidente climático ou a conjunção de um ecossistema vulnerável e um evento adverso. No período das chuvas – por exemplo, no Sudeste do Brasil –, ocorrem inundações e deslizamentos de terra que levam famílias, comunidades e bairros a ter perdas materiais (de casas, utensílios domésticos, documentos, móveis escolares, equipamentos de postos de saúde etc.), humanas (pessoas significativas, por diferentes inserções, como familiares, vizinhos, amigos, religiosos) e intangíveis (como a segurança de confiar nas autoridades, de saber o destino dado aos impostos pagos ao poder público e de ter projetos em relação à família).

Bonanno *et al.* (2007) consideram que existem diferentes tipos de reação de luto a um desastre e que grande parte das pessoas afetadas os enfrenta muito bem. A variabilidade das reações pode ser compreendida por quatro tipos de trajetória: disfunção crônica, reações tardias, resiliência e recuperação. A disfunção crônica é presente em número relativamente pequeno de afetados por desastres – de 5% a 10% deles apresentam transtorno de estresse pós-traumático (TEPT). No entanto, quando a exposição do afetado à situação traumática é prolongada ou muito aversiva, esse número atinge até um terço da população afetada. Existe uma proporção semelhante quanto à psicopatologia do luto: apenas cerca de 10% das pessoas enlutadas apresentam reações cronicamente elevadas (Bonanno e Kaltman, 1999). As reações crônicas de luto tendem a ser mais extremas após perdas ligadas à violência ou quando uma criança falece. As reações tardias de TEPT são manifestadas por pessoas que apresentam mais sintomas logo após o fator estressor, mas que tenham ficado submersos e piorado com o tempo (Bonanno *et al.*, 2007).

A resiliência tem um peso importante na recuperação diante das perdas decorrentes de desastres. Ela parece ser uma característica fundamental das habilidades normais de enfrentamento e está no foco das ações com pessoas enlutadas, na experiência que desenvolvi diante de desastres de diversas ordens (Franco, 2005 e 2012; Franco, org., 2015). Por contar com a resiliência como um recurso de enfrentamento de valor, é possível recuperar o protagonismo dos afetados diante das perdas. Noto, porém, que o comportamento resiliente pode não se expressar nos primeiros dias após o desastre, o que requer atenção para não se avaliar, precipitadamente, que a condição dos afetados é mais grave do que realmente é. Observo que o afetado por um desastre, sobretudo se observado quanto às perdas, pode mesmo se mostrar incólume, como se as perdas não tivessem ocorrido. Essa é uma defesa necessária para que a pessoa, ou mesmo a comunidade, se defenda temporariamente diante da dor e do extremo pesar que vive.

A recuperação de um trauma pode não ser mesmo a resposta obtida em curto tempo, mas é possível observar que o impacto dos sintomas, como TEPT, vai gradualmente diminuindo até retornar a níveis anteriores ao ocorrido. A completa ausência de resposta ao trauma parece ser um fenômeno relativamente raro. Não sendo a resiliência algo incomum, conclui-se que haja vários fatores de proteção no enfrentamento das adversidades, incluindo variáveis centradas na pessoa (Bonanno, 2009) e fatores sociocontextuais (Franco, 2015a).

A elaboração do luto consequente a um desastre apresenta resultados positivos quando o profissional faz seu trabalho sustentado pela teoria do apego, para definir a posição de quem cuida; pelo processo dual, diante da alternância de reações dos enlutados; pelo movimento de construção de significado, para que as situações vivenciadas como caóticas sejam redimensionadas. Ou seja, posso aplicar a mesma abordagem guiada pelo pensamento clínico que utilizo em outras situações de luto, porém observando diferenças no contexto. Trabalho com foco na questão emergente, não busco modificar a personalidade da pessoa, e sim desenvolver com ela estratégias para a adaptação imediata às mudanças, sem deixar de considerar o contexto sociocultural daquele desastre. Em Franco (org., 2015), apresento essa experiência construída por mais de uma década, reunindo diversas situações críticas e desastres que afetaram comunidades e indivíduos. Destaco, em particular, o que falamos sobre o luto em situações de desastres e suas condições favoráveis (Casellato *et al.*, 2015).

Os tantos lutos em consequência de desastres nem sempre se apresentarão imediatamente após a ocorrência. Entendidos pela perspectiva de Parkes (1998) como reação à ruptura de um vínculo significativo com uma pessoa, um objeto, relacionamento ou experiência, são retratos do choque vivido no mundo presumido. O que era a base segura, os valores que norteavam comportamentos, o que dava força para continuar a viver sofre o efeito dessa transição psicossocial, e a reorganização consequente pode precisar – e na maioria das vezes precisa – de suporte externo para se efetivar.

Boss (2006) ajuda-nos a entender como a experiência de um desastre se delineia pelos contornos da ambiguidade e como esta terá peso nas medidas a ser tomadas no enfrentamento do luto e na reconstrução dos significados por parte dos afetados. Entre as situações que a autora define como catastróficas e inesperadas, encontram-se os desastres naturais (que levam ao desaparecimento de pessoas) e o desaparecimento ou inexistência de corpos (como em acidentes aéreos ou assassinatos). A ausência de concretude pela falta do corpo morto, em relação ao qual são realizados os rituais da cultura, alimenta a ambiguidade que terá função no luto complicado.

Estudos afirmam que a intervenção em crise é diferente de psicoterapia do luto e de psicoterapia focada no problema, ressaltando a importância de fatores sociais, desenvolvimentais, psicológicos, ambientais e situacionais que fazem que dado acontecimento seja vivenciado como uma crise (James e Gilliland, 2001; Franco, 2005). Em consequência, recomendam que um trabalho de intervenção em crise, como o atendimento psicológico em emergências, deve utilizar uma abordagem focal, embora questões concomitantes sejam reconhecidas como importantes na dinâmica da situação-problema (Biasoto *et al.*, 2015). O objetivo não é a modificação de seu padrão de personalidade. Portanto, é necessário perceber a configuração da situação sempre levando em conta as condições individuais, porque a intervenção deve contemplar ambos os aspectos, o genérico e o específico, fazendo uso de técnicas que considerem essa demanda, como afirmam Hodgkinson e Stewart (1998). Consonante com tais experiências, Kristensen e Franco (2011) afirmam que a elaboração do luto decorrente de desastres pode ser facilitada por meio de estratégias grupais ou atendimentos individuais após o desastre, guardadas as condições de segurança para esse trabalho. Inicialmente, pode se assemelhar mais a um trabalho pragmático, de reorganização de ações cotidianas, que, no entanto, se justifica pela necessidade de organização psíquica dos afetados cujo mundo presumido foi rompido e iniciam o doloroso percurso de reconstruí-lo.

Afirmo ainda (Franco, 2005, 2012 e 2017) que a pessoa enlutada em condições traumáticas está fragilizada, requer acolhimento, paciência e atenção; está desorganizada, incoerente, assustada, paralisada. Suas perdas são muitas, e ela por vezes nem consegue avaliá-las. Portanto, o que norteia a prática é o cuidado para não fazer que a pessoa pare de sofrer rapidamente, pois isso seria um mecanismo de tamponamento de sua reação, com graves consequências para a saúde mental.

O luto desencadeado por um desastre conjuga os âmbitos privado e público, individual e coletivo. Muitos desastres estão no foco da mídia, por sua dimensão, suas consequências ambientais, seu número de mortos e afetados em diferentes níveis. Em paralelo, encontra-se o indivíduo que tem a biografia totalmente modificada após aquele incidente, em razão de suas perdas materiais e imateriais. O luto coletivo representa um fenômeno social, político e emocional. Não equivale à experiência do luto individual nem a substitui, porque as particularidades se diluem nas ações e nos símbolos coletivos e, assim, a carga adaptativa individual fica reduzida, como se o fazer parte tirasse a força do individual. A sociedade ocidental valoriza individualidade, liberdade e escolhas pessoais; portanto, ao participar de um ritual coletivo, o enlutado vive o risco de não ser autêntico. Além disso, o luto coletivo tem vida breve, mais relacionada à realização de rituais, enquanto o individual tem sua trajetória e seus significados. Encontram-se lutos coletivos pela morte de líderes, de pessoas com grande representatividade em uma coletividade, em desastres de grande envergadura, em processos migratórios. Rituais que congreguem as pessoas afetadas são um recurso importante para a elaboração do luto nessas circunstâncias, mas não se pode esquecer de que no coletivo existem indivíduos com narrativas próprias, que por vezes não são contempladas, sobretudo se estas forem de alguma forma forçadas a se moldar ao significado do todo. Uma condição que, caso ocorra, marca de forma positiva o luto coletivo é o sentido de pertencer àquela coletividade, podendo se dar presencialmente ou a distância. Havendo esse sentido, é mais provável que o luto coletivo seja vivenciado como um recurso de elaboração do luto. O luto em situações de desastres possibilita também a integração do luto privado ao luto público. O enlutado se vê cercado de pessoas que não conheciam o morto, e ali se estabelece quase uma necessidade, ou mesmo uma imposição, de expressão emocional que se sobrepõe à razão. Tornar público um luto coloca-o no formato de luto reconhecido pela sociedade, o que nem sempre corresponde à experiência privada daquele enlutado.

Esses aspectos são destacados porque, em resposta a desastres, os afetados se veem repentinamente pertencendo a coletivos, que podem ser uma solução trazida pelas equipes de resgate com o objetivo de colocá-los a salvo. Nesse caso, o conceito de coletivo não se aplica bem, pois se trata mais de um grupo de pessoas que vivem uma situação em comum: foram afetadas pelo desastre e estão juntas e vivas. O fato de estarem juntas pode fazer diferença para sua sobrevivência. Essas pessoas podem estar num mesmo hospital ou abrigo, mas a experiência de pertencer a um coletivo não se constrói sem que haja um mínimo de compromisso entre elas. Soma-se a isso o fato de viverem perdas significativas, de pessoas amadas, partes e funções do corpo, da casa e, no coletivo que se torna público, também da individualidade.

O luto desencadeado por desastres é complexo, intenso e de longa duração. Requer a atenção de profissionais especializados no trato não apenas das questões de perda como também do que é tão particular desse contexto. O mundo muda de repente, e o afetado não sabe se e quando poderá retomar o controle da vida. Aceitar que nunca mais será o mesmo é um passo doloroso, porém extremamente necessário para a reconstrução. Reconstrução de uma vida, porém com novos significados.

Tomando decisões sobre ações terapêuticas

Um indivíduo enlutado está inserido em uma comunidade que pode também ter essa vivência. A possibilidade de receber atenção individualizada ou comunitária depende de fatores como a existência de profissionais capacitados ou voluntários treinados em programas com reconhecida qualidade, políticas públicas atentas a essa realidade, acesso físico ou financeiro, entre outros.

Caserta *et al.* (2016) destacam a urgência de considerar detalhadamente a melhor forma de atender às necessidades das pessoas enlutadas, pois uma decisão precipitada pode ser extremamente danosa. As situações particulares e especificidades de uma vivência de luto não serão atendidas se um modelo único for oferecido. Essas considerações chamam a atenção, portanto, para o constante cuidado de equilibrar os fundamentos teóricos, a experiência e a atenção à demanda. Caserta, Lund e Utz (2016), mesmo ao trabalhar com um grupo específico, formado por viúvas, chamam a atenção para a necessidade de não se formatarem os cuidados, e sim delineá-los e constantemente avaliá-los.

Ogrodniczuk, Joyce e Piper (2003) ocuparam-se em pesquisar a percepção de suporte de pacientes com luto complicado em razão de perdas múltiplas que estiveram em terapia divididos em grupos com base em duas abordagens teóricas. Os resultados indicam que, em ambas, o suporte percebido só passou a ser considerado positivo após seis meses do término da terapia. Essa mudança na percepção do suporte recebido pode ser entendida como um efeito da terapia e não ocorre durante sua realização; trata-se, portanto, de um indicador importante a ser considerado ao se avaliar a eficácia de um tratamento.

Um requisito de que o profissional não pode abrir mão é o de desenvolver o pensamento clínico sobre o fenômeno com o qual depara. Isso lhe possibilitará tomar decisões com segurança sobre o que é indicado em cada caso. O pensamento clínico requer fundamentos teóricos que, conjugados com a experiência prática, levam a decisões. Para se obter ganhos em respeito e resultados, é imperativo que as decisões sejam construídas visando não apenas a um caso específico, mas à prática como um todo.

O que é necessário saber, portanto? Na linguagem popular se diz que aprendemos a tomar decisões certas após termos tomado decisões erradas. Quando se trata de decisões diagnósticas e terapêuticas acerca de pessoas em sofrimento, esse risco precisa ser severamente controlado. Daí se conclui que o profissional iniciante, se quiser se desenvolver eticamente no trato dessas pessoas (existe outro caminho que não seja o ético? Não!), necessitará da supervisão de um profissional mais experiente junto com sua formação teórica. Gamino e Ritter (2009) são claros a esse respeito, e minha própria experiência pode ser resumida em algumas práticas que, obviamente, não devem ser utilizadas sem discernimento da situação e sem o conhecimento teórico necessário (Franco, 2002, 2010, 2015a e 2015b; Rando *et al.*, 2012; Delalibera *et al.*, 2017).

Na prática com pessoas, famílias ou comunidades enlutadas, adoto alguns cuidados que destaco e justifico:

1. Atenção cuidadosa e livre de ideias preconcebidas para a narrativa da pessoa. Pelo fato de eu contar com fundamentos teóricos que me orientam nessa escuta, o caminho inverso pode apresentar o risco de tentar ouvir e colocar o conteúdo em um formato preestabelecido pela teoria de base.
2. Orientar o pensamento clínico partindo dessa narrativa, o que me permite encontrar lacunas, sejam elas de conhecimento ou experiência de minha parte, sejam elas de informações fornecidas por quem se apresenta.
3. Oferecer minha presença a quem se apresenta, estar de fato ali com a pessoa, para que ela perceba que está recebendo cuidados, e não uma execução de tarefa por parte do profissional.
4. Prestar atenção a ressonâncias em mim daquilo que a pessoa apresenta. Perguntar-me: isso tocou em algum ponto cego meu acerca da minha história de perdas? É a atitude da pessoa que me leva a tomar distância dela, a me distrair do momento presente?

Com o propósito de investigar a experiência de perda daquela pessoa, percorro os domínios comportamental, espiritual, cognitivo, fisiológico, social e emocional. Informações sobre a existência de fatores de risco e de proteção, e sobre como estes se relacionam com os demais fatores de influência, são analisadas porque fazem parte de uma compreensão dinâmica daquela experiência singular. Essa busca é feita no momento da entrevista, não de forma exaustiva, e sim junto com a escuta da queixa, o que poderá guiar-me nas decisões clínicas a tomar.

Posso precisar de duas entrevistas iniciais, priorizando as seguintes informações:

- Busca de ajuda: tempo decorrido entre a morte e a procura de ajuda pelo enlutado; quem encaminhou ou indicou para a terapia.
- Relação com o falecido (dados objetivos e subjetivos): relação com a pessoa falecida (parente, amigo, colega de trabalho, colega de estudos, parceiro afetivo etc.), duração e qualidade dessa relação (conflitos e modo de solução, pontos de segurança, atritos), fatores além da relação que possam ter influído nela, sejam contra ou a favor (família, religião, sociedade, cultura).
- Significado do falecido para o enlutado: detalhamento da relação, a fim de identificar a falta que a pessoa falecida representa na vida do enlutado, o impacto nas mudanças de planos e projetos e as mudanças de identidade decorrentes da morte.
- Circunstâncias da morte: se ocorreu após um período de doença (e, nesse caso, qual era o papel da pessoa enlutada durante essa fase, se tinha consciência do diagnóstico e prognóstico, qual era a relação com os demais cuidadores, profissionais ou não, significado da doença para o enlutado); se foi inesperada e/ou violenta e/ou por causa não identificada (incluindo questões sobre como o enlutado foi informado da morte, quem fez a comunicação e em qual circunstância, suas reações imediatas); se o enlutado foi testemunha e/ou sobrevivente, se houve ameaças decorrentes, mudanças de estilo de vida impostas pela morte, existência de vivências próprias de estresse.
- Estilo de apego: essa informação, que deve ser identificada com cuidado e propriedade, é buscada por oferecer condições norteadoras para as decisões e ações terapêuticas decorrentes.

Quando se trata de identificar os fatores de risco para o luto complicado (Thomas *et al.*, 2014; Burke e Neimeyer, 2013), essas informações fazem diferença para a compreensão daquele que busca terapia, mas com frequência não são obtidas nas entrevistas iniciais. A análise das informações é feita com base em critérios para identificar a necessidade ou não de atenção terapêutica e, em caso afirmativo, de que ordem. Como nem toda pessoa que vive um luto se beneficiará de psicoterapia, vem a necessidade de identificar fatores de risco e de proteção que tenham peso na decisão – por exemplo, existência (ou não) de suporte espiritual ou religioso e sua função, rede de apoio percebida, vínculo seguro com o falecido e as informações obtidas nos cinco campos apresentados anteriormente.

Busco identificar o equilíbrio entre fatores de risco e de proteção, equilíbrio esse que, além de ser único para aquela pessoa, é dotado de um dinamismo que possibilitará a ela mudanças de percepção acerca desses mesmos fatores. Como venho destacando, a sensibilidade para as variáveis culturais é indispensável, a fim de obter uma compreensão não enviesada por concepções dominantes, em detrimento das particularidades daquela pessoa. Para esse intento, conjugo minha experiência ao que afirmam Cacciatore e DeFrain (2015), com sua visão sistêmica sobre os blocos da cultura presentes na constituição do indivíduo: a cultura biológica, a familiar, a de escolha e a experiencial. Ressalto a importância desse cuidado porque o mundo contemporâneo expõe o indivíduo a uma imensa variedade de estímulos, que podem até mesmo anular as particularidades de dada cultura e, consequentemente, abrir condições para um luto não reconhecido.

Busco também entender de que luto aquela pessoa fala e, para isso, recorro às descrições de luto complicado, luto prolongado, transtorno de luto complexo persistente e luto não reconhecido (Boelen e Van den Bout, 2008; Casellato *et al.*, 2009; Rando *et al.*, 2012; Boerner, Mancini e Bonanno, 2013; Maciejewski e Prigerson, 2017; Boelen, Lenferink e Smid, 2019; Comtesse *et al.*, 2020). Ressalto, novamente, que não é o conceito que descreve a experiência de luto da pessoa, e sim sua narrativa e sua compreensão, que são construídas em parceria com o psicoterapeuta.

Apoio-me na teoria do apego, que não apenas me oferece conhecimento para entender aquela experiência específica de luto, mas também me posiciona, como psicoterapeuta, para ocupar o lugar de provedor de atenção e cuidados ao enlutado, de forma que promova segurança para enfrentar as dores e se encorajar na construção de uma nova realidade, por meio de um enfrentamento adaptativo. Portanto, busco entender o estilo de apego daquela pessoa, se é seguro ou inseguro em uma de suas variações, e o papel que ele ocupa na narrativa (Franco, 2015b).

Quando falo em narrativa, descortino outro suporte teórico do qual me valho: o construtivismo social. A presença do psicoterapeuta junto daquela pessoa em luto diz muito sobre a aliança terapêutica que se constrói. O profissional não detém um saber superior ou mágico que um dia será revelado ao enlutado. Ambos construirão o significado daquela experiência de perda, com o percurso e no ritmo possibilitados pelo indivíduo em luto. Em um momento inicial de escuta diagnóstica e identificação da demanda, faço esse mesmo percurso, com foco no histórico, como me é apresentado por aquela pessoa, compondo sua narrativa, mesmo que abreviada.

O pano de fundo dessa práxis está no modelo do processo dual (Stroebe e Schut, 1999). Quando me aproximo da pessoa em luto para ouvir sua narrativa e construir com ela esse processo de enfrentamento, entendo que não há uma linearidade, uma previsibilidade a ser perseguida, e sim um acompanhamento de seu movimento dinâmico, que pode estar voltado para o pesar, as lembranças, o recolhimento ao passado, mas também pode se dirigir à restauração de sua vida, respondendo às demandas que lhe são colocadas, nas atividades pelas quais já tinha responsabilidade ou se apresentam dessa maneira a partir da perda. Possibilito que esse movimento dinâmico faça seu papel na vivência do luto, que cresce com a perspectiva de ser vivido como uma transição psicossocial, uma vez que o mundo presumido, afetado pela perda, seja passível de reformulação e enfrentamento.

Como não entendo o processo de luto em uma perspectiva de tempo fixo para terminar, busco indicadores de que o enlutado pode caminhar no seu ritmo, no trajeto que lhe é possível. Recorro a estes indicadores de que a atenção que lhe ofereço pode não ser mais necessária: o enlutado é capaz de se lembrar sem dor da pessoa que morreu, embora sinta tristeza, e sem manifestações físicas como choro e dores. Ele também readquire interesse pela vida, sentindo-se mais esperançoso e adaptando-se a novos papéis. Tem planos, sem medo de se envolver e perder.

Esse cenário, apresentado de maneira ampla, não é paradigmático, requer ajustes para outros contextos, como hospitais, unidades básicas de saúde, instituições de longa permanência para idosos, unidades prisionais, consultório de rua etc. Como estrutura de ação, entendo que se aplica, porém requer adaptações modeladas para condições específicas, como tempo disponível ou possibilitado para a prática, relações institucionais que a possibilitem ou não e sentido de trabalho em equipe. Cabe ao profissional avaliar suas competências a fim de trabalhar com conhecimento e experiência, sem esquecer que há uma ação política implícita nesse fazer. Ele pode promover uma mudança. Uma estrutura mais maleável, que aceite e valide a visibilidade assim trazida para o luto, em suas diversas expressões, pode ser encontrada ou mesmo promovida.

Como ponto inicial na construção do conhecimento e da prática em luto no Brasil, entendo que vale apresentar a experiência do LELu, da PUC-SP. Ali, as pessoas que buscam ajuda psicológica para sua vivência de luto são entrevistadas em profundidade por psicólogos que fazem o curso de aprimoramento clínico (formação de psicoterapeutas para luto), supervisionado. Elas são encaminhadas por ex-pacientes, por instituições de saúde, da justiça, da educação ou vão por iniciativa própria, após encontrarem informações na internet.

Os passos iniciais de diagnóstico são os mesmos que utilizo na minha prática, com a diferença de que entre cada encontro se dá a supervisão em grupo, implicando ao aluno de aprimoramento o exercício de saber apresentar o caso, participar da discussão com os colegas, fazer leituras que ampliem ou complementem o conhecimento referente à situação em pauta e preparar-se para o próximo atendimento.

As opções de psicoterapia são atendimento individual (independentemente da idade), familiar, grupal (temático, só para enlutados por suicídio ou só para mães, pais, crianças/adolescentes, para mortes por causas externas; não temático, grupos com pessoas enlutadas por diferentes causas). Por se tratar de um serviço oferecido em uma clínica-escola, existe a possibilidade de se recorrer a outras abordagens ou atendimentos em conjunto – por exemplo, atendimento familiar (sem ser específico para luto) concomitante ao atendimento individual, cuidados psiquiátricos ou neurológicos, psicopedagogia. A linha divisória entre atendimento individual e grupal reside na demanda identificada e nas condições favoráveis à participação em um grupo, sendo a decisão apoiada na literatura (Stroebe, Stroebe e Domittner, 1988; Williams, Zinner e Ellis, 1999; Dyregrov, Dyregrov e Johnsen, 2013; Marcarini *et al.*, 2015).

O LELu também responde por ensino e pesquisas, na graduação em Psicologia e na pós-graduação em Psicologia Clínica, que mantêm estreita ligação com a prática clínica ou por oferecer seus resultados para aplicação nos atendimentos – ou, inversamente, por identificar nos atendimentos problemas merecedores de atenção para ser pesquisados. O dinamismo desse processo de aprendizado, lado a lado com as demandas de atendimento, chama ao constante exercício de autocuidado por parte do profissional.

Este capítulo não trata de todas as diversas e amplas necessidades de ações terapêuticas para o luto; tem seu escopo naquelas com uma incidência significativa a partir do final do século 20 e início do século 21. No entanto, resta apontar que há áreas ou experiências de luto que requerem tais ações, com competências específicas, cuidados éticos e constante atualização de conhecimentos por parte do prestador de cuidados.

Ao questionar se o determinante de uma decisão é a técnica ou o técnico, quis colocar na balança exatamente como um é inútil sem o outro, podendo até mesmo causar danos. De nada me valerá dominar uma técnica se não reflito sobre o efeito que ela causa na pessoa, se não entendo seus princípios epistemológicos e fundamentos éticos. Portanto, sugiro que, ao término da leitura deste capítulo, o leitor se dedique a pensar nos usos que poderá fazer daquilo que tiver absorvido e das inquietações que tiverem surgido e os persiga, buscando o diálogo entre ser a pessoa que aprendeu uma técnica e ser a pessoa que pode se beneficiar dela.

EPÍLOGO

Já tendo feito a pergunta sobre por que estudamos o luto na contemporaneidade (Franco, 2010), que atualizo com frequência, reflito sobre o que se apresenta aqui como luto no século 21. A abrangência diz sobre temas abordados, sem necessariamente cobrir todas as formas de luto. Mais do que isso, chamo a atenção para o pensamento de Zygmunt Bauman sobre as relações líquidas. Falo sobre a necessidade básica humana de segurança, mas hoje essa segurança é quase etérea, fugaz, protege-nos do medo de perdê-la. Ela requer tempo para ser construída, implica correr riscos. Parkes (1998) diz sabiamente que, se você não se comprometer com o amor para não correr o risco de perdê-lo, lamentavelmente deixará de vivê-lo.

O profissional que deseja trabalhar com pessoas, famílias e comunidades que vivem uma perda, tenha esta o contorno que tiver aos olhos da cultura e da sociedade, fará visitas por vezes doídas à sua história, pelo fato inequívoco de tratar-se de um ser humano em relação com outro ser humano naquilo de mais fundamental que nos constitui: somos mortais. Nem sempre gostamos disso.

Focalizo aqui, portanto, a experiência do profissional que trabalha no ofício de cuidar da dor do outro. Essa pode ter sido uma escolha sua ou não. Talvez essa escolha se confirme diariamente, talvez seja causa de arrependimento. Suas competências necessárias à ação são suficientes e adequadas para trazer benefícios, e não malefícios, àqueles que recebem seu trabalho, preservando sua saúde física e mental?

Ressaltei que Gamino e Ritter (2009) enfatizam o autocuidado como um imperativo ético para aqueles que trabalham no ofício de cuidar. Destaco aqui alguns desenvolvimentos a esse respeito. No cuidar, o profissional vive situações indutoras de estresse e com frequência precisa estar em ambientes insalubres, dos pontos de vista organizacional, social, físico e emocional. É orientado pelos princípios de beneficência, integridade e justiça. Mantém-se estudando, pesquisando, ensinando, em busca de excelência. Coloca o paciente em primeiro lugar, considera suas necessidades e vulnerabilidades e busca maneiras de fortalecê-lo. Procura melhorar a qualidade de vida dele. Ao longo da vida, conhece muitas pessoas, amplia ou transforma sua visão de mundo. É privilegiado por ter essa profissão. Isso não é pouco para alguém que quer se manter saudável e coerente com seus princípios, de modo a também ter uma vida particular saudável e satisfatória quando não está trabalhando.

Entra em cena o autocuidado, encontrado no autoconhecimento, na saúde física e social, no mundo presumido, nos significados pessoais e profissionais, nas variáveis ambientais do local de trabalho, na psicoterapia pessoal e na supervisão. O trabalho precisa ser transformado em cuidar, para que a interação entre quem oferece e quem recebe o cuidado seja mútua. Ambos têm oportunidade igual de vivenciar qualidade de vida. Quem oferece o cuidado está na relação de cuidar tendo reconhecido suas necessidades e também as de quem o recebe.

O desejo de ajudar não basta. Há habilidades necessárias. Não podemos fazer esse trabalho sem corrermos o risco de ser afetados por ele. Uma consequência pode ser a fadiga de compaixão, por trabalhar com pessoas que precisam de cuidados. É um risco ocupacional que não é causado por erro, mas pela profissão. Trabalhar com pessoas que vivem um luto apresenta esse risco. Entre as habilidades necessárias para que o ofício de cuidar não cause danos ao profissional (ou cause apenas danos controláveis) está o conhecimento integrado à realidade onde se vive.

Este livro trilhou um pouco do vasto percurso do conhecimento necessário sobre o luto. O luto da criança e do adolescente não foi abordado, assim como nenhum segmento específico do ciclo vital. Desenvolveu-se, contudo, a história dos estudos sobre o luto, fazendo par com as perspectivas teóricas, na expectativa de aproximar o profissional de um contexto que se apresenta na atualidade, porém requer pensamento crítico e clínico para ser compreendido. As definições sobre luto não permitem certezas, mas ao mesmo tempo não admitem enclausuramentos inquestionáveis. Precisamos conhecer o fenômeno, sobre isso não há dúvidas.

O século 21 mal começou e já nos impôs uma reorganização de muito do que sabemos e praticamos. O mundo presumido tem sido tão exigido que quase não temos tempo para nos entendermos com as mudanças e a construção de significados decorrente. A boa notícia é que o tema do luto tem estado presente em reuniões científicas de diferentes dimensões, assim como em publicações leigas, sendo pautado pela mídia, aproximando a discussão das pessoas comuns, saindo dos muros da academia.

A responsabilidade do profissional aumenta, portanto. Só muito recentemente passaram a ser oferecidas disciplinas sobre morte e luto em cursos de graduação da área da saúde. O estudante se gradua e vai para o mercado de trabalho desejando fazer bem feito aquilo que lhe foi ensinado. Alguns sofrem muito com a decepção e o medo de causar mal ao outro. Na pós-graduação, é também recente a abertura para esse campo do conhecimento, mas posso dizer que o cenário é promissor.

Espero que a leitura traga conhecimento, interesse, curiosidade e inquietação ao estudante e ao profissional do cuidar. Espero, mais ainda, que abra o campo para a importância do autoconhecimento e do autocuidado, para que a opção por esse ofício seja reiterada com saúde e alegria.

As pessoas que vivem seus lutos precisam encontrar profissionais que não percam sua humanidade, apesar de tudo, para que esse encontro seja de fato humano, na sua melhor possibilidade.

Campos do Jordão, dezembro de 2020

REFERÊNCIAS

AINSWORTH, M. D. S. *et al. Patterns of attachment: a psychological study of the strange situation.* Nova York: Psychology Press, 2015.

ALVES, E. G. R. *Pedaços de mim: o luto vivido por pessoas com deformidade facial adquirida pós-trauma bucomaxilomandibular e a interferência no seu desenvolvimento.* Tese (doutorado em Psicologia) – Instituto de Psicologia, Universidade de São Paulo, 2006.

ALVES, T. M. *Formação de indicadores para a psicopatologia do luto.* Tese (doutorado em Ciências) – Universidade de São Paulo, 2014.

APA – American Psychiatric Association. *DSM-IV: manual de diagnóstico e estatística das perturbações mentais.* 4. ed. Lisboa: Climepsi, 1996.

_____. *Desk reference to the diagnostic criteria from DSM-5.* Washington: American Psychiatric Publishing, 2013.

ARCHER, J. "Theories of grief: past, present, and future perspectives". In: STROEBE, M. S. *et al.* (orgs.). *Handbook of bereavement research and practice: advances in theory and intervention.* Washington: American Psychological Association, 2008, p. 45-66.

ATTIG, T. "Questionable assumptions about assumptive worlds". In: KAUFFMAN, J. (org.). *Loss of the assumptive world: a theory of traumatic loss.* Nova York/Londres: Brunner-Routledge, 2002, p. 55-68.

AVERILL, J. R.; NUNLEY, E. P. "Grief as an emotion and as a disease: a social constructionist perspective". In: STROEBE, M.; STROEBE, W.; HANSSON, R. O. (orgs.). *Handbook of bereavement: theory, research, and intervention.* Cambridge/Nova York: Cambridge University Press, 1993, p. 77-90.

AYERS, T. S.; KONDO, C. C.; SANDLER, I. N. "Bridging the gap: translating a research-based program into an agency-based service for bereaved children and families". In: NEIMEYER, R. A. *et al.* (orgs.). *Grief and bereavement in contemporary society: bridging research and practice.* Nova York: Routledge, 2011, p. 117-35.

BALK, D. E.; CORR, C. A. "Bereavement during adolescence: a review of research". In: STROEBE, M. S. *et al.* (orgs.). *Handbook of bereavement research: consequences, coping and care.* Washington: American Psychological Association, 2001, p. 199-218.

BARBOSA, A. "Processo de luto". In: BARBOSA, A.; GALRIÇA NETO, I. (orgs.). *Manual de cuidados paliativos.* Lisboa: Faculdade de Medicina da Universidade de Lisboa, 2010, p. 487-532.

BARBOSA, C. A. N.; LEÃO, M. F. "Uma investigação acerca da elaboração do luto por sujeitos ateus e religiosos". *Revista Mineira de Ciências da Saúde*, ano 4, n. 4, set. 2012, p. 15-33.

BARROS, E. N. *Tradução e validação do Texas Revised Inventory of Grief (TRIG): aplicação em pais enlutados pela perda de um filho por câncer pediátrico.* Dissertação (mestrado em Ciências) – Fundação Antônio Prudente, São Paulo, 2008.

BAUMAN, Z. *O mal-estar da pós-modernidade.* Trad. Mauro Gama e Cláudia Martinelli Gama. Rio de Janeiro: Zahar, 1998.

_____. *Amor líquido: sobre a fragilidade dos laços humanos.* Trad. Carlos Alberto Medeiros. Rio de Janeiro: Zahar, 2004.

Beauchamp, T. L.; Childress, J. F. *Principles of biomedical ethics.* 4. ed. Nova York: Oxford University Press, 1994.

Beck, A. M.; Katcher, A. *Between pets and people: the importance of animal companionship.* West Lafayette: Purdue University Press, 1996.

Becker, E. *A negação da morte.* Trad. Luiz Carlos do Nascimento Silva. Rio de Janeiro: Record, 1991.

Biasoto, L. G. A. P. *et al.* "Intervenções psicológicas em emergências: a construção de uma práxis". In: Franco, M. H. P. (org.). *A intervenção psicológica em emergências: fundamentos para a prática.* São Paulo: Summus, 2015, p. 61-104.

Black, B. P. *et al.* (orgs.). *Perinatal and pediatric bereavement in nursing and other health professions.* Nova York: Springer, 2016.

Boelen, P. A.; Keijsers, L.; Van den Hout, M. A. "The role of self-concept clarity in prolonged grief disorder". *Journal of Nervous and Mental Disease*, v. 200, n. 1, 2012, p. 56-62.

Boelen, P. A.; Lenferink, L. I. M.; Smid, G. E. "Further evaluation of the factor structure, prevalence, and concurrent validity of DSM-5 criteria for persistent complex bereavement disorder and ICD-11 criteria for prolonged grief disorder". *Psychiatry Research*, v. 273, 2019, p. 206-10.

Boelen, P. A.; Prigerson, H. G. "The influence of symptoms of prolonged grief disorder, depression, and anxiety on quality of life among bereaved adults: a prospective study". *European Archives of Psychiatry and Clinical Neuroscience*, v. 257, n. 8, 2007, p. 444-52.

Boelen, P. A.; Van den Bout, J. "Complicated grief and uncomplicated grief are distinguishable constructs". *Psychiatry Research*, v. 157, n. 1-3, 2008, p. 311-14.

Boelen, P. A. *et al.* "Treatment of complicated grief: a comparison between cognitive-behavioral therapy and supportive counseling". *Journal of Consulting and Clinical Psychology*, v. 75, n. 2, 2007, p. 277-84.

_____. "Remotely delivered cognitive behavior therapy for disturbed grief during the Covid-19 crisis: challenges and opportunities". *Journal of Loss and Trauma*, 2020.

Boerner, K.; Mancini, A. D.; Bonanno, G. "On the nature and prevalence of uncomplicated and complicated patterns of grief". In: Stroebe, M.; Schut, H.; Van den Bout, J. *Complicated grief: scientific foundations for health care professionals.* Londres/Nova York: Routledge, 2013, p. 55-67.

Bonanno, G. A. *The other side of sadness: what the new science of bereavement tells us about life after loss.* Nova York: Basic Books, 2009.

Bonanno, G. A.; Goorin, L.; Coifman, K. G. "Sadness and grief". In: Lewis, M.; Haviland-Jones, J. M.; Barrett, L. F. (orgs.). *Handbook of emotions.* Nova York: Guilford Press, 2008, p. 797-810.

Bonanno, G. A.; Kaltman, S. "Toward an integrative perspective on bereavement". *Psychological Bulletin*, v. 125, n. 6, 1999, p. 760-76.

Bonanno, G. A. *et al.* "Is there more to complicated grief than depression and post-traumatic stress disorder? A test of incremental validity". *Journal of Abnormal Psychology*, v. 116, n. 2, 2007, p. 342-51.

Borghi, C. A. *et al.* "O uso das redes sociais virtuais como um instrumento de cuidado para adolescentes hospitalizados". *Escola Anna Nery*, v. 22, n. 1, 2018, p. 1-7.

Boss, P. *Loss, trauma, and resilience: therapeutic work with ambiguous loss.* Nova York: Norton, 2006.

Botega, N. J. *Crise suicida: avaliação e manejo.* Porto Alegre: ArtMed, 2015.

Bousso, R. S. "A morte e o luto: a sensibilidade de uma enfermeira". In: Casellato, G. (org.). *O resgate da empatia: suporte psicológico ao luto não reconhecido.* São Paulo: Summus, 2015, p. 183-201.

Bousso, R. S. *et al.* "Facebook: um novo *locus* para a manifestação de uma perda significativa". *Psicologia USP*, v. 25, n. 2, 2014, p. 172-79.

Bowlby, J. *Attachment and loss*, v. 1: *Attachment*. Harmondsworth: Penguin, 1978a. [Ed. bras.: *Apego e perda*, v. 1: *Apego: a natureza do vínculo*. Trad. Álvaro Cabral e Auriphebo Berrance Simões. 3. ed. São Paulo: Martins Fontes, 2002.]

_____. *Attachment and loss*, v. 2: *Separation, anxiety, and anger*. Harmondsworth: Penguin, 1978b. [Ed. bras.: *Apego e perda*, v. 2: *Separação: angústia e raiva*. Trad. Leônidas Hegenberg, Octanny S. da Mota e Mauro Hegenberg. 4. ed. São Paulo: Martins Fontes, 2004.]

_____. *Attachment and loss*, v. 3: *Loss: sadness and depression*. Harmondsworth: Penguin, 1981. [*Apego e perda*, v. 3: *Perda: tristeza e depressão*. Trad. Waltensir Dutra. 3. ed. São Paulo: Martins Fontes, 2004.]

_____. *Uma base segura: aplicações clínicas da teoria do apego*. Trad. Sonia Monteiro de Barros. Porto Alegre: Artes Médicas, 1989.

_____. *The making and breaking of affectional bonds*. Londres: Routledge, 1994.

Braz, M. S. *Prevenção de luto complicado em cuidados paliativos: percepções dos profissionais de saúde acerca de suas contribuições nesse processo*. Dissertação (mestrado em Psicologia) – Pontifícia Universidade Católica de São Paulo, 2013.

Braz, M. S.; Franco, M. H. P. "Profissionais paliativistas e suas contribuições na prevenção de luto complicado". *Psicologia: Ciência e Profissão*, v. 37, n. 1, 2017, p. 90-105.

Bromberg, M. H. P. F. *A psicoterapia em situações de perdas e luto*. Campinas: Livro Pleno, 2000.

Brown, F. H. "O impacto da morte e da doença grave sobre o ciclo de vida familiar". In: Carter, B.; McGoldrick, M. (orgs.). *As mudanças no ciclo de vida familiar: uma estrutura para terapia familiar*. Porto Alegre: Artmed, 2001, p. 393-414.

Brownell, P. *Spiritual competency in psychotherapy*. Nova York: Springer, 2015.

Burke, L. A.; Neimeyer, R. A. "Prospective risk factors for complicated grief: a review of the empirical literature". In: Stroebe, M.; Schut, H.; Van den Bout, J. *Complicated grief: scientific foundations for health care professionals*. Londres/Nova York: Routledge, 2013, p. 145-61.

Butler, S.; Northcut, T. "Enhancing psychodynamic therapy with cognitive-behavioral therapy in the treatment of grief". *Clinical Social Work Journal*, v. 41, n. 4, 2013, p. 309-31.

Cacciatore, J.; DeFrain, J. "I remember your hand in mine: an introduction to the world of bereavement". In: Cacciatore, J.; DeFrain, J. (orgs.). *The world of bereavement: cultural perspectives on death in families*. Nova York: Springer, 2015, p. v-xi.

Câmara, S. L. *Psicologia e religião: uma análise da produção em psicologia e a orientação aos padres, quanto à situação de morte*. Dissertação (mestrado em Psicologia Clínica) – Pontifícia Universidade Católica de São Paulo, 2017.

Carmack, B. J.; Packman, W. "Pet loss: the interface of continuing bonds research and practice". In: Neimeyer, R. A. *et al*. (orgs.). *Grief and bereavement in contemporary society: bridging research and practice*. Nova York: Routledge, 2011, p. 273-84.

Carter, B. "Death in the therapist's own family". In: Walsh, F.; McGoldrick, M. (orgs.). *Living beyond loss: death in the family*. Nova York: Norton, 1991, p. 273-83. [Ed. bras.: "A morte na família do terapeuta". In: *Morte na família: sobrevivendo às perdas*. Trad. Cláudia Oliveira Dornelles. Porto Alegre: Artmed, 1998, p. 295-306.]

Casellato, G. *Luto por abandono: enfrentamento e correlação com a maternidade*. Tese (doutorado em Psicologia Clínica) – Pontifícia Universidade Católica de São Paulo, 2004.

_____. "Luto não reconhecido: o fracasso da empatia nos tempos modernos". In: Casellato. G. (org.). *O resgate da empatia: suporte psicológico ao luto não reconhecido*. São Paulo: Summus, 2015, p. 15-28.

Casellato, G. *et al*. "Luto complicado: considerações para a prática". In: Santos, F. S. *A arte de morrer: visões plurais*, v. 2. Bragança Paulista: Comenius, 2009.

_____. "O luto desencadeado por desastres". In: Franco, M. H. P. (org.). *A intervenção psicológica em emergências: fundamentos para a prática*. São Paulo: Summus, 2015, p. 189-228.

Caserta, M.; Lund, D.; Utz, R. "Inventory of daily widowed life". In: Neimeyer, R. A. (org.). *Techniques of grief therapy: assessment and intervention*. Nova York/Londres: Routledge, 2016, p. 65-70.

Caserta, M. *et al.* "'One size doesn't fit all': partners in hospice care, an individualized approach to bereavement intervention". *Omega – Journal of Death and Dying*, v. 73, n. 2, 2016, p. 107-25.

Chan, C. L. W.; Leung, P. P. Y. "Clapping qigong". In: Neimeyer, R. A. (org.). *Techniques of grief therapy: creative practices for counseling the bereaved*. Nova York: Routledge, 2012, p. 58-60.

Clark, D. "Religion, medicine, and community in the early origins of St. Christopher's Hospice". *Journal of Palliative Medicine*, v. 4, n. 3, 2001, p. 353-60.

Clukey, L. "Anticipatory mourning: processes of expected loss in palliative care". *International Journal of Palliative Nursing*, v. 14, n. 7, 2008, p. 316-25.

Cogo, A. S. *et al.* "Processo de luto no contexto da Covid-19". In: Noal, D. S.; Passos, M. F. D.; Freitas, C. M. *Recomendações e orientações em saúde mental e atenção psicossocial na Covid-19*. Rio de Janeiro: Fiocruz, 2020, p. 163-70.

Coleman, S. B. "Intergenerational patterns of traumatic loss: death and despair in addict families". In: Walsh, F.; McGoldrick, M. (orgs.). *Living beyond loss: death in the family*. Nova York: Norton, 1991, p. 260-72. [Ed. bras.: "Padrões intergeracionais de perda traumática: morte e desespero em famílias de drogadictos". In: *Morte na família: sobrevivendo às perdas*. Trad. Cláudia Oliveira Dornelles. Porto Alegre: Artmed, 1998, p. 282-94.]

Comtesse, H. *et al.* "When does grief become pathological? Evaluation of the ICD-11 diagnostic proposal for prolonged grief in a treatment-seeking sample". *European Journal of Psychotraumatology*, v. 11, n. 1, 2020.

Connor, S. R. "Denial and the limits of anticipatory mourning". In: Rando, T. *Clinical dimensions of anticipatory mourning: theory and practice in working with the dying, their loved ones, and their caregivers*. Champaign: Research Press, 2000, p. 253-65.

Cook, A. S. "The dynamics of ethical decision making in bereavement research". In: Stroebe, M. S. *et al.* (orgs.). *Handbook of bereavement research: consequences, coping and care*. Washington: American Psychological Association, 2001, p. 119-42.

Corr, C. A. "Coping with challenges to assumptive worlds". In: Kauffman, J. (org.). *Loss of the assumptive world: a theory of traumatic loss*. Nova York/Londres: Brunner-Routledge, 2002, p. 127-38.

Corr, C. A.; Corr, D. M. "Culture, socialization, and dying". In: Balk, D. (org.). *Handbook of thanatology: the essential body of knowledge for the study of death, dying, and bereavement*. Nova York/Londres: Routledge, 2007, p. 3-9.

Cottone, R. R.; Tarvydas, V. *Ethics and decision making in counseling and psychotherapy*. 4. ed. Nova York: Spring, 2016.

Cozolino, L. J. *The neuroscience of psychotherapy: healing the social brain*. Nova York: W. W. Norton, 2010.

Crepaldi, M. A. *et al.* "Terminalidade, morte e luto na pandemia de Covid-19: demandas psicológicas emergentes e implicações práticas". *Estudos de Psicologia (Campinas)*, v. 37, n. 3, jun. 2020.

Currier, J.; Neimeyer, R. A.; Berman, J. S. "The effectiveness of psychotherapeutic interventions for bereaved persons: a comprehensive quantitative review". *Psychological Bulletin*, v. 134, n. 5, 2008, p. 648-61.

Dadalto, L. *Testamento vital*. São Paulo: Atlas, 2015.

Dadalto, L.; Tupinambás, U.; Greco, D. B. "Diretivas antecipadas da vontade: um modelo brasileiro". *Revista Bioética*, v. 21, n. 3, 2013, p. 463-76.

DAMÁSIO, F.; NOAL, D.; FREITAS, C. M. (coords.). "Módulo 7: processo de luto no contexto da Covid-19". Vídeo. Centro de Estudos e Pesquisas em Emergências e Desastres em Saúde. Brasília: Fiocruz Brasília/Escola Nacional de Saúde Pública, 2020.

DAMATTA, R. *A casa & a rua: espaço, cidadania, mulher e morte no Brasil*. 5. ed. Rio de Janeiro: Rocco, 1997.

DELALIBERA, M.; BARBOSA, A.; LEAL, I. "Circunstâncias e consequências do cuidar: caracterização do cuidador familiar em cuidados paliativos". *Ciência e Saúde Coletiva*, v. 23, n. 4, 2018, p. 1105-17.

DELALIBERA, M; COELHO, A.; BARBOSA, A. "Validação do instrumento de avaliação do luto prolonga-do para a população portuguesa". *Acta Médica Portuguesa*, v. 24, 2011, p. 935-42.

DELALIBERA, M. *et al*. "Estudo de adaptação e validação do instrumento de avaliação do luto prolon-gado para a população portuguesa". In: BARBOSA, A. (coord.). *Investigação quantitativa em cuida-dos paliativos*. Lisboa: Faculdade de Medicina, 2012, p. 87-106.

_____. "A dinâmica familiar no processo de luto: revisão sistemática da literatura". *Ciência & Saú-de Coletiva*, v. 20, n. 4, 2015a, p. 1119-34.

_____. "Sobrecarga no cuidar e suas repercussões nos cuidadores de pacientes em fim de vida: re-visão sistemática da literatura". *Ciência & Saúde Coletiva*, v. 20, n. 9, 2015b, p. 2731-47.

_____. "Adaptação e validação brasileira do instrumento de avaliação do luto prolongado – PG-13". *Psicologia: Teoria e Prática*, v. 19, n. 1, 2017, p. 94-106.

DESPELDER, L. A.; STRICKLAND, A. L. *The last dance: encountering death and dying*. 9. ed. Nova York: MacGraw-Hill, 2011.

DOKA, K. J. "Disenfranchised grief". In: DOKA, K. J. (org.). *Disenfranchised grief: recognizing hidden sorrow*. Lexington: Lexington Books, 1989, p. 3-11.

_____. "Re-creating meaning in the face of illness". In: RANDO, T. A. *Clinical dimensions of anticipa-tory mourning: theory and practice in working with the dying, their loved ones, and their caregivers*. Champaign: Research Press, 2000, p. 103-13.

_____. "How could God? Loss and the spiritual assumptive world". In: KAUFFMAN, J. (org.). *Loss of the assumptive world: a theory of traumatic loss*. Nova York/Londres: Brunner-Routledge, 2002, p. 49-54.

_____. "Disenfranchised grief in historical and cultural perspective". In: STROEBE, M. S. *et al*. (orgs.). *Handbook of bereavement research and practice: advances in theory and intervention*. Washington: American Psychological Association Press, 2008, p. 223-40.

_____. "Religion and spirituality: assessment and intervention". *Journal of Social Work and End-of--Life & Palliative Care*, v. 7, n. 1, 2011, p. 99-109.

_____. "Introduction". In: SAPPHIRE, P. (org.). *The disenfranchised stories of life and grief when an ex-spouse dies*. Amityville: Baywood, 2013, p. 1-2.

DOKA, K. J.; MARTIN, T. L. *Grieving beyond gender: understanding the ways men and women mourn*. Nova York/Londres: Routledge, 2010.

DOKA, K. J. (org.). *Living with grief after sudden loss: suicide, homicide, accident, heart attack, stroke*. Nova York/Londres: Routledge, 1996.

_____. *Disenfranchised grief: new directions, challenges and strategies for practice*. Champaign: Research Press, 2002a.

_____. *Living with grief: loss in later life*. Nova York: Hospice Foundation of America, 2002b.

DUARTE, L. F. D. *et al*. (orgs.). "Família, reprodução e *ethos* religioso – Subjetivismo e naturalismo como valores estruturantes". In: *Família e religião*. Rio de Janeiro: Contra Capa, 2006.

DYREGROV, K.; DYREGROV, A.; JOHNSEN, I. "Positive and negative experiences from grief group parti-cipation: a qualitative study". *Omega*, v. 68, n. 1, 2013, p. 45-62.

EISMA, M. C.; BOELEN, P. A.; LENFERINK, L. "Prolonged grief disorder following the coronavirus (Covid-19) pandemic". *Psychiatry Research*, v. 288, abr. 2020.

ENGEL, G. "Is grief a disease?" *Psychosomatic Medicine*, v. 23, 1961, p. 18-22.

ESSLINGER, I. *O paciente, o médico e o cuidador: de quem é a vida, afinal? Um estudo acerca do morrer com dignidade.* Tese (doutorado em Psicologia) – Universidade de São Paulo, 2003.

FASCHINGBAUER, T. *The Texas inventory of grief – revised.* Houston: Honeycomb Publishing, 1981.

FIELD, N. P. "Whether to relinquish or maintain a bond with the deceased". In: STROEBE, M. S. *et al.* (orgs.). *Handbook of bereavement research and practice: advances in theory and intervention.* Washington: American Psychological Association, 2008, p. 113-32.

FIELD, N. P.; FILANOSKY, C. "Continuing bonds, risk factors for complicated grief, and adjustment to bereavement". *Death Studies*, v. 34, n. 1, 2010, p. 1-29.

FIELD, N. P.; WOGRIN, C. "The changing bond in therapy for unresolved loss: an attachment theory perspective". In: NEIMEYER, R. A. *et al.* (orgs.). *Grief and bereavement in contemporary society: bridging research and practice.* Nova York: Routledge, 2011, p. 37-46.

FLACH, K. *et al.* "O luto antecipatório na unidade de terapia intensiva pediátrica: relato de experiência". *Revista da SBPH*, v. 15, n. 1, jun. 2012.

FLUX, L.; HASSETT, A.; CALLANAN, M. "Grieving in the workplace: how do grieving employees perceive their experience of workplace support from management?" *Police and Practice in Health and Safety*, jul. 2020.

FONAGY, P.; GERGELY, G.; TARGET, M. "Psychoanalytic constructs and attachment theory and research". In: CASSIDY, J.; SHAVER, P. R. (orgs.). *Handbook of attachment: theory, research and clinical applications.* Nova York: Guilford Press, 2008, p. 783-810.

FRANCO, M. H. P. "Uma mudança no paradigma sobre o enfoque da morte e do luto no mundo contemporâneo". In: FRANCO, M. H. P. *Estudos avançados sobre o luto.* Campinas: Livro Pleno, 2002, p. 15-38.

_____. "Apoio psicológico para emergências em aviação: a teoria revista na prática". *Estudos de Psicologia*, v. 10, n. 2, 2005, p. 177-80.

_____. "Psicologia". In: OLIVEIRA, R. A. (coord.). *Cuidado paliativo.* Cadernos Cremesp. São Paulo: Cremesp, 2008, p. 74-76.

_____. "Cuidados paliativos e o luto no contexto hospitalar". In: PESSINI, L.; BERTACHINI, L. (orgs). *Humanização e cuidados paliativos.* 4. ed. São Paulo: Loyola, 2009, p. 301-04.

_____. "Por que estudar o luto na atualidade?" In: FRANCO, M. H. P. (org.). *Formação e rompimento de vínculos: o dilema das perdas na atualidade.* São Paulo: Summus, 2010, p. 17-42.

_____. "Crises e desastres: a resposta psicológica diante do luto". *O Mundo da Saúde*, São Paulo, v. 38, n. 1, 2012, p. 54-58.

_____. "Luto antecipatório em cuidados paliativos". In: FRANCO, M. H. P.; POLIDO, K. K. *Atendimento psicoterapêutico no luto.* São Paulo: Zagodoni, 2014, p. 27-35.

_____. "The Brazilian ways of living, dying and grieving". In: CACCIATORE, J.; DEFRAIN, J. (orgs.). *The world of bereavement: cultural perspectives on death in families.* Nova York: Springer, 2015a, p. 147-58.

_____. "A teoria do apego e os transtornos mentais do luto não reconhecido". In: CASELLATO, G. (org.). *O resgate da empatia: suporte psicológico ao luto não reconhecido.* São Paulo: Summus, 2015b, p. 217-27.

_____. "A complexidade dos cuidados paliativos e a morte na contemporaneidade". In: KAMERS, M.; MARCON, H. H.; MORETTO, M. L. T. (orgs.). *Desafios atuais das práticas em hospitais e nas instituições de saúde.* São Paulo: Escuta, 2016a, p. 313-28.

_____. (coord.). *Pesquisas e intervenções sobre luto: em busca da excelência possível.* 11º Congresso Nacional de Psicologia da Saúde, Lisboa, 26-29 jan. 2016b.

_____. "Desastres aéreos e suas implicações na atenção integral". In: Sant'anna Filho, O.; Lopes, D. C. (orgs.). *O psicólogo na redução dos riscos de desastres: teoria e prática*. São Paulo: Hogrefe, 2017, p. 141-58.

_____. "Cuidados paliativos e vivência de luto". In: Bifulco, V. A.; Caponero, R. (orgs.). *Cuidados paliativos: um olhar sobre as práticas e as necessidades atuais*. Barueri: Manole, 2018, p. 225-36.

Franco, M. H. P.; Tinoco, V. U.; Mazorra, L. "Reflexões sobre os cuidados éticos na pesquisa com enlutados". *Revista M.*, v. 2, n. 3, 2017, p. 138-51.

Franco, M. H. P. *et al.* "Vivência do luto e a busca de psicoterapia". *International Conference on Grief and Bereavement*, Hong Kong, jun. 2014.

Franco, M. H. P. (org.). *A intervenção psicológica em emergências: fundamentos para a prática*. São Paulo: Summus, 2015.

Freedy, J. R. *et al.* "Understanding acute psychological distress following natural disaster". *Journal of Traumatic Stress*, v. 7, 1994, p. 257-74.

Freeman, B. *Compassionate Person-Centered Care for the Dying: an evidence-based palliative care guide for nurses*. Nova York: Springer, 2015.

Freud, S. "Mourning and melancholia (1917 [1915])". In: Freud, S. *On metapsychology: the theory of psychoanalysis*, v. 2. Harmondsworth: Penguin, 1984, p. 245-68.

_____. "O ego e o id (1923)". In: *"O ego e o id" e outros trabalhos (1923-1925)*. Trad. Jayme Salomão (dir. geral). Rio de Janeiro: Imago, 1996a. Edição Standard Brasileira das Obras Psicológicas Completas de Sigmund Freud, v. XIX.

_____. "O futuro de uma ilusão (1927)". In: *"O futuro de uma ilusão", "O mal-estar na civilização" e outros trabalhos (1927-1931)*. Rio de Janeiro: Imago, 1996b. Edição Standard Brasileira das Obras Psicológicas Completas de Sigmund Freud, v. XXI.

Frizzo, H.C. F. *et al.* "A expressão de pesar e luto na internet: um estudo de caso mediante o processo de adoecimento e morte de um cônjuge". *Revista Kairós: Gerontologia*, v. 20, n. 4, 2017, p. 207-31.

Fukumitsu, K. O. *O processo de luto do filho da pessoa que cometeu suicídio*. Tese (doutorado em Psicologia) – Universidade de São Paulo, 2013a.

_____. *Suicídio e luto: histórias de filhos sobreviventes*. São Paulo: Digital Publish & Print, 2013b.

Gamino, L. A.; Ritter, R. H. *Ethical practice in grief counseling*. Nova York: Springer, 2009.

Giacomin, K. C.; Santos, W. J.; Firmo, J. O. A. "O luto antecipado diante da consciência da finitude: a vida entre os medos de *não dar conta*, de *dar trabalho* e de morrer". *Ciência & Saúde Coletiva*, v. 18, n. 9, 2013, p. 2487-96.

Giel, R. "Psychosocial processes in disasters". *International Journal of Mental Health*, v. 19, n. 1, 1990, p. 7-20.

Gilbert, K. R.; Horsley, G. C. "Technology and grief support in the twenty first century: a multimedia platform at www.opentohope.com". In: Neimeyer, R. A. *et al.* (orgs.). *Grief and bereavement in contemporary society: bridging research and practice*. Nova York: Routledge, 2011, p. 365-74.

Gillies, J.; Neimeyer, R. A. "Loss, grief and the search for significance: toward a model of meaning reconstruction in bereavement". *Journal of Constructivist Psychology*, v.19, n. 1, jan. 2006, p. 31-65.

Gillies, J.; Neimeyer, R. A.; Milman, E. "Meaning of loss codebook: construction of a system for analyzing meanings made in bereavement". *Death Studies*, v. 38, n. 4, 2014, p. 207-16.

Gomes, A. J. G. *Competências profissionais e concepções religiosas dos psicólogos no acompanhamento do processo de luto*. Dissertação (mestrado em Psicologia Clínica e da Saúde) – Universidade Católica Portuguesa, Braga, 2019.

Gomes, E. C. "Morte em família: ritos funerários em tempo de pluralismo religioso". *Revista de Antropologia*, v. 49, n. 2, jul.-dez. 2006, p. 731-54.

GOUVEIA-PAULINO, F.; FRANCO, M. H. P. "Humanização do processo assistencial: a família como cuidadora". In: ANDREOLI, P. B. A.; ERLICHMAN, M. R. (orgs). *Psicologia e humanização: assistência aos pacientes graves.* São Paulo: Atheneu, 2008, p. 213-30.

GRAINGER, R. *The social symbolism of grief and mourning.* Londres/Filadélfia: Jessica Kingsley, 1998.

GREEN, B. L. "Traumatic stress and disaster: mental health effects and factors influencing adaptation". In: LIEH MAC, F.; NADELSON, C. (orgs.). *International Review of Psychiatry,* v. 2, Washington, American Psychiatric Press, 1996.

GREENSTREET, W. "Why nurses need to understand the principles of bereavement theory". *British Journal of Nursing,* v. 13, n. 10, maio 2004, p. 590-93.

HALL, C. "Bereavement theory: recent developments in our understanding of grief and bereavement". *Bereavement Care,* v. 33, n. 1, maio 2014, p. 7-12.

HANSSON, R. O.; CARPENTER, B. N.; FAIRCHILD, S. K. "Measurement issues in bereavement". In: STROEBE, M. S.; STROEBE, W.; HANSSON, R. O. (orgs.). *Handbook of bereavement: theory, research, and intervention.* Cambridge/Nova York: Cambridge University Press, 1993, p. 62-74.

HANSSON, R. O.; STROEBE, M. S. *Bereavement in late life: coping, adaptation, and developmental influences.* Washington: American Psychological Association, 2007.

HARRIS, D. "Healing the narcissistic injury of death in the context of western society". In: KAUFFMAN, J. (org.). *The shame of death, grief, and trauma.* Nova York: Routledge, 2010, p. 75-86.

HART, L. A. "Psychosocial benefits of animal companionship". In: FINE, A. (org.). *Handbook on animal-assisted therapy: theoretical foundations and guidelines for practice.* San Diego: Academic Press, 2000, p. 59-78.

HAZAN, C.; SHAVER, P. R. "Romantic love conceptualized as an attachment process". *Journal of Personality and Social Psychology,* v. 52, n. 3, 1987, p. 511-24.

HENSLEY, L. D. "Bereavement in online communities: sources of and support for disenfranchised grief". In: SOFKA, C. J.; CUPIT, I. N.; GILBERT, K. R. (orgs.). *Dying, death, and grief in an online universe: for counselors and educators.* Nova York: Springer, 2012, p. 119-34.

HODGKINSON, P. E.; STEWART, M. *Coping with catastrophe: a handbook of post-disaster psychosocial aftercare.* 2. ed. Londres/Nova York: Routledge, 1998.

HOGAN, N. S.; SCHMIDT, L. A. "Hogan Grief Reaction Checklist". In: NEIMEYER, R. A. (org.). *Techniques of grief therapy: assessment and intervention.* Nova York/Londres: Routledge, 2016a, p. 39-45.

_____. "Inventory of social support (ISS)". In: NEIMEYER, R. A. (org.). *Techniques of grief therapy: assessment and intervention.* Nova York/Londres: Routledge, 2016b, p. 99-102.

HOLANDA, S. B. de. *Raízes do Brasil.* São Paulo: Companhia das Letras, 2015, p. 256.

HOLLAND, J. M. *et al.* "The underlying structure of grief: a taxometric investigation of prolonged and normal reactions to loss". *Journal of Psychopathology and Behavioral Assessment,* v. 31, 2009, p. 190-201.

HOOGHE, A.; MIGERODE, L. "Expanding the system". In: NEIMEYER, R. A. (org.). *Techniques of grief therapy: assessment and Intervention.* Nova York/Londres: Routledge, 2016, p. 275-78.

HUDSON, P. L. *et al.* "Guidelines for the psychosocial and bereavement support of family caregivers of palliative care patients". *Journal of Palliative Medicine,* v. 15, n. 6, 2012, p. 696-702.

HUDSON, P. L. *et al.* "Benefits and resource implications of family meetings for hospitalized palliative care patients: research protocol". *BMC Palliative Care,* v. 14, n. 73, 2015.

IBGE – Instituto Brasileiro de Geografia e Estatística. *Projeção da população do Brasil e das Unidades da Federação.* 2020. Disponível em: <https://www.ibge.gov.br/apps/populacao/projecao/>. Acesso em: 11 set. 2020.

IMBER-BLACK, E. "Rituals and the healing process". In: WALSH, F.; McGOLDRICK, M. (orgs.). *Living beyond loss: death in the family.* Nova York: Norton, 1991, p. 207-23. [Ed. bras.: "Os rituais e o processo de elaboração". In: *Morte na família: sobrevivendo às perdas*. Trad. Cláudia Oliveira Dornelles. Porto Alegre: Artmed, 1998, p. 229-45.]

IRWIN, M. "Mourning 2.0: continuing bonds between the living and the dead on Facebook – Continuing bonds in cyberspace". In: KLASS, D.; STEFFEN, E. M. (orgs.). *Continuing bonds in bereavement: new directions for research and practice*. Nova York/Londres: Routledge, 2018, p. 317-29.

IRWIN, M.; PIKE, J. "Bereavement, depressive symptoms, and immune function". In: STROEBE, M. S.; STROEBE, W.; HANSSON, R. O. (orgs.). *Handbook of bereavement: theory, research, and intervention*. Cambridge/Nova York: Cambridge University Press, 1993, p. 160-74.

JACOB, C. R. *et al. Atlas da filiação religiosa e indicadores sociais no Brasil*. Rio de Janeiro/São Paulo: Ed. PUC-Rio/ Loyola, 2003.

JAMES, R. K.; GILLILAND, B. E. *Crisis intervention strategies*. Belmont: Brooks/Cole Thomson Learning, 2001.

JANOFF-BULMAN, R. *Shattered assumptions: towards a new psychology of trauma*. Nova York: Free Press, 1992.

JEFFREYS, J. S. *Helping grieving people: when tears are not enough – A handbook for care providers*. Nova York: Brunner-Routledge, 2011.

JOHANNESSON, K. B. *et al.* "Prolonged grief among traumatically bereaved relatives exposed and not exposed to a tsunami". *Journal of Traumatic Stress*, v. 24, n. 4, ago. 2011, p. 456-64.

JOHNSEN, I.; DYREGROV, A.; DYREGROV, K. "Participants with prolonged grief: how do they benefit from grief group participation?" *Omega – Journal of Death and Dying*, v. 65, 2012, p. 87-105.

JORDAN, J. R. "Grief after suicide: the evolution of suicide postvention". In: STILLION, J. M.; ATTIG, T. *Death, dying, and bereavement: contemporary perspectives, institutions, and practices*. Nova York: Springer, 2015, p. 349-62.

JORDAN, J. R.; MCINTOSH, J. L. "Suicide bereavement: why study survivors of suicide loss?" In: JORDAN, J. R.; MCINTOSH, J. L. (orgs.). *Grief after suicide: understanding the consequences and caring for the survivors*. Nova York: Routledge, 2011, p. 3-17.

JORDAN, J. R.; NEIMEYER, R. A. "Does grief counselling work?" *Death Studies*, v. 27, n. 9, nov. 2003, p. 765-86.

KAMINER, H.; LAVIE, P. "Sleep and dreams in well-adjusted and less adjusted Holocaust survivors". In: STROEBE, M. S.; STROEBE, W.; HANSSON, R. O. (orgs.). *Handbook of bereavement: theory, research, and intervention*. Cambridge/Nova York: Cambridge University Press, 1993, p. 331-45.

KASKET, E. "Facilitation and disruption of continuing bonds in a digital society". In: KLASS, D.; STEFFEN, E. M. (orgs.). *Continuing bonds in bereavement: new directions for research and practice*. Nova York/Londres: Routledge, 2018, p. 330-40.

KATZ, C; BOLTON, J.; SAREEN, J. "The prevalence rates of suicide are likely underestimated worldwide: why it matters". *Social Psychiatry and Psychiatric Epidemiology*, v. 51, n. 1, jan. 2016, p. 125-27.

KAUFFMAN, J. "Introduction". In: KAUFFMAN, J. (org.). *Loss of the assumptive world: a theory of traumatic loss*. Nova York/Londres: Brunner-Routledge, 2002, p. 1-9.

KELLEHEAR, A. *A social history of dying*. Cambridge/Nova York: Cambridge University Press, 2007.

_____. "Introduction". In: KÜBLER-ROSS, E. *On death and dying: what the dying have to teach doctors, nurses, clergy and their own families*. Londres: Routledge, 2009, p. vii-xviii.

KELLY, G. A. *The psychology of personal constructs*. Londres/Nova York: Routledge, 1991.

KENT, E. E.; ORNSTEIN, K. A.; DIONNE-ODOM, J. N. "The family caregiving crisis meets an actual pandemic". *Journal of Pain and Symptom Management*, v. 60, n. 1, jul. 2020, p. 66-69.

KIM, K.; JACOBS, S. "Neuroendocrine changes following bereavement". In: STROEBE, M. S.; STROEBE, W.; HANSSON, R. O. (orgs.). *Handbook of bereavement: theory, research, and intervention*. Cambridge/Nova York: Cambridge University Press, 1993, p. 143-59.

Kissane, D. W. "Family grief". In: Kissane, D. W.; Parnes, F. *Bereavement care for families*. Nova York/ Londres: Routledge, 2014, p. 3-16.

Kissane, D. W.; Bloch, S. *Family focused grief therapy*. Maidenhead: Open University Press, 2003.

Kissane, D. W.; Hooghe, A. "Family therapy for the bereaved". In: Neimeyer, R. A. *et al. Grief and bereavement in contemporary society: bridging research and practice*. Nova York: Routledge, 2011, p. 287-302.

Klass, D.; Silverman, P. R.; Nickman, S. L. (orgs.). *Continuing bonds: new understandings of grief*. Washington: Taylor & Francis, 1996.

Klass, D.; Walter, T. "Processes of grieving: how bonds are continued". In: Stroebe, M. S. *et al.* (orgs.). *Handbook of bereavement research: consequences, coping and care*. Washington: American Psychological Association, 2001, p. 431-48.

Knight, C.; Gitterman, A. "Group work with bereaved individuals: the power of mutual aid". *Social Work*, v. 59, n. 1, jan. 2014, p. 5-12.

Koenig, H. G. *Medicina, religião e saúde: o encontro da ciência e da espiritualidade*. Trad. Iuri Abreu. Porto Alegre: L&PM, 2012.

Koenig, H. G.; Büssing, A. "The Duke University Religion Index (Durel): a five-item measure for use in epidemiological studies". *Religions*, v. 1, n. 1, 2010, p. 78-85.

Koenig, H. G.; McCullough, M.; Larson, D. B. *Handbook of religion and health: a century of research reviewed*. Nova York: Oxford University Press, 2001.

Konigsberg, R. D. *The truth about grief: the myth of its five stages and the new science of loss*. Nova York: Simon and Schuster, 2011.

Kosminsky, P. S. "Working with continuing bonds from an attachment theoretical perspective". In: Klass, D.; Steffen, E. M. (orgs.). *Continuing bonds in bereavement: new directions for research and practice*. Nova York: Routledge, 2018, p. 112-28.

Kosminsky, P. S.; Jordan, J. R. *Attachment-informed grief therapy: the clinician's guide to foundations and applications*. Nova York/Londres: Routledge, 2016.

Kosminsky. P. S.; McDevitt, R. "Eye Movement Desensitization and Reprocessing – EMDR". In: Neimeyer, R. A. (org.). *Techniques of grief therapy: creative practices for counseling the bereaved*. Nova York: Routledge, 2012, p. 95-98.

Kovács, M. J. *Educação para a morte: desafio na formação de profissionais de saúde e educação*. São Paulo: Casa do Psicólogo/Fapesp, 2003.

_____. "Desenvolvimento da tanatologia: estudos sobre a morte e o morrer". *Paidéia*, Ribeirão Preto, v. 18, n. 41, set.-dez. 2008.

_____. "A morte no contexto escolar: desafio na formação de educadores". In: Franco, M. H. P. (org.). *Formação e rompimento de vínculos: o dilema das perdas na atualidade*. São Paulo: Summus, 2010.

Kreuz, G. *Autonomia decisória do idoso com câncer: percepções do idoso, da família e da equipe de saúde*. Tese (doutorado em Psicologia Clínica) – Pontifícia Universidade Católica de São Paulo, 2016.

Kreuz, G.; Franco, M. H. P. "O luto do idoso diante das perdas da doença e do envelhecimento: revisão sistemática da literatura". *Arquivos Brasileiros de Psicologia*, v. 69, n. 2, 2016, p. 168-86.

_____; _____. "Reflexões acerca do envelhecimento, problemáticas e cuidados com as pessoas idosas". *Revista Kairós: Gerontologia*, v. 20, n. 2, 2017, p. 117-33.

Kreuz, G.; Tinoco, V. "O luto antecipatório do idoso acerca de si mesmo: revisão sistemática". *Revista Kairós: Gerontologia*, v. 19, n. especial 22, "Envelhecimento e velhice", 2016, p. 109-33.

Kristensen, P.; Franco, M. H. P. "Bereavement and disasters: research and clinical intervention". In: Neimeyer, R. A. *et al.* (orgs.). *Grief and bereavement in contemporary society: bridging research and practice*. Nova York: Routledge, 2011, p. 189-201.

Kristjanson, L. *et al*. *A systematic review of the literature on complicated grief*. Churchlands: West Australian Centre for Cancer and Palliative Care, 2006.

Kübler-Ross, E. *On death and dying: what the dying have to teach doctors, nurses, clergy and their own families*. Nova York/Londres: Routledge, 2009.

Kübler-Ross, E.; Kessler, D. *On grief and grieving: finding the meaning of grief through the five stages of loss*. Nova York: Scribner, 2005.

Kuczewski, M. G. "Re-reading *On death and dying*: what Elisabeth Kübler-Ross can teach clinical bioethics". *American Journal of Bioethics*, v. 4, n. 4, 2004, p. 18-23.

Labate, R. C.; Barros, G. C. "Uma possibilidade de escuta a uma família enlutada: ressignificando a experiência de perda". *Revista da Spagesp – Sociedade de Psicoterapias Analíticas Grupais do Estado de São Paulo*, v. 7, n. 1, jan.-jun. 2006, p. 50-57.

Larson D. G. "Anticipatory mourning: challenges for professional and volunteer caregivers". In: Rando, T. A. (org.). *Clinical dimensions of anticipatory mourning: theory and practice in working with the dying, their loved ones, and their caregivers*. Champaign: Research Press, 2000, p. 379-95.

Lewis, G. W. *Critical incident stress and trauma in the workplace: recognition, response, recovery*. Nova York/Londres: Routledge, 1994.

Liberato, R. "A expressão da espiritualidade no encontro humano". In: Carbonari, K.; Seabra, C. R. (orgs.). *Psico-oncologia: assistência humanizada e qualidade de vida*. São Paulo: Comenius, 2013, p. 287-303.

_____. "O luto do profissional de saúde: a visão do psicólogo". In: Casellato, G. (org.). *O resgate da empatia: suporte psicológico ao luto não reconhecido*. São Paulo: Summus, 2015, p. 155-82.

Lichtenthal, W. G.; Cruess, D. G.; Prigerson, H. G. "A case for establishing complicated grief as a distinct mental disorder in DSM-V". *Clinical Psychology Review*, v. 24, n. 6, 2004, p. 637-62.

Lichtenthal, W. G.; Sweeney, C. "Families 'at risk' of complicated bereavement". In: Kissane, D. W.; Parnes, F. *Bereavement care for families*. Nova York/Londres: Routledge, 2014, p. 249-65.

Lieberman, M. A. "Bereavement self-help groups: a review of conceptual and methodological issues". In: Stroebe, M. S.; Stroebe, W.; Hansson, R. O. (orgs.). *Handbook of bereavement: theory, research, and intervention*. Cambridge/Nova York: Cambridge University Press, 1993, p. 411-26.

Lima, F. A.; Bouqvar, R. "Famílias enlutadas: intervenções corporais e recuperação da vitalidade". *Revista Latino-Americana de Psicologia Corporal*, v. 1, n. 1, 2014.

Lindemann, E. "Symptomatology and management of acute grief". *The American Journal of Psychiatry*, v. 101, n. 2, 1944, p. 141-48.

Lucchetti, G.; Lucchetti, A. L. G. "Spirituality, religion, and health: over the last 15 years of field research (1999-2013)". *The International Journal of Psychiatry in Medicine*, v. 48, n. 3, 2014, p. 199-215.

Lundin, T. "Long-term outcome of bereavement". *The British Journal of Psychiatry*, v. 145, n. 4, 1984, p. 424-28.

Maciejewski, P. K.; Prigerson, H. G. "Prolonged, but not complicated, grief is a mental disorder". *The British Journal of Psychiatry*, v. 211, n. 4, 2017, p. 1-2.

Main, M.; Solomon, J. "Procedures for identifying infants as disorganized/disoriented during the Ainsworth strange situation". In: Greenberg, M. T.; Cicchetti, D.; Cummings, E. M. (orgs.). *Attachment in the preschool years*. Chicago: University of Chicago Press, 1990, p. 121-60.

Mann, J. J.; Freed, P. J. "Sadness and loss: toward a neurobiopsychosocial model". *American Journal of Psychiatry*, v. 164, n. 1, 2007, p. 28-34.

Marcarini, C. *et al*. *O processo de luto em um contexto grupal*. Trabalho de conclusão (pós-graduação em Dinâmica dos Grupos) – Sociedade Brasileira de Dinâmicas dos Grupos, Porto Alegre, 2015.

Marras, C. M. O. *Vivências do luto no ambiente de trabalho por profissionais da região metropolitana de São Paulo*. Dissertação (mestrado em Psicologia Clínica) – Pontifícia Universidade Católica de São Paulo, 2016.

Martin, J. L.; Dean, L. "Bereavement following death from AIDS: unique problems, reactions and special needs". In: Stroebe, M. S.; Stroebe, W.; Hansson, R. O. (orgs.). *Handbook of bereavement: theory, research, and intervention*. Cambridge/Nova York: Cambridge University Press, 1993, p. 317-30.

Maso, J. S. *et al*. "Luto do profissional de saúde". In: Casellato, G. (org.). *Dor silenciosa ou dor silenciada? Perdas e lutos não reconhecidos por enlutados e sociedade*. Niterói: PoloBooks, 2013, p. 111-44.

Mayland, C. R. *et al*. "Supporting adults bereaved through Covid-19: a rapid review of the impact of previous pandemics on grief and bereavement". *Journal of Pain and Symptom Management*, v. 60, 2020.

Mazzula, S. L.; LiVecchi, P. *Ethics for counselors: integrating counseling and psychology standards*. Nova York: Springer, 2018.

McCrae, R. R.; Costa Jr., P. T. "Psychological resilience among widowed men and women: a ten--year follow-up of a national sample". In: Stroebe, M. S.; Stroebe, W.; Hansson, R. O. (orgs.). *Handbook of bereavement: theory, research, and intervention*. Cambridge/Nova York: Cambridge University Press, 1993, p. 196-207.

McEwen, R. N.; Scheaffer, K. "Virtual mourning and memory construction on Facebook". *Bulletin of Science, Technology & Society*, v. 33, n. 3-4, mar. 2013, p. 64-75.

McGoldrick, M. "Echoes from the past: helping families mourn their losses". In: Walsh, F.; McGoldrick, M. (orgs.). *Living beyond loss: death in the family*. Nova York: Norton, 1991. [Ed. bras.: "Ecos do passado: ajudando as famílias a fazerem o luto de suas perdas". In: *Morte na família: sobrevivendo às perdas*. Trad. Cláudia Oliveira Dornelles. Porto Alegre: Artmed, 1998, p. 76-104.]

McGoldrick, M. *et al*. "Mourning in different cultures". In: Walsh, F.; McGoldrick, M. (orgs.). *Living beyond loss: death in the family*. Nova York: Norton, 1991, p. 176-206. [Ed. bras.: "O luto em diferentes culturas". In: *Morte na família: sobrevivendo às perdas*. Trad. Cláudia Oliveira Dornelles. Porto Alegre: Artmed, 1998, p. 199-228.]

Melo, C. A.; Santos, F. A. "As contribuições da psicologia nas emergências e desastres". *Revista Psicólogo inFormação*, Instituto Metodista de Ensino Superior, n. 15, 2011, p. 169-81.

Menezes, E. M. P. L. *A linguagem cinematográfica como estratégia grupal de intervenção no luto por morte violenta*. Tese (doutorado em Psicologia Clínica) – Pontifícia Universidade Católica de São Paulo, 2017.

Midlarsky, E. *et al*. "Altruistic moral judgment among older adults". *The International Journal of Aging and Human Development*, v. 49, n. 1, 1999, p. 27-41.

Mikulincer, M.; Shaver, P. R. "An attachment perspective in bereavement". In: Stroebe, M. S. *et al*. (orgs.). *Handbook of bereavement research and practice: advances in theory and intervention*. Washington: American Psychological Association, 2008, p. 87-112.

_____. "Attachment insecurities and disordered patterns of grief". In: Stroebe, M.; Schut, H.; Van den Bout, J. *Complicated grief: scientific foundations for health care professionals*. Londres: Routledge, 2013, p. 190-203.

Milberg, A. *et al*. "Family members' perceived needs for bereavement follow-up". *Journal of Pain and Symptom Management*, v. 35, n. jan. 2008, p. 58-69.

Milman, E.; Neimeyer, R. A.; Gillies, J. "Meaning of loss codebook (MLC)". In: Neimeyer, R. A. (org.). *Techniques of grief therapy: assessment and intervention*. Nova York/Londres: Routledge, 2016, p. 51-58.

Misko, M. D. *et al.* "A experiência da família da criança e/ou adolescente em cuidados paliativos: flutuando entre a esperança e a desesperança em um mundo transformado pelas perdas". *Revista Latino-Americana de Enfermagem*, v. 23, n. 3, maio-jun. 2015, p. 560-67.

Miyajima, K. *et al.* "Association between quality of end-of-life care and possible complicated grief among bereaved family members". *Journal of Palliative Medicine*, v. 17, n. 9, set. 2014, p. 1025-31.

Moos, M. S.; Moos, S. Z. "Remarriage of widowed persons: a triadic relationship". In: Klass, D.; Silverman, P. R.; Nickman, S. L. (orgs.). *Continuing bonds: new understandings of grief.* Washington: Taylor & Francis, 1996, p. 163-78.

Morais, Y. B. "A morte, o luto e a memória: possibilidade de compreensão sociocultural e histórica". *Cadernos de Clio*, v. 5, 2014, p. 77-95.

Moratalla, N. L. "Principios éticos básicos". *Educación Médica*, v. 16, supl. 1, 2015, p. 24-28.

Moreira, L. V. C.; Petrini, G.; Barbosa, F. B. (orgs.). *O pai na sociedade contemporânea.* Bauru: Edusc, 2010.

Moreira-Almeida, A. *et al.* "Versão em português da Escala de Religiosidade da Duke: Durel". *Revista de Psiquiatria Clínica*, v. 35, n. 1, 2008, p. 31-32.

Nadeau, J. W. *Families making sense of death.* Thousand Oaks: Sage Publications, 1998.

_____. "Family construction of meaning". In: Neimeyer, R. A. (org.). *Meaning reconstruction & the experience of loss.* Washington: American Psychological Association, 2000, p. 95-111.

_____. "Meaning-making in bereaved families: assessment, intervention, and future research". In: Stroebe, M. S. et. al. *Handbook of bereavement research and practice: advances in theory and intervention.* Washington: American Psychological Association, 2008, p. 511-30.

Nanni, M. G.; Biancosino, B.; Grassi, L. "Pre-loss symptoms related to risk of complicated grief in caregivers of terminally ill cancer patients". *Journal of Affective Disorders*, v. 160, maio 2014, p. 87-91.

Neimeyer, R. A. "The language of loss: grief therapy as a process of meaning reconstruction". In: Neimeyer, R. A. (org.). *Meaning reconstruction and the experience of loss.* Washington: American Psychological Association, 2001, p. 261-92.

_____. "Fostering posttraumatic growth: a narrative elaboration". *Psychological Inquiry*, v. 15, 2004, p. 53-59.

_____. "Widowhood, grief and the quest for meaning: a narrative perspective on resilience". In: Carr, D. S.; Nesse, R. M.; Wortman, C. B. (orgs.). *Spousal bereavement in late life.* Nova York: Springer, 2006, p. 227-52.

_____. "Reconstructing meaning in bereavement: summary of a research program". *Estudos de Psicologia (Campinas)*, v. 28, n. 4, out.-dez. 2011, p. 421-26.

Neimeyer, R. A.; Cacciatore, J. Toward a developmental theory of grief". In: Neimeyer, R.A. (org.). *Techniques of grief therapy: assessment and intervention.* Nova York/Londres: Routledge, 2016, p. 3-13.

Neimeyer, R. A.; Hogan, N. S. "Quantitative or qualitative? Measurement issues in the study of grief". In: Stroebe, M. S. *et al.* (orgs.). *Handbook of bereavement research: consequences, coping and care.* Washington: American Psychological Association, 2001, p. 89-118.

Neimeyer, R. A.; Hogan, N. S.; Laurie, A. "The measurement of grief: psychometric considerations in the assessment of reactions to bereavement". In: Stroebe, M. S. *et al.* (orgs.). *Handbook of bereavement research and practice: advances in theory and intervention.* Washington: American Psychological Association, 2008, p. 133-61.

Neimeyer, R. A.; Hooghe, A. "Reconstructing the continuing bond". In: Klass, D.; Steffen, E. M. (orgs.). *Continuing bonds in bereavement: new directions for research and practice.* Nova York/Londres: Routledge, 2018, p. 73-98.

NEIMEYER, R. A.; JORDAN, J. R. "Disenfranchisement as empathic failure: grief therapy and the co-construction of meaning". In: DOKA, K. J. (org.). *Disenfranchised grief: new directions, challenges and strategies for practice* Champaign: Research Press, 2002, p. 95-118.

NEIMEYER, R. A. *et al.* "Grief therapy and the reconstruction of meaning: from principles to practice". *Journal of Contemporary Psychotherapy,* v. 40, n. 2, 2010, p. 73-83.

_____. *Grief and bereavement in contemporary society: bridging research and practice.* Nova York: Routledge, 2011.

NEIMEYER, R. A. (org.). *Techniques of grief therapy: creative practices for counseling the bereaved.* Nova York/Londres: Routledge, 2012.

NEIMEYER, R. A. (org.). *Techniques of grief therapy: assessment and intervention.* Nova York/Londres: Routledge, 2016.

NORTON, M. I.; GINO, F. "Rituals alleviate grieving for loved ones, lovers, and lotteries". *Journal of Experimental Psychology*: General, v. 143, n. 1, 2014, p. 266-72.

O'CONNOR, M.-F. "Physiological mechanisms and the neurobiology of complicated grief". In: STROEBE, M.; SCHUT, H.; VAN DEN BOUT, J. *Complicated grief: scientific foundations for health care professionals.* Londres/Nova York: Routledge, 2013, p. 204-18.

O'CONNOR, M.-F. *et al.* "Craving love? Enduring grief activates brain's reward center". *Neuroimage,* v. 42, n. 2, ago. 2008, p. 969-72.

OGRODNICZUK, J. S.; JOYCE, A. S.; PIPER, W. E. "Changes in perceived social support after group therapy for complicated grief". *Journal of Nervous and Mental Disease,* v. 191, n. 8, 2003, p. 524-30.

OLIVEIRA, D. *O luto pela morte do animal de estimação e o reconhecimento da perda.* Tese (doutorado em Psicologia Clínica) – Pontifícia Universidade Católica de São Paulo, 2013.

OLIVEIRA, D.; FRANCO, M. H. P. "Luto por perda de animal". In: CASELLATO, G. (org.). *O resgate da empatia: suporte psicológico ao luto não reconhecido.* São Paulo: Summus, 2015, p. 91-109.

_____. "O luto pela morte do animal de estimação e as relações sociais". In: FRANCO, M. H. P. (coord.). *Pesquisas e intervenções sobre luto: em busca da excelência possível.* 11º Congresso Nacional de Psicologia da Saúde, Lisboa, 26-29 jan. 2016.

OLIVEIRA, S. R. "Onde está você agora além de aqui, dentro de mim? O luto das mães de crianças desaparecidas". In: CASELLATO, G. (org.). *O resgate da empatia: suporte psicológico ao luto não reconhecido.* São Paulo: Summus, 2015, p. 129-53.

OPAS – Organização Pan-Americana da Saúde; OMS – Organização Mundial da Saúde. *CID-10: classificação estatística internacional de doenças e problemas relacionados à saúde,* décima revisão. São Paulo: Edusp/Centro Colaborador da OMS para a Família de Classificações Internacionais em Português, 1995.

OTT, C. H. *et al.* "Spousal bereavement in older adults: common, resilient, and chronic grief with defining characteristics". *Journal of Nervous e Mental Disease,* v. 195, n. 4, abr. 2007, p. 332-41.

PAIVA, L. E. *A arte de falar da morte para crianças.* Aparecida: Ideias e Letras, 2011.

PANDOLFI, A. *Análise bioenergética: um recurso psicoterapêutico no processo de luto.* Tese (doutorado em Psicologia Clínica) – Pontifícia Universidade Católica de São Paulo, 2018.

PARENTE, N. T. *A influência do coping religioso-espiritual na qualidade de vida de pais e mães, após a perda de um(a) filho(a) por causas externas.* Dissertação (mestrado em Psicologia Clínica) – Pontifícia Universidade Católica de São Paulo, 2017.

PARGAMENT, K. I. *The psychology of religion and coping: theory, research, practice.* Nova York: Guilford Press, 1997.

PARGAMENT, K. I. *et al.* "Patterns of positive and negative religious coping with major life stressors". *Journal for the Scientific Study of Religion,* v. 37, n. 4, 1998, p. 710-24.

PARIS, G. F.; MONTIGNY, F.; PELLOSO, S. M. "Adaptação transcultural e evidências de validação da Perinatal Grief Scale". *Texto & Contexto – Enfermagem*, v. 26, n. 1, 2017.

PARK, C. L.; HALIFAX, J. R. "Religion and spirituality in adjusting to bereavement: grief as burden, grief as gift". In: NEIMEYER, R. A. *et al.* (orgs.). *Grief and bereavement in contemporary society: bridging research and practice*. Londres/Nova York: Routledge, 2011, p. 355-63.

PARKES, C. M. "Psycho-social transitions: a field for study". *Social Science and Medicine*, v. 5, n. 2, 5 abr. 1971, p. 101-05.

_____. "Bereavement as a psychosocial transition: processes of adaptation to change". In: STROEBE, M. S.; STROEBE, W.; HANSSON, R. O. (orgs.). *Handbook of bereavement: theory, research, and intervention*. Cambridge/Nova York: Cambridge University Press, 1993, p. 91-101.

_____. *Luto: estudos sobre a perda na vida adulta*. 3. ed. Trad. Maria Helena Franco Bromberg. São Paulo: Summus, 1998. Novas Buscas em Psicoterapia, v. 56.

_____. "A historical overview of the scientific study of bereavement". In: STROEBE, M. S. *et al.* (orgs.). *Handbook of bereavement research: consequences, coping and care*. Washington: American Psychological Association, 2001, p. 25-45.

_____. *Amor e perda: as raízes do luto e suas complicações*. Trad. Maria Helena Pereira Franco. São Paulo: Summus, 2009.

_____. "Introduction – The historical landscape of loss: development of bereavement studies". In: NEIMEYER, R. A. *et al.* (orgs.). *Grief and bereavement in contemporary society: bridging research and practice*. Londres/Nova York: Routledge, 2011a, p. 1-5.

_____. "Recent developments in loss theory and practice: individual, family, national, and international implications". *Grief Matters: the Australian Journal of Grief and Bereavement*, v. 14, n. 2, 2011b, p. 36-40.

PARKES, C. M.; LAUNGANI, P.; YOUNG, B. (orgs.). *Death and bereavement across cultures*. Londres/Nova York: Routledge, 1997.

PARKES, C. M.; PRIGERSON, H. G. "Disasters". In: PARKES, C. M.; PRIGERSON, H. G. *Bereavement: studies of grief in the adult life*. Nova York: Routledge, 2010, p. 267-78.

PASCOAL, M. "Trabalho em grupo com enlutados". *Psicologia em Estudo*, v. 17, n. 4, 2012, p. 725-29.

PEREIRA, I. C. O. *Avaliação do processo de luto: na perspectiva do cuidador enlutado*. Dissertação (mestrado em Cuidados Paliativos) – Universidade de Lisboa, 2014.

PERUZZO, A. S. *et al.* "A expressão e a elaboração do luto por adolescentes e adultos jovens através da internet". *Estudos e Pesquisas em Psicologia*, v. 7, n. 3, dez. 2007.

PRASHANT, L. "Degriefing caregiver burden". In: NEIMEYER, R. A. (org.). *Techniques of grief therapy: creative practices for counseling the bereaved*. Londres/Nova York: Routledge, 2012, p. 365-67.

PRIGERSON, H. G. "Complicated grief: when the path of adjustment leads to a dead-end". *Bereavement Care*, v. 23, n. 3, 2004, p. 38-40.

PRIGERSON, H. G.; JACOBS, S. C. "Traumatic grief as a distinct disorder: a rationale, consensus criteria, and a preliminary empirical test". In: STROEBE, M. S. *et al.* (orgs.). *Handbook of bereavement research: consequences, coping and care*. Washington: American Psychological Association, 2001, p. 613-45.

PRIGERSON, H. G.; MACIEJEWSKI, P. K. "A call for sound empirical testing and evaluation of criteria for complicated grief proposed for DSM-V. Symposium on Complicated Grief". *Omega – Journal of Death and Dying*, v. 52, n. 1, 2006, p. 9-19.

_____. "Rebuilding consensus on valid criteria for disordered grief". *JAMA Psychiatry*, v. 74, n. 5, maio 2017, p. 435-36.

PRIGERSON, H. G.; VANDERWERKER, L. C.; MACIEJEWSKI, P. K. "A case for inclusion of prolonged grief disorder in DSM-V". In: STROEBE, M. S. *et al.* (orgs.). *Handbook of bereavement research and practice: advances in theory and intervention.* Washington: American Psychological Association, 2008, p. 165-86.

PRIGERSON, H. G. *et al.* "Complicated grief and bereavement-related depression as distinct disorders: preliminary empirical validation in elderly bereaved spouses". *American Journal of Psychiatry,* v. 152, n. 1, 1995a, p. 22-30.

_____. "Inventory of complicated grief: a scale to measure maladaptive symptoms of loss". *Psychiatry Research,* v. 59, n. 1-2, nov. 1995b, p. 65-79.

_____. "Complicated grief as a disorder distinct from bereavement-related depression and anxiety: a replication study". *American Journal of Psychiatry,* v. 153, n. 11, 1996, p. 1484-86.

_____. "Case histories of traumatic grief". *Omega – Journal of Death and Dying,* v. 35, n. 1, ago. 1997a, p. 9-24.

_____. "Traumatic grief: a case of loss-induced trauma". *American Journal of Psychiatry,* v. 154, n. 7, 1997b, p. 1003-09.

_____. "Traumatic grief as a risk factor for mental and physical morbidity". *American Journal of Psychiatry,* v. 154, n. 5, 1997c, p. 616-23.

_____. "Consensus criteria for traumatic grief: a preliminary empirical test". *British Journal of Psychiatry,* v. 174, 1999, p. 67-73.

_____. "Prolonged grief disorder: psychometric validation of criteria proposed for DSM-V and ICD-11". *PLoS Medicine,* v. 6, n. 8, ago. 2009.

Puchalski, C. M. "Spirituality, religion, and healing in palliative care". *Clinics in Geriatric Medicine,* v. 20, n. 4, 2004, p. 689-714.

QUACKENBUSH, J.; GRAVELINE, D. *When your pet dies: how cope with your feelings.* Nova York: Pocket Books, 1988.

RANDO, T. A. *Loss & anticipatory grief.* Lexington: Lexington Books, 1986, p. 3-37.

_____. "Intervening in the six 'R' processes of mourning". In: *Treatment of Complicated Mourning.* Champaign: Research Press, 1993, p. 393-450.

_____. "On achieving clarity regarding complicated grief: lessons from clinical practice". In: STROEBE, M.; SCHUT, H.; VAN DEN BOUT, J. *Complicated grief: scientific foundations for health care professionals.* Nova York: Routledge, 2013, p. 40-54.

RANDO, T. A. *et al.* "A call to the field: complicated grief in the DSM-5". *Omega – Journal of Death and Dying,* v. 65, n. 4, 2012, p. 251-55.

RANDO, T. A. (org.). "Anticipatory mourning: a review and critique of the literature". In: RANDO, T. A. (org.). *Clinical dimensions of anticipatory mourning: theory and practice in working with the dying, their loved ones, and their caregivers.* Champaign: Research Press, 2000, p. 17-50.

RAPHAEL, B.; MINKOV, C.; DOBSON, M. "Psychotherapeutic and pharmacological intervention for bereaved persons". In: STROEBE, M. S. *et al.* (orgs.). *Handbook of bereavement research: consequences, coping and care.* Washington: American Psychological Association, 2001, p. 587-612.

RAPHAEL, B. *et al.* "Counseling and therapy of the bereaved". In: STROEBE, M. S.; STROEBE, W.; HANSSON, R. O. (orgs.). *Handbook of bereavement: theory, research, and intervention.* Cambridge/Nova York: Cambridge University Press, 1993, p. 427-53.

RODRIGUES, C. *Nas fronteiras do além: a secularização da morte no Rio de Janeiro (séculos XVIII e XIX).* Rio de Janeiro: Arquivo Nacional, 2005.

_____. "Lugares dos mortos na cristandade ocidental". *Revista Brasileira de História das Religiões,* v. 5, n. 15, jan. 2013, p. 105-29.

ROSENBLATT, P. C. "Grief: the social context of private feelings". In: STROEBE, M. S.; STROEBE, W.; HANSSON, R. O. (orgs.). *Handbook of bereavement: theory, research, and intervention.* Cambridge/Nova York: Cambridge University Press, 1993, p. 102-11.

_____. "Grief across cultures: a review and research agenda". In: STROEBE, M. S. *et al.* (orgs.). *Handbook of bereavement research and practice: advances in theory and Intervention*. Washington: American Psychological Association, 2008, p. 207-23.

_____. "Shame and death in cultural context". In: KAUFFMAN, J. *The shame of death, grief, and trauma*. Nova York: Routledge, 2010, p. 113-37.

_____. "The concept of complicated grief: lessons from other cultures". In: STROEBE, M.; SCHUT, H.; VAN DEN BOUT, J. (orgs.). *Complicated grief: scientific foundations for health care professionals*. Londres: Routledge, 2013, p. 28-39.

ROSS, C. B.; BARON-SORENSEN, J. *Pet loss and human emotion: a guide to recovery*. Nova York: Routledge, 2007.

RUBIN, S. "A two-track model of bereavement.: theory and application in research". *American Journal of Orthopsychiatry*, v. 51, n. 1, 1981, p. 101-09.

RUBIN, S. S.; MALKINSON, R.; WITZTUM, E. "Clinical aspects of DSM complicated grief diagnosis: challenges, dilemmas, and opportunities". In: STROEBE, M. S. *et al.* (orgs.). *Handbook of bereavement research and practice: advances in theory and Intervention*. Washington: American Psychological Association, 2008, p. 187-206.

RYNEARSON, E. K.; SINNEMA, C. S. "Supportive group therapy for bereavement after homicide". In: BLAKE, D. D.; YOUNG, B. H. (orgs.). *Group treatments for post-traumatic stress disorder*. Filadélfia: Brunner/Mazel, 1999, p. 137-47.

SANDERS, C. M. "Risk factors of bereavement outcome". In: STROEBE, M. S.; STROEBE, W.; HANSSON, R. O. (orgs.). *Handbook of bereavement: theory, research, and intervention*. Cambridge/Nova York: Cambridge University Press, 1993, p. 255-67.

SANTOS, D. P. B. D. *A elaboração do luto materno na perda gestacional*. Dissertação (mestrado em Psicologia) – Universidade de Lisboa, 2015.

SANTOS, S. R. B. *Bate coração: apego, casamento e recuperação*. Tese (doutorado em Psicologia Clínica) – Pontifícia Universidade Católica de São Paulo, 2005.

SAUNDERS, C. *Hospices and palliative care: an interdisciplinary approach*. Londres: Edward Arnold, 1990.

SCAVACINI, K. O *suicídio é um problema de todos: a consciência, a competência e o diálogo na prevenção e posvenção do suicídio*. Tese (doutorado em Psicologia) – Universidade de São Paulo, 2018.

SCHMIDT, B. *et al.* "Saúde mental e intervenções psicológicas diante da pandemia do novo coronavírus (Covid-19)". *Estudos de Psicologia (Campinas)*, v. 37, 2020.

SCHUT, H. *et al.* "The efficacy of bereavement interventions: determining who benefits". In: STROEBE, M. S. *et al.* (orgs.). *Handbook of bereavement research: consequences, coping and care*. Washington: American Psychological Association, 2001, p. 705-37.

SHAPIRO, F.; FORREST, M. S. *EMDR: the breaking therapy for overcoming anxiety, stress, and trauma*. Nova York: Basic Books. 1997.

SHAVER, P. R.; FRALEY, R. C. "Attachment, loss, and grief: Bowlby's views and current controversies". In: CASSIDY, J.; SHAVER, P. R. (orgs.). *Handbook of attachment: theory, research and clinical applications*. Nova York: Guilford Press, 2008, p. 48-77.

SHEAR, K. *et al.* "Treatment of complicated grief: a randomized controlled trial". *The Journal of the American Medical Association*, v. 293, n. 21, jul. 2005, p. 2601-08.

_____. "Screening for complicated grief among Project Liberty service recipients 18 months after September 11, 2001". In: *Psychiatric Services*, v. 57, n. 9, set. 2006, p. 1291-97.

_____. "An attachment-based model of complicated grief including the role of avoidance". *European Archives of Psychiatry and Clinical Neuroscience*, v. 257, n. 8, dez. 2007, p. 453-61.

_____. "Complicated grief and related bereavement issues for DSM-5". *Depression and Anxiety*, v. 28, n. 2, 2011.

SHUCHTER, S. R.; ZISOOK, S. "The course of normal grief". In: STROEBE, M.; STROEBE, W.; HANSSON, R. O. (orgs). *Handbook of bereavement: theory, research, and intervention.* Cambridge/Nova York: Cambridge University Press, 1993, p. 23-43.

SILVA, A. C. O.; NARDI, A. E. "Luto pela morte de um filho: utilização de um protocolo de terapia cognitivo-comportamental". *Revista de Psiquiatria do Rio Grande do Sul,* v. 32, n. 3, 2010, p. 113-16.

_____. "Terapia cognitivo-comportamental para luto pela morte súbita de cônjuge". *Revista de Psiquiatria Clínica,* v. 38, n. 5, 2011, p. 213-15.

SILVA, D. R. "Na trilha do silencio: múltiplos desafios do luto por suicídio". In: CASELLATO, G. (org.). *O resgate da empatia: suporte psicológico ao luto não reconhecido.* São Paulo: Summus, 2015, p. 111-28.

_____. *EMDR como possibilidade de psicoterapia para o luto: um estudo de caso instrumental coletivo.* Tese (doutorado em Psicologia Clínica) – Pontifícia Universidade Católica de São Paulo, 2019.

SILVA, I. P. C. C. *Manutenção do vínculo e adaptação individual de pais em luto: contributos para a validação da versão portuguesa da Continuing Bonds Scale-16.* Dissertação (mestrado em Psicologia) – Universidade de Lisboa, 2014.

SILVA, L. *et al.* "Provision of primary health care for end-of-life older-aged patients and their families: a qualitative study". International *Journal of Nursing,* v. 2, n. 1, jun. 2015, p. 120-27.

SILVERMAN, P. R.; KLASS, D. "Introduction: what's the problem?" In: KLASS, D.; SILVERMAN, P. R.; NICKMAN, S. L. (orgs.). *Continuing bonds: new understandings of grief.* Washington: Taylor & Francis, 1996, p. 3-27.

SILVERMAN, P. R.; WORDEN, J. W. "Children's reactions to the death of a parent". In: STROEBE, M. S.; STROEBE, W.; HANSSON, R. O. (orgs.). *Handbook of bereavement: theory, research, and intervention.* Cambridge/Nova York: Cambridge University Press, 1993, p. 300-16.

SMITH, H. I. *Friendgrief: an absence called presence.* Nova York: Baywood, 2002.

SOLOMON, R. M.; RANDO, T. A. "Treatment of grief and mourning through EMDR: conceptual considerations and clinical guidelines". *European Review of Applied Psychology / Revue Européenne de Psychologie Appliquée,* v. 62, n. 4, 2012, p. 231-39.

SOUZA, R. M.; MACIEL JR., P. A. "Aposentadorias masculinas e perdas ambíguas". In: CASELLATO, G. (org.). *O resgate da empatia: suporte psicológico ao luto não reconhecido.* São Paulo: Summus, 2015, p. 71-89.

STEFFEN, E. M.; KLASS, D. "Introduction: continuing bonds – 20 years on". In: KLASS, D.; STEFFEN, E. M. (orgs.). *Continuing bonds in bereavement: new directions for research and Practice.* Nova York: Routledge, 2018, p. 1-14.

STEIN, H. F. "Toward an applied anthropology of disaster: learning from disasters – Experience, method, and theory". *Illness, Crisis & Loss,* v. 10, n. 2, abr. 2002, p. 154-63.

STEWART, C. S.; THRUSH, J. C.; PAULUS, G. "Disenfranchised bereavement and loss of a companion animal: implications for caring communities". In: DOKA, K. J. (org.). *Disenfranchised grief: recognizing hidden sorrow.* Nova York: Lexington Books, 1989, p. 147-59.

STROEBE, M. S. "Is grief a disease? Why Engel posed the question?" *Omega Journal of Death and Dying,* 2015, p. 1-8.

STROEBE, M. S.; BOERNER, K.; SCHUT, H. "Grief". In: ZEIGLER-HILL, V.; SCHACKELFORD, T. K. (org.). *Encyclopedia of personality and individual differences.* Cham: Springer International Publishing, 2020.

STROEBE, M. S.; HANSSON, R. O.; STROEBE, W. "Contemporary themes and controversies in bereavement research". In: STROEBE, M. S.; STROEBE, W.; HANSSON, R. O. (orgs.). *Handbook of bereavement: theory, research, and intervention.* Cambridge/Nova York: Cambridge University Press, 1993a, p. 457-75.

_____. (orgs.). *Handbook of bereavement: theory, research, and intervention*. Cambridge/Nova York: Cambridge University Press, 1993b.

STROEBE, M. S.; SCHUT, H. "The dual process model of coping with bereavement: rationale and description". *Death Studies*, v. 23, n. 3, abr.-maio 1999, p. 197-224.

_____. "Meaning making in the dual process model of coping with bereavement". In: NEIMEYER, R. A. (org.). *Meaning reconstruction and the experience of loss*. Washington: American Psychological Association, 2001a, p. 55-73.

_____. "Models of coping with bereavement: a review". In: STROEBE, M. S. *et al.* (orgs.). *Handbook of bereavement research: consequences, coping and care*. Washington: American Psychological Association, 2001b, p. 375-403.

_____. "Complicated grief: a conceptual analysis of the field". *Omega – Journal of Death and Dying*, v. 52, n. 1, 2005-2006, p. 53-70.

_____. "Family matters in bereavement: toward an integrative intra-interpersonal coping model". *Perspectives on Psychological Science*, v. 10, n. 6, 2015, p. 873-79.

STROEBE, M. S.; SCHUT, H.; BOERNER, K. "Cautioning health-care professionals: bereaved persons are misguided through the stages of grief". *Omega – Journal of Death and Dying*, v. 74, n. 4, fev. 2017, p. 455-73.

STROEBE, M. S.; SCHUT, H.; STROEBE, W. "Health outcomes of bereavement". *The Lancet*, v. 370, dez. 2007, p. 1960-73.

STROEBE, M. S.; SCHUT, H.; VAN DEN BOUT, J. "Complicated grief: assessment of scientific knowledge and implications for research and practice". In: STROEBE, M.; SCHUT, H.; VAN DEN BOUT, J. *Complicated grief: scientific foundations for health care professionals*. Nova York: Routledge, 2013a, p. 296-311.

_____. "Introduction: outline of goals and scope of the book". In: STROEBE, M.; SCHUT, H.; VAN DEN BOUT, J. (orgs.). *Complicated grief: scientific foundations for health care professionals*. Nova York: Routledge, 2013b, p. 3-9.

STROEBE, M. S.; STROEBE, W. *Bereavement and health: the psychological and physical consequences of partner loss*. Cambridge/Nova York: Cambridge University Press, 1987.

_____. "The mortality of bereavement: a review". In: STROEBE, M. S.; STROEBE, W.; HANSSON, R. O. (orgs.). *Handbook of bereavement: theory, research, and intervention*. Cambridge/Nova York: Cambridge University Press, 1993, p. 143-59.

STROEBE, M. S.; STROEBE, W.; DOMITTNER, G. "Individual and situational differences in recovery from bereavement: a risk group identified". *Journal of Social Issues*, v. 44, n. 3, 1988, p. 143-58.

STROEBE, M. S.; STROEBE, W.; HANSSON, R. O. (orgs.). *Handbook of bereavement: theory, research, and intervention*. Cambridge/Nova York: Cambridge University Press, 1993.

STROEBE, M. S.; STROEBE, W.; SCHUT, H. "Attachment in coping with bereavement: a theoretical integration". In: *Review of General Psychology*, v. 9, n. 1, mar. 2005, p. 48-66.

STROEBE, M. S.; VAN DER HOUWEN, K.; SCHUT, H. "Bereavement support, intervention, and research on the internet: a critical review". In: STROEBE, M. S. *et al.* (orgs.). *Handbook of bereavement research and practice: advances in theory and intervention*. Washington: American Psychological Association, 2008, p. 551-74.

STROEBE, M. S. *et al.* "Bereavement research: contemporary perspectives". In: STROEBE, M. S. *et al.* (orgs.). *Handbook of bereavement research and practice: advances in theory and intervention*. Washington: American Psychological Association, 2008a, p. 3-25.

STROEBE, M. S. *et al.* "Grief is not a disease but bereavement merits medical awareness". *The Lancet*, v. 389, n. 10.067, 28 jan. 2017, p. 347-49.

STROEBE, M. S. *et al.* (orgs.). *Handbook of bereavement research: consequences, coping and care.* Washington: American Psychological Association, 2001.

STROEBE, M. S. *et al.* (orgs.). *Handbook of bereavement research and practice: advances in theory and intervention.* Washington: American Psychological Association Press, 2008b.

STYLIANOS, S. K.; VACHON, M. L. S. "The role of social support in bereavement". In: STROEBE, M. S.; STROEBE, W.; HANSSON, R. O. (orgs.). *Handbook of bereavement: theory, research, and intervention.* Cambridge/Nova York: Cambridge University Press, 1993, p. 397-410.

SZANTO, K. *et al.* "Indirect self-destructive behavior and overt suicidality in patients with complicated grief". *Journal of Clinical Psychiatry*, v. 67, n. 2, fev. 2006, p. 233-39.

TARQUINIO, C. *et al.* "EMDR applied for traumatic bereavement after train collision". *L'Évolution Psychiatrique*, v. 74, n. 4, out.-dez. 2009, p. 567-80.

THOMAS, K. *et al.* "Risk factors for developing prolonged grief during bereavement in family carers of cancer patients in palliative care: a longitudinal study". *Journal of Pain and Symptom Management*, v. 47, n. 3, mar. 2014, p. 531-41.

TIEMAN, J.; HAYMAN, S. "Finding the evidence: use of the caresearch site in bereavement care". In: NEIMEYER, R. A. (org.). *Techniques of grief therapy: assessment and intervention.* Nova York/ Londres: Routledge, 2016, p. 30-35.

TINOCO, V. "O processo de luto na maternidade prematura". In: CASELLATO, G. (org.). *O resgate da empatia: suporte psicológico ao luto não reconhecido.* São Paulo: Summus, 2015, p. 29-47.

TOMARKEN, A. *et al.* "Factors of complicated grief pre-death in caregivers of cancer patients". *Psycho-Oncology*, v. 17, n. 2, fev. 2008, p. 105-11.

TOMASI, J. M. "Com lembrancinhas de morte e homenagens ao ente falecido: as práticas do luto na rede social do Orkut no Brasil (2004-2010)". *RBSE – Revista Brasileira de Sociologia da Emoção*, v. 11, n. 31, abr. 2012, p. 181-204.

TOYAMA, H.; HONDA, A. "Using narrative approach for anticipatory grief among family caregivers at home". *Global Qualitative Nursing Research*, v. 3, 2016, p. 1-15.

TRACEY, R.; KELLY, A. V. "Metaphor as an instrument for orchestrating change in counselor training and the counseling process". *Journal of Counseling and Development*, v. 88, n. 2, 2010, p. 182-87.

TRASFERETTI, J. (org.). *Morte: qual seu significado? Entre a medicina, a filosofia e a teologia.* Campinas: Alínea, 2007.

TYLER, F. B. "El comportamiento psicosocial, la competência psicosocial individual y las redes de intercambio de recursos, como ejemplos de psicología comunitaria". *Revista Latinoamericana de Psicologia*, v. 16, n. 1, 1984, p. 77-92.

UMBERSON, D.; CHEN, M. D. "Effects of a parent's death on adult children: relationship salience and reaction to loss". *American Sociological Review*, v. 59, n. 1, 1994, p. 152-68.

VAN DER HOUWEN, K. *et al.* "Online mutual support in bereavement: an empirical examination". *Computers in Human Behavior*, v. 26, n. 6, nov. 2010, p. 1519-25.

VANDERWERKER, L. C. *et al.* "An exploration of associations between separation anxiety in childhood and complicated grief in later life". *Journal of Nervous and Mental Disorders*, v. 194, 2006, p. 121-23.

VAN HECK, G. L.; DE RIDDER, D. T. D. "Assessment of coping with loss: dimensions and measurement". In: STROEBE, M. S. *et al.* (orgs.). *Handbook of bereavement research: consequences, coping and care.* Washington: American Psychological Association, 2001, p. 449-69.

VASCO, C. C.; FRANCO, M. H. P. "Indivíduos paraplégicos e o significado construído para a lesão medular em suas vidas". *Psicologia: Ciência e Profissão*, v. 37, n. 1, jan.-mar. 2017.

WAGNER, B.; KNAEVELSRUD, C.; MAERCKER, A. "Internet-based cognitive-behavioral therapy for complicated grief: a randomized controlled trial". *Death Studies*, v. 30, n. 5, 2006, p. 429-53.

_____. "Post-traumatic growth and optimism as outcomes of an internet-based intervention for complicated grief". *Cognitive Behaviour Therapy*, v. 36, n. 3, 2007, p. 156-61.

WALLACE, C. L. *et al.* "Grief during the Covid-19 pandemic: considerations for palliative care providers". *Journal of Pain and Symptom Management*, v. 60, n. 1, jul. 2020.

WALSH, F.; McGOLDRICK, M. "Loss and the family: a systemic perspective". In: WALSH, F.; McGOLDRICK, M. (orgs.). *Living beyond loss: death in the family.* Nova York: Norton, 1991, p. 1-29. [Ed. bras.: "A perda e a família: uma perspectiva sistêmica". *Morte na família: sobrevivendo às perdas*. Trad. Cláudia Oliveira Dornelles. Porto Alegre: Artmed, 1995, p. 27-55.]

WALTER, T. "The new public mourning". In: STROEBE, M. S. *et al.* (orgs.). *Handbook of bereavement research and practice: advances in theory and intervention.* Washington: American Psychological Association, 2008, p. 241-62.

WEISS, R. S. "The nature and causes of grief". In: STROEBE, M. S. *et al.* (orgs.). *Handbook of bereavement research and practice: advances in theory and intervention.* Washington: American Psychological Association, 2008, p. 29-44.

WIESE, C. H. R. *et al.* "Post-mortal bereavement of family caregivers in Germany: a prospective interview-based investigation". *Wiener Klinische Wochenschrift*, v. 122, 2010, p. 384-89.

WILLIAMS, M. B.; ZINNER, E. S.; ELLIS, R. R. "The connection between grief and trauma: an overview". In: ZINNER, E. S.; WILLIAMS, M. B. (orgs.). *When a community weeps: case studies in group survivorship.* Filadélfia: Brunner/Mazel, 1999, p. 3-17.

WILSEY, S. A.; SHEAR, K. "Descriptions of social support in treatment narratives of complicated grievers". *Death Studies*, v. 31, n. 9, nov. 2007, p. 801-19.

WORDEN, J. W. *Grief counseling and grief therapy: a handbook for the mental health practitioner.* Londres: Routledge, 1993.

_____. "Theoretical perspectives on loss and grief". In: STILLION, J. M.; ATTIG, T. *Death, dying, and bereavement: contemporary perspectives, institutions, and practices.* Nova York: Springer, 2015, p. 91-103.

WRIGHT, A. A. *et al.* "Place of death: correlations with quality of life of patients with cancer and predictors of bereaved caregivers' mental health". *Journal of Clinical Oncology*, v. 28, n. 29, out. 2010.

WRIGHT, L. M.; NAGY, J. "Morte: o mais perturbador segredo familiar". In: IMBER-BLACK, E. *Os segredos na família e na terapia familiar.* Porto Alegre: Artmed, 2002, p. 123-43.

YOUNG, M. A. *The community crisis response team training manual.* 2. ed. Washington: National Organization for Victim Assistance (Nova), 1998.

ZECH, E.; ARNOLD, C. "Attachment and coping with bereavement: implications for therapeutic interventions with insecurely attached". In: NEIMEYER, R. A. *et al.* (orgs.). *Grief and bereavement in contemporary society: bridging research and practice.* Nova York: Routledge, 2011, p. 23-35.

ZHANG, B.; EL-JAWAHRI, A.; PRIGERSON, H. G. "Update on bereavement research: evidence-based guidelines for the diagnosis and treatment of complicated bereavement". *Journal of Palliative Medicine*, v. 9, n. 5, nov. 2006, p. 1188-203.